Wolf-Ulrich Cropp

Die BATAVIA
war ihr Schicksal

Seeabenteuer eines Ostindienfahreres

Delius Klasing Verlag

Von Wolf-Ulrich Cropp ist im Delius Klasing Verlag auch das Buch »Gletscher und Glut. Auf Cooks Spuren durch den Pazifik« erschienen.

Die Deutsche Bibliothek – CIP-Einheitsaufnahme

Cropp, Wolf-Ulrich:
Die Batavia war ihr Schicksal: Seeabenteuer eines Ostindienfahrers/
Wolf-Ulrich Cropp. – Bielefeld: Delius Klasing, 1997
ISBN 3-7688-1020-8

ISBN 3-7688-1020-8

© Copyright by Delius, Klasing & Co., Bielefeld
Schutzumschlaggestaltung: Ekkehard Schonart
Gesamtherstellung: Clausen & Bosse, Leck
Printed in Germany 1997

Inhalt

Personen
an Bord der BATAVIA

(Unvollständiger Auszug aus dem Journal des Kommandeurs
Francisco Pelsaert)

V.O.C.-Offiziere

Francisco Pelsaert	Oberkaufmann, Kommandeur und Flotten-Präsident, starb 1630 auf Sumatra
Jeronimus Cornelisz	Unterkaufmann, einst Apotheker, Verschwörer, Despot der Insel »BATAVIAS Friedhof«, wurde 1629 zum Tode verurteilt
Salomon Deschamps	Hauptbuchhalter, wurde in Batavia zum Tode verurteilt
Gijsbert Bastiaensz	Buchhalter und Sohn des Pfarrers
Daniel Cornelisz	Buchhalter
Hendrick Denys	Buchhalter
Isbrant Isbrantsz	Buchhalter, Mitläufer, wurde in Batavia mit Scheinhinrichtung bestraft
Cornelis Jansz	Buchhalter
Andries de Vries	Buchhalter, auf der Insel »BATAVIAS Friedhof« ermordet worden, hatte selbst Menschen umgebracht oder war an Morden beteiligt
Davidt Zevanck	Buchhalter, Verschwörer, wurde auf West-Wallabi getötet

| Gijsbert Bastiaensz | Pfarrer |
| Pieter Jansz | Provost, Stockmeister, Polizist |

Schiffsoffiziere und Mannschaften

Ariaen Jacobsz	Schiffsführer, Skipper, galt als Verschwörer, seine wahre Rolle ist nie geklärt worden, er wurde in Batavia inhaftiert, Schicksal unbekannt
Claas Gerritsz	Obersteuermann, Navigator der SARDAM
Gillis Fransz	Untersteuermann
Jacop Jansz	Untersteuermann
Jan Evertsz	Hochbootsmann, vergewaltigte mit großer Wahrscheinlichkeit Lucretia, wurde in Batavia gehängt
Frans Jansz	Friseur
Aris Jansz	Friseur
Reyndert Hendricxsz	Chefsteward und Butler
Lucas Gerritsz	Butlergehilfe, Verschwörer, wurde in Batavia zum Tode verurteilt
Rogier Decker	Kabinensteward, Mitläufer, Strafe in Batavia durch Losentscheid
Jan Pelgrom de Bye	Kabinensteward, Verschwörer, wurde mit 18 Jahren zum Tode verurteilt, dann aber an Australiens Westküste ausgesetzt
Harman Nannings	Quartiermeister
Pauls Barentsz	Bootsmann, wurde auf »BATAVIAS Friedhof« brutal ermordet
Gillis Phillipsz	Schmied
Rutger Fredricxsz	Schlosser, Verschwörer, Mörder, wurde zum Tode verurteilt

Jan Willems Selyns	Oberküfer
Jacob Jacobsz	Küfer
Cornelius Aldersz	Küfer
Jan Gerritsz	Gärtner
Jacop de Vos	Schneider
Pieter Arentsz	Seemann
Jan Cornelis	Seemann
Gerrit Haas	Seemann
Bessel Jansz	Seemann, wurde ermordet
Cornelis Jansz	Seemann, Mitläufer, Strafe in Batavia: Geißelung und Brandmarkung
Jeurian Jansz	Seemann
Obbe Jansz	Seemann
Pieter Lambertsz	Seemann
Thomas Wensel	Seemann
Gerrit Willemsz	Seemann
Nicklaas Winckelhaack	Seemann
Hendrick Claasz	Zimmermann
Warner Dircxsz	Zimmermann
Jan Egbertsz	Zimmermann
Jacop Hendricks	Zimmermann, hinkte, wurde ermordet
Hans Jacobs	Zimmermann
Hendrick Jansz	Zimmermann
Teunis Jansz	Zimmermann
Egbert Roelofsz	Zimmermann
Stoffel Stoffelsz	Zimmermann
Cornelis Arentsz	Schiffsjunge
Andries de Bruyn	Schiffsjunge, wurde ermordet
Fran Fransz	Schiffsjunge
Abraham Gerritsz	Schiffsjunge, Mitläufer, Strafe in Batavia: Losentscheid
Claas Harmansz von Campen	Schiffsjunge, Verschwörer, wurde in Batavia mit Geißelung bestraft

(Auf der Robben-Insel und der Insel »Batavias Friedhof« wurden insgesamt etwa 20 Schiffsjungen ermordet.)

Jan Carstensz	Kanonier
Cornelis Dircxsz	Kanonier
Jan Dircxsz	Kanonier
Arian Ariaanz	Kanonier
Passchier van den Ende	Kanonier, wurde brutal ermordet
Hans Heijlweck	Kanonier, Verschwörer, wurde in Batavia zum Tode verurteilt
Abraham Hendricks	Kanonier
Jan Hendricx	Kanonier, Mörder
Allert Jansz von Assendelft	Kanonier, Mörder, wurde zum Tode verurteilt
Ariaen Theuwissen	Kanonier, im Abrolhos-Archipel untergegangen
Ryckert Woutersz	Kanonier, Verschwörer, verschwand auf ungeklärte Weise
Wouter Joel	Kanonier
Claas Jansz von Dortrecht	Haupttrompeter
Jacops Groenewaldt	Obertrompeter
Cornelis Pietersz	Untertrompeter

Kadetten (Offiziersanwärter)

Daniel Cornelisz	Verschwörer, wurde in Batavia zum Tode verurteilt
Lucas Gellisz	Verschwörer, wurde in Batavia zum Tode verurteilt
Johan (Hans) Jacobsz Heylwech	Verschwörer, wurde in Batavia zum Tode verurteilt
Allert Jansz von Elsen	loyal, wurde befördert
Coenraat van Huyssen	Verschwörer, auf »BATAVIAS Friedhof« Hauptmann von Cornelisz Spießgesellen, wurde von Wiebbe Hayes Soldaten auf West-Wallabi getötet
Andries Liebent	Verschwörer, Mittäter, Bestrafung in Batavia:

	Schandpfahl und drei Jahre Verbannung
Lenart Michielsz van Os	Verschwörer und Mörder, wurde zum Tode verurteilt
Hans Radder	Deutscher
Otto Smit	Deutscher, loyal, wurde befördert
Gysbert van Welderen	Verschwörer, Mörder, wurde auf West-Wallabi getötet
Olivier van Welderen	Mitläufer, Bestrafung in Batavia: Geißelung und drei Jahre Kettenhaft

Mannschaften

Gabriel Jacopsz	Unteroffizier
Jacop Pietersz (genannt »Fensterrahmen«)	Hauptgefreiter, Verschwörer, wurde in Batavia gerädert
Mattys Beer	Soldat, Verschwörer, Mörder, wurde zum Tode verurteilt
Teunis Claasz	Soldat
Hendrick Jaspersz	Soldat
Hans Fredericxsz	Soldat, Deutscher, Mittäter, Bestrafung in Batavia: Schandpfahl und drei Jahre Verbannung
Dirck Gerritsz	Soldat
Hans Hardens	Soldat, Deutscher
Wiebbe Hayes	Soldat, loyal gegenüber der V.O.C., Anführer der Soldaten auf West-Wallabi, später Fähnrich
Cornelis Helmigs	Soldat
Jan Hendricxsz aus Bremen (genannt »der Schieler«)	Soldat, Deutscher, Verschwörer, eifriger Gefolgsmann von Cornelisz, mehrfacher Mörder, wurde auf der Robben-Insel hingerichtet

Hendrick Jansz	Soldat
Andries Jonas van Luyck	Soldat, Verschwörer, Mörder, wurde zum Tode verurteilt
Wouter Loos	Soldat, Verschwörer, nach Cornelisz Gefangennahme Anführer der Spießgesellen, wurde an Australiens Westküste ausgesetzt
Jan Michielsz	Soldat
Cornelis Pietersz von Utrecht	Soldat, Verschwörer, Mörder, wurde auf West-Wallabi getötet
Jan Pinten	Soldat, Engländer, wurde ermordet
Cristoffel Quist	Soldat
Jacques Pilman	Soldat, Franzose
Jean Boniver	Soldat, Franzose
Eduward Coo	Soldat, Franzose
Jean Coos de Sally	Soldat, Franzose
Thomas de Villiers	Soldat, Franzose

Frauen und Kinder

Maria Schepens	Frau des Pfarrers Gijsbert Bastiaensz, wurde auf »BATAVIAS Friedhof« ermordet
Judith Bastiaensz	die ältere Tochter des Pfarrers, wurde Coenraat van Huyssen gefügig gemacht
Willemyntgie Bastiaens	die mittlere Tochter des Pfarrers, wurde ermordet
Roelant Bastiaens	ein kleiner Sohn des Pfarrers, wurde ermordet

(Drei weitere Kinder, ein Mädchen und zwei Jungen des Pfarrers, wurden nicht genannt, sind jedoch alle ermordet worden.)

Wybrecht Claasz	Magd der Pfarr-Familie, wurde ermordet

Lucretia Jansz	Frau des Unterkaufmanns Boudewijn van der Mijlen, später Witwe, wurde auf der BATAVIA vergewaltigt, dann von Cornelisz als Geliebte gehalten
Zwaantie Hendrix	Magd von Lucretia, Geliebte des Skipper Jacobsz
Vrouw Pieter Jansz	Frau des Provost Jansz
Anneken Hardens	Frau des Soldaten Hardens
Hilletje Hardens	Kind des Soldaten Hardens
Laurentia Thomasz	Frau des Unteroffiziers Jacopsz
Gertje Willemsz	Witwe
Anneken Jansz (bekannt als Bosschieters)	Frau des Kanoniers Carstensz
Jannecken Gist	Frau des Kanoniers Hendricx
Tryntgien Fredricxs	Frau des Haupttrompeters Jansz
Sussie Fredricxs	Schwester von Tryntgien

Prolog:
»BATAVIAS Friedhof«

Sie stützten sich auf ihre Schaufeln, wischten sich den Schweiß von der Stirn und schauten in die Grube, die sie in den Korallensand gegraben hatten.

»Der ist ermordet worden!« sagte Naoom Haimson trocken.

»Ermordet?« fragte George Brenzi.

»Ganz recht, eine Axt oder ein Schwert hat ihm die Schädeldecke über dem Ohr zertrümmert.« Hugh Edwards und die anderen der Tauchexpedition steckten die Köpfe über dem hellbraunen Skelett zusammen und besahen sich den defekten Schädel mit dem kurios nach hinten abgeknickten Hals aus der Nähe. Schaurig skurril sah er aus, mit dem klaffenden Kiefer, dem mehrere Zähne fehlten.

»Als wollte er seinen Mörder anbrüllen«, bemerkte George.

Naoom war Arzt. Mit Kennerblick stellte er eine Diagnose: »Den Zähnen und den Schädelsuturen nach ein junger Mann, unter zwanzig. Groß gewachsen war er, über ein Meter achtzig. Der erste Hieb muß ihn beim Weglaufen von hinten an der rechten Scapula erwischt haben. Als er sich umdrehte, bekam er eins übers Schläfenbein. Anschließend hat man ihm noch die Kehle durchgeschnitten – läßt sich an der ungewöhnlichen Halslage erkennen.«

»Das Skelett ist über 300 Jahre alt, aber verdammt, mir kommt es vor, als hätten die bösen Geister die Insel noch immer nicht verlassen«, flüsterte Hugh und fragte nach: »Groß? Unter 20 Jahre alt? Auf der Flucht mit dem Schwert niedergestreckt? Mein Gott, das muß Andries de Vries sein!«

Im Korallensand von Beacon Island ausgegraben: Vermutlich der Mörder Andries de Vries, der am Ende selbst ein Opfer wurde. Sein Rachen ist noch aufgerissen, als brülle er im Tod um Hilfe.

»Richtig«, entgegnete Max Cramer, »de Vries war groß, 19 Jahre, Buchhalter und nach der Havarie auf Beacon Island zu mehrfachen Morden angestiftet worden. Dann verletzte er ein Tabu: Er sprach mit der schönen Lucretia van der Mijlen. Damit war sein Todesurteil besiegelt. Noch am selben Tag verfolgten ihn die Häscher und brachten ihn um.«

Irgendwie gespenstisch, wie nach so langer Zeit die freigelegten Knochen den Schrecken seines Todes bewahrt haben. Die anderen schauten ergriffen, als hätten ihre Schaufeln einen Inseldämon freigelegt.

Max Cramer hatte mit Skeletten, Leichen und Dämonen nichts im Sinn. Er war Taucher. Vor wenigen Wochen war ihm ein sensationeller Fund gelungen. Er hatte im Morning Reef ein Wrack entdeckt. Ein berühmtes. Eines, das jeder kannte, viele gesucht, doch niemand gefunden hatte. Ihm oblag es nun, das Wrack zu bergen. Daß jetzt noch Gebeine von Ermordeten hier lagen bewies: In diesem gottverlasse-

16

nen Archipel mußte sich etwas höchst Ungewöhnliches zugetragen haben.

George Brenzi griff in den weißen, körnigen Korallensand und ließ ihn versonnen durch die Finger rinnen:»Wie weiß und rein er ist – und doch so blutgetränkt!«

In der Tat, die Ansammlung von Riffen, Sandbänken und bedeutungslosen Inselchen im Indischen Ozean schrieben ein Kapitel grausamer Seegeschichte, und diese Expedition würde sie aufdecken. Zu Land, um den Sand nach stummen Zeugen abzusuchen; zu Wasser, um den Verlauf der Katastrophe zu erkunden.

Dr. Haimson legte vorsichtig die Rippen des Thorax, dann die Beckenknochen, schließlich Beine und Füße frei. Da lag er nun, nackt bis auf die Knochen. 1963 ausgegraben, vor genau 334 Jahren von brutalen Händen gefällt worden, auf Beacon Island, einem Eiland, das von Überlebenden »BATAVIAS Friedhof« genannt wurde. Was es im doppelten Sinne – für Mensch und Schiff – tatsächlich war…

Die Insel ist nicht mehr so verlassen wie einst. In der Fangsaison leben Fischer in einfachen Hütten hier. Vom Strand aus führen einige Jetties, lange Anlegestege, über das von seichtem Wasser umspülte Riff in tiefere Fahrrinnen.

Wir schreiben das Jahr 1996. Gestern überflog ich den Archipel, um mir ein Bild von der Lage der Abrolhos-Inseln zu machen. Das Morning Reef, Beacon Island, Seals Island, West- und East-Wallabi Islands und noch andere mehr gehören dazu. Ich war von den Farben des Landes und des Meeres fasziniert. Das gleißende Weiß des Strandes verschmolz mit dem Braun dürren Landes. Hin und wieder sah ich grüne Buschtupfer und graues Felsgestein. Das Meer leuchtete schwarzblau, wo es unendlich tief zu sein schien. An anderen Stellen smaragdgrün, sogar gelb, rot und blau, wenn sich die Korallen des Riffs unmittelbar unter dem Wasserspiegel befanden.

Durch das Motorengeräusch glaubte ich das Rauschen der Brandung zu hören. Sah die sich brechenden Wogen, erkannte am südlichen Zipfel des Morning Reef die Stelle, an der Max Cramer das Wrack entdeckt hatte, und nördlich darüber die dreieckige Insel Beacon oder »BATAVIAS Friedhof«. Unter mir lag ein gefährliches Seerevier, durchsetzt mit Sandbänken und tückischen Riffen. Ein Schiffs-

17

friedhof. Doch der mußte seine Bedrohung verloren haben, denn die Inseln wurden von einer Flotte starker Fischdampfer umkreist. Das ist üblich zwischen November und Juni, zur Fangzeit. Der Houtman-Abrolhos-Archipel gehört zu den ertragreichsten Langustenfangplätzen der Erde. In und um Geraldton dreht sich alles um diese leckeren Schalentiere, die von modernen Fangdampfern »geerntet« und ans Festland geschafft werden.

Touristen haben auf den Abrolhos nichts verloren. Die Fanggründe würden unter ihrem Ansturm leiden, heißt es am Hafen und im Informationsbüro für Touristen. Nur widerwillig telefonierte Warren Bagley, Radiomann vom Fischereihafen Geraldton mit Skipper Colin Sucking, um mir die Passage zu organisieren. Doch schließlich sah er ein, daß mein Interesse einen Inselaufenthalt rechtfertigte.

Heute morgen ließ mich Kaptain Sucking auf seinen PS-starken Langustenfänger Iris, und drei Stunden später legten wir an der Pier von Beacon Island an.

Da bin ich nun, am anderen Ende der Welt, auf »Batavias Friedhof«. Hierher gekommen, um mit einem kleinen Segelkutter nach Norden zu segeln. Ein Stück durch den Indischen Ozean, an Java entlang, bis Jakarta, in den alten Hafen des einstigen Batavia. Jim Leask erwarte ich in zwei Tagen. Seine Schaluppe, eine Art Einmastkutter mit Gaffel, Topp- und Vorsegel aus Fock, Klüver und Flieger, ist genau das richtige Transportmittel, um den Törn eines gewissen Francisco Pelsaert nachzuvollziehen.

Pelsaert legte die Strecke vor 367 Jahren in einem ähnlich kleinen, dazu noch überladenen Beiboot zurück. Doch ich will noch etwas: Ich werde mich in die Zeit von damals versetzen: die Zeit stolzer Retourschiffe, einer mächtigen Handelsgesellschaft, großer Auseinandersetzungen zwischen Europäern, Sultanen und Inselfürsten; eine Epoche tragischer Schicksale, hoffnungsvoller Aussiedler, Seemänner, Soldaten und Kaufleute... Es ist eine grausame Geschichte: von Blut durchtränkt, vom Tod gezeichnet, von Heimtücke, Mord und Rache getrieben. Sie handelt von Verbrechern und Feiglingen, Helden und Heiligen. Sie ist unglaublich und dennoch wahr...

Ich muß gestehen, hier an der Pier zwischen all dem Lärm und dem hektischen Treiben der Fischdampfer fällt es schwer, das 17. Jahrhundert wachzurufen. Ich verlasse den Anlegesteg, gehe zum südöstlichen Zipfel der Insel. Hier wurde das Skelett geborgen. Ich bleibe stehen, habe auf einmal den aufgerissenen Schädel vor Augen, als brülle es aus der irren Schädelhöhle des Andries de Vries: »Mörder! Mörder!« durch die Jahrhunderte.

Mein Blick schweift über das Wasser zur wütenden Brandung und zum Riff. Dorthin, wo einer der schönsten und größten Segler seiner Zeit zerschellte. Wohl das schnellste Schiff – eine TITANIC des 17. Jahrhunderts!

Und allmählich wird aus dem Toben der Brandung und dem Gekreisch der Möwen das Stöhnen von Sterbenden, das Wimmern Verwundeter und das Jammern Gequälter. Es ächzen Spanten, splittern Masten, knattern Segelfetzen…

Und da, ganz deutlich, vom offenen Ozean her, dringt das Schluchzen einer Geschändeten an mein Ohr. Lucretia?

1. Zeuge war nur der Mond

Im Indischen Ozean, 15. Mai 1629

Abend. Das Schiff rollte auf östlichem Kurs durch die lange Dünung. Beruhigend knarrten die Spanten, die Segel standen gut und die frische Brise schob den Segler mit Macht dem ersehnten Ziel entgegen. Abgesehen vom Schein einiger Öllampen, der aus dem mächtigen Holzleib drang, war das Schiff in dunkle Abendruhe gehüllt.

Lau und schön sind diese Tropennächte, dachte die junge Dame. Sie lehnte an der Reling und ließ den Wind durch ihre langen, blonden Haare streichen. Ihre Gestalt war zierlich und gut gewachsen. Das Gesicht trug feine, edle Züge, die bisweilen blasiert so wirkten, wie es die Damen der Gesellschaft gern zur Schau trugen.

Sie hatte große blaue Augen und war hübsch und begehrenswert.

»Gefährlich attraktiv!« war die Meinung der rauhen Gesellen, der Teernacken, Salzbuckel und Söldner an Bord.

Doch die Dame war sorglos. Sie wußte mit kühler Arroganz Verehrer auf Abstand zu halten. Schließlich war da noch ihre Zofe, Zwaantie Hendrix. Auch die konnte sie abschirmen, so sie diese Aufgabe wahrnahm.

›Ein flatterhaftes Wesen, meine Zwaantie. Schamlos, wie sie sich mit dem ungehobelten Kapitän einläßt! Der Kommandeur dagegen ist ein echter Gentleman. Ob Zwaantie eigentlich noch loyal ist? Schließlich hat der Kapitän erst mir Avancen gemacht‹, sie lächelte verächtlich. ›Die kalte Schulter hab' ich ihm gezeigt. Was der sich eigentlich einbildet!‹ Die junge Frau hing den Gedanken nicht weiter nach, genoß den allabendlichen Rundgang an Deck. Die einzige Zeit des Tages, um etwas zu sich zu kommen. Schlimm, die Enge an Bord! Ihr schauderte vor der Nacht. Das niedrige Deck, die schwüle Feuchte, die stickige Hitze und vor allem der bestialische Gestank menschlicher Ausdünstungen! Der Schiffsleib kam ihr wie ein gigantisches Rattenloch vor. Ohne die frische Abendluft an Deck hätte sie das Ungemach nicht ertragen können.

Sie schaute zum Himmel hinauf. Berauschend das flimmernde Firmament! Und das leuchtende Kreuz des Südens! Sie liebte das Sternbild. Seit dem Passieren des Äquators war es ihr so vertraut. Eine Sternschnuppe verglomm im Westen.

›Welch gutes Omen‹, dachte sie. ›Ich wünsche mir eine rasche, sichere Überfahrt. Wie es wohl sein wird in Batavia, im fernen Java? Ich sehne mich nach ihm. Seine Briefe waren so liebevoll. Ob er jetzt auch an mich denkt?‹

Die Dame war mit dem Unterkaufmann Boudewijn van der Mijlen verheiratet. Er bekleidete eine ansehnliche Stellung bei der allgegenwärtigen und mächtigen Compagnie. Noch kannten sich die beiden Eheleute nicht persönlich, man hatte sich durch eine Fernheirat versprochen. Das war nichts Ungewöhnliches, wenn der Mann Dienst in Übersee versah.

Etwas unwirsch stieß sie sich von der Reling ab. ›Es wird Zeit, wieder festen Boden unter die Füße zu bekommen‹, dachte sie. ›Das ewige Geschaukel, die Eintönigkeit der Tage: träge dahinziehende Wolken, das gleichförmige Wogen des Wassers, die ferne Linie am Horizont...‹

Alles zerrte von Tag zu Tag heftiger an ihren Nerven.

›Und die Menschen: einfaches, ungebildetes Volk. Bis auf wenige Ausnahmen‹, räumte sie ein. ›Das ist doch kein Umgang! Ich komme mir vor wie in einem schwimmenden Gefängnis, in dem man von gierigen Blicken ausgezogen wird. Nein, diese langen Schiffspassagen sind für Frauen meines Standes kaum zu ertragen. Ein Wunder, daß ich noch nicht sterbenskrank bin, bei diesen Mahlzeiten: übelriechendes Wasser, Salzfleisch, harter Schiffszwieback – ungenießbar!‹

Sie ging einige Schritte in Richtung Achterkastell. Den Mond verdunkelte eine Wolkenfahne. Er versuchte darunter hervorzulugen, was seiner Scheibe ein hämisches Grinsen verlieh.

»Autsch!« rief sie halblaut. Sie hatte sich an einer Winde gestoßen. »Ich hasse die Enge und das ganze Schiff, will endlich an Land«, lamentierte sie vor sich hin und befühlte ihr Bein. Vorbei war der Genuß der Tropennacht. Dahin die Freude am Sternenhimmel.

Die Dame war ungerecht. Schließlich befand sie sich auf dem modernsten und schönsten Großsegler, der die Weltmeere derzeit befuhr. Es war das Retourschiff BATAVIA auf der Jungfernfahrt von Amsterdam, rund 2500 Seemeilen vor Java. Die Compagnie hatte die BATAVIA viel Geld gekostet – und sie war ihr ganzer Stolz…

»Lucretia!« zischte plötzlich eine rauhe Männerstimme, bemüht, leise zu rufen. Erstaunt drehte sich die Frau um. Da packten sie von hinten Hände wie Schraubstöcke und preßten ihr einen Knebel in den Mund. Strampeln half nichts. Schreien konnte sie nicht und sehen auch nichts. Arme stemmten sie hoch, schleppten sie in eine Ecke. Hastig wurden ihr die Kleider vom Leib gerissen. Jemand drang von hinten in sie ein, stieß zu, schmerzhaft, heftig. Erst langsam im Rhythmus der Dünung, dann immer schneller, wilder, brutaler. Ein Mann stöhnte gurgelnd. Lucretia roch den faulen Atem. Todesangst lähmte sie. Dann wurde sie wieder gepackt und gestoßen. Schließlich faßte man sie an den Beinen und stülpte sie kopfüber in einen Brei aus Kot und Teer. Lucretia van der Mijlen verlor das Bewußtsein.

Ein leiser Pfiff ertönte, die Peiniger ließen von ihr ab, verschwanden im Rumpf des Schiffes, geräuschlos wie Schatten.

Stunden später entdeckte der Wachoffizier ein Menschenbündel, nackt, unkenntlich und entsetzlich nach Fäkalien stinkend. Es war mehr tot als lebendig. Blut drang aus Nase und Mund. Er warf eine Decke darüber und trug es unter Deck. Der Mensch kam zu sich, schluchzte vor Schmerz und Scham.

›Lucretia!‹ stellte der Offizier nach einer Weile erschrocken fest, legte sie auf die Pritsche und machte dem Kommandeur Meldung.

»Christus erbarme sich!« raunte das Schiffsvolk und steckte die Köpfe zusammen.

Die Untat war das beherrschende Thema. Eine Schändung! Wer war der Täter? Unheimlich.

Wie konnte das so unbemerkt geschehen? Ein Komplott? »Frauen an Bord, das bringt Unglück«, so wußten es die Fahrensleute. An Bord der BATAVIA befanden sich viele Frauen.

»Das Schiff ist verflucht, die Seelen fahren zur Hölle«, den Matrosen schauderte es. Weilte der Satan auf diesen gottverlassenen Planken?

Der Auftrag

Kommandeur Francisco Pelsaert saß in seiner Kajüte und vergrub das Gesicht in den Händen. Er hatte eine schonungslose und rasche Aufklärung im Fall der gottlosen Tat, die Frau van der Mijlen widerfahren war, befohlen. Hatte sich persönlich in Verhöre eingeschaltet, die Offiziere angehalten, allen Hinweisen und Verdachtsmomenten nachzugehen – nichts. Der oder die Täter blieben im Verborgenen. Es war wie verhext. Eine Schande für die Gerechtigkeit! Im Schiff spukte es von wilden Spekulationen: besonders über den Skipper Ariaen Jacobsz. Der BATAVIA-Kapitän war ein Rauhbein und hinter den Weibern her, außerdem von Lucretia verschmäht worden. Aber reichte das, ihn in Ketten zu legen? Da war noch der undurchsichtige, aalglatte Unterkaufmann Jeronimus Cornelisz. Ein Drahtzieher im Hintergrund? Von der Compagnie nach Batavia entsandt. Aus ihm wurde niemand so richtig schlau. Am wenigsten Pelsaert selbst. Es schien, als sei dieser Cornelisz mit dunklen Mächten im Bunde. Doch zwischen ihm und dem Opfer gab es keine Beziehung. Oder doch? Vielleicht waren es geheime Beziehungen, die niemandem bekannt waren? Was sollte man von dem Hinweis halten, Lucretia habe, bevor sie ohnmächtig wurde, die Stimme eines Jan Evertsz vernommen? Evertsz war Hochbootsmann auf dem Flaggschiff, bisher nicht negativ aufgefallen, außer durch seine Hörigkeit zum Kapitän.

»Ich werde das Protokoll den hohen Herren in Batavia vorlegen, die sollen ihm den Prozeß machen. Unter Druck wird er schon erzählen, ob er Komplizen hatte«, beschloß Pelsaert.

Gesehen hatte Lucretia den Verdächtigen natürlich nicht.

»Ein schlimmer Fall«, stöhnte der Kommandeur, »heiliger Gott, laß Licht auf die frevelhafte Tat scheinen.«

Die Ungewißheit war beängstigend. Pelsaert fühlte sich schwach, krank, alleingelassen. Die Glieder taten ihm weh, der Kopf dröhnte, dann quälte ihn Schüttelfrost. Er warf sich schwer atmend auf die Koje. Dumpfe Verzweiflung übermannte ihn.

Einige Kabinen weiter lag, immer noch von Weinkrämpfen geschüttelt, Lucretia van der Mijlen. Der Schock saß tief, auch war sie von den schweren Mißhandlungen gezeichnet.

Amsterdamer Werft im 17. Jahrhundert, auf der stolze Retourschiffe gebaut wurden.

Dabei hatte alles so verheißungsvoll begonnen, vor sechs Monaten, in Amsterdam, als Pelsaert den »Artikelbrief« der V.O.C. in den Händen hielt. Das war der größte Tag in seinem Leben. Der »Brief« legitimierte ihn als Präsidenten eines Geschwaders und als Kommandeur des gerade in Dienst gestellten Flaggschiffs BATAVIA. Mit 200 Gulden Monatssalär. Ein Soldat oder Seemann verdiente zu jener Zeit kaum 10 Gulden. Ja, Francisco Pelsaert hatte rasch Karriere gemacht und war stolz darauf. Warum fiel ihm alles so unendlich schwer? War er am Ende überfordert? Doch die hohen Herren hatten ihm die Verantwortung übertragen. Also war er der Beste für diese wichtige Mission. Manche Leute beurteilten das anders und vermuteten üble Protektion. Allen voran ein gewisser Antonio van Diemen aus Utrecht. Ein Neider?

Kommandeur Pelsaert wand sich auf seinem Lager. Er fand keine Ruhe. Kalter Schweiß stand ihm auf der Stirn und rann über Hals und Brust. Er kämpfte wieder einmal mit einem jener schlimmen Fieberanfälle, die er sich in den Tropen geholt hatte. Seine Gedanken zuckten wie helle Blitze in die Vergangenheit: Antwerpen, die Compagnie, Ostasien, Prinz Jahangir…

Über Francisco Pelsaert ist nicht viel bekannt. Selbst über sein Aussehen wird gerätselt. Eine Tuschezeichnung, um 1625 in Agra (Indien) entstanden, soll authentisch sein. Sie zeigt einen Mann mit schmalem Kopf, hoher Stirn, Haaren bis in den Nacken, einem Kinn- und Lippenbart und etwas melancholisch schauenden Augen. Im Grunde eine typische Erscheinung der vorelisabethanischen Zeit: mit hohem, weißen Stehkragen, gepolstertem Wams, einem Medaillon um den Hals. In der National Galerie von London hängt das Porträt von Kardinal Richelieu. Mit dem Bild von Pelsaert hat es erstaunliche Ähnlichkeit.

Bei der Analyse der Physiognomie und seiner Schrift erscheint ein gutmütiger, pedantischer, dennoch toleranter Charakter, um 35 Jahre alt. Jemand, der dem Schöngeistigen nähersteht als zupackenden Aktionen. Ein Intellektueller, bar jeder Härte und Durchsetzungskraft. Ein Mann der Konzepte und Pläne; keine Führernatur, die zu handeln und zu begeistern versteht.

Francisco Pelsaert wurde in Antwerpen geboren. Wann genau ist unbekannt. Als Lehrling, dann als Angestellter, diente er der mächtigen Vereinigten Ostindischen Compagnie (V.O.C. oder einfach Compagnie genannt). Das war um 1618, und er muß etwa 20 gewesen sein, als sein Schwager Hendrik Brouwer sich für ihn verwendete. Brouwer war als V.O.C.-Admiral ein einflußreicher Mann, galt als hervorragender Navigator, der zum General-Gouverneur von Niederländisch Indien aufstieg.

Im Umgang mit Zahlen und Verhandlungen mit anderen Kaufleuten stellte sich Pelsaert geschickt an. Die Compagnie entsandte ihn nach Fernost, um Auslandserfahrung zu sammeln. Nach drei Jahren verlieh ihm die V.O.C. den Rang eines Unterkaufmanns mit 55 Gulden Gehalt im Monat. Pelsaert war auf dem Weg nach oben. Aus drei Jahren Ostasien wurden zehn. Als er 1627 Indien verließ, war er Oberkaufmann und ein gemachter Mann.

*

Jahangir IV., aus einer der berühmtesten Mogul-Dynastien Indiens stammend. Ihm wollte Pelsaert die große Achat-Gemme verkaufen, doch der Mogul starb, bevor das Geschäft zustande kam.

Daheim in den Niederlanden konferierten wieder einmal die erlauchten »Herren XVII«, das oberste Entscheidungsgremium der
V.O.C., um strategische Handelsbeschlüsse zu fassen und wichtige
Geschäftsvorfälle zu erörtern. Dabei kamen auch die Berichte eines
Francisco Pelsaert zur Sprache. Sehr ordentlich, wie er den Handel
mit Indigo in Nordindien zum Vorteil der Compagnie entwickelte.
Beachtlich seine Kontakte zum Hof des Moguls Prinz Jahangir. Und
seine Gedanken zur effizienteren Organisation des Gewürzhandels
müssen unbedingt aufgegriffen werden, urteilte der hohe Rat. Pelsaert war noch auf hoher See, als die Compagnie und Brouwer beschlossen, den Mann aus Indien für große Aufgaben vorzusehen. Bei
Bewährung könnte man sich ihn durchaus als künftigen General-
Gouverneur von Indien, mit Sitz in Batavia, vorstellen. Jan Pieterszoon Coen war ein hervorragender Mann mit besonderen Verdien-

Stapellauf eines Ostindienfahrers im Werftenviertel von Amsterdam (alter Kupferstich).

sten. Doch seine Krankheit war den hohen Herrn nicht verborgen geblieben. Im fernen Osten hatte das Sumpffieber, die Malaria, viele gute Kolonisten dahingerafft. Aber auch Diphterie, Typhus, Schwarze Pocken, Cholera, Gelbfieber und Lepra lichteten die Reihen.

Als Pelsaert Agra 1627 den Rücken kehrte, stand fest, daß er die heißen, fieberverseuchten Tropen nie mehr betreten wollte. Auch er hatte gesundheitliche Probleme, wahrscheinlich machte ihm Malaria zu schaffen. »Es wäre ein angenehmes Leben«, schrieb der Heimkehrer in seinem Report, »wenn man seinem Hunger oder Appetit nachgehen könnte, wie in unserem kalten Land, doch die extreme Hitze macht kraftlos, nimmt den Appetit, reduziert alles aufs Wassertrinken, was den Körper schwächt.«

Das Schicksal führte Regie, Kapitän Ariaen Jacobsz befehligte das Schiff, das Pelsaert nach Holland brachte. Im Hafen von Surat wurden die Segel zum Auslaufen gesetzt, als plötzlich Pelsaert und

Jacobsz aus belanglosen Gründen aneinandergerieten. Der Oberkaufmann tadelte den bärbeißigen, dennoch sensiblen Kapitän im
Beisein von V.O.C.-Vertretern. Jacobsz biß sich auf die Lippen und
schwieg. Damit war die Atmosphäre auf der Heimreise vergiftet. Der
Kapitän wollte den Vorfall weder vergessen noch vergeben. Für ihn
war Francisco Pelsaert zwar als Oberkaufmann im Rang höher, aber
menschlich untendurch.

Pelsaert war kaum vier Monate in der ersehnten Heimat und etwas
zur Ruhe gekommen, als ihn einer der V.O.C.-Direktoren, »zufällig«
sein Schwager Hendrik Brouwer, mit dem Auftrag überraschte, das
Kommando über die BATAVIA zu übernehmen. Der Großsegler war
als Retourschiff von der Compagnie auf Kiel gelegt worden und bildete jetzt, nach der Fertigstellung, das Prunkstück der niederländischen Flotte. Als Flaggschiff sollte die BATAVIA einen Verband von
sieben weiteren Schiffen führen. Ihm gehörten die BUREN und drei
Retourschiffe, DORDRECHT, GALIASSE, S'GRAVENHAGE, die Frachtensegler ASSENDELFT und SARDAM, schließlich die Yacht DAVID an. Somit wäre Pelsaert gleichzeitig Präsident der kleinen Flotte, deren
Mission es war, die Präsenz der V.O.C. auf Java zu verstärken und die
Handelsbeziehungen zu intensivieren. Welch ein verlockendes Angebot! Der Oberkaufmann änderte seine Meinung, »niemals mehr in
die Tropen zurückzukehren«. Er übernahm die BATAVIA.

Als Pelsaert die Planken seines Schiffs betrat, steckte neben dem
Artikel-Brief noch ein Empfehlungsschreiben der »Herren XVII« an
den General-Gouverneur Jan Pieterszoon Coen in seiner Schatulle.
Die hohen Herren hatten darin kundgetan: »Weil wir sehr gute Beur-
teilungen über seine vorangegangenen Dienste vernommen haben,
empfehlen wir ihn mit dem Hinweis, seine Person für künftige Dienste vorzusehen… Positionen, die seinem Verhalten und Verdienst
entsprechen.« Das war der Schlüssel für höchste Weihen.

V.O.C.-Schiffe befehligten verdiente Kaufleute, die bei der Compagnie »Oberkaufmann« hießen. Den seemännischen Bereich, beispielsweise das Navigieren, Segeln und Einteilen der Mannschaft
hatte der Kapitän, Skipper oder Schiffer, wie er bisweilen auch hieß,
in seiner Verantwortung. Die Gesamtverantwortung über Menschen, Waren, über Erfolg oder Mißerfolg der Mission oblag jedoch
dem Oberkaufmann.

An Deck traf der feingliedrige, zierliche, den schönen Künsten zugeneigte Francisco Pelsaert auf den gewichtigen, vollbärtigen, dazu noch baumlangen Ariaen Jacobsz, der sich breit grinsend als sein Kapitän vorstellte. Pelsaert, der gerade noch über die ordnungsgemäße Verladung seiner wertvollen Handelsware und den ungewöhnlich hohen Bestand an Silbertalern nachdachte, war merklich erstaunt, den alten Seebären vorzufinden. Ausgerechnet Jacobsz hatte die Compagnie ihm zugeteilt! Der Kaufmann grüßte knapp und verschwand in seiner Kajüte. Jacobsz Grinsen erfror zur Grimasse. Er wurde auf die BATAVIA geschickt, weil er ein guter und erfahrener Seemann war. Den Indischen Ozean hatte er einige Male durchfurcht, außerdem war er auf den geheimen Navigationsschulen der Compagnie bestens ausgebildet worden.

Pelsaert kannte ihn als Querkopf, Saufnase und Weiberhelden, doch er wußte auch, daß er Schiffsvolk und Astrolabium, mit dem es den Kurs zu bestimmen galt, fest im Griff hatte. Unter Jacobsz Schiffsführung konnte man sich sicher fühlen. Im Grunde hatte der Kaufmann nichts gegen ihn und den Vorfall von damals vergessen. ›Wenn er sein aufbrausendes Gemüt unter Kontrolle hat, ordentlich seine Arbeit versieht, warum soll es nicht gutgehen‹, überdachte Pelsaert die Situation, entzündete seine lange, dünne Meerschaumpfeife und hängte den schwarzen Hut über den Haken. Dann widmete er sich den Passagier- und Ladelisten. Nachdenklich strich er über seinen schütteren Bart.

An Bord befanden sich kostbare Güter. Neben den Silbertalern im Wert von 250000 Gulden, teure Stoffe, erlesene Weine aus Spanien, Schmuck- und Juwelentruhen, Keramik sowie Porzellanwaren. Eine herrliche Riesengemme und eine wunderhübsche Achatvase bildeten die Prunkstücke an Bord der BATAVIA. Beides waren Schätze aus der privaten Sammlung Peter Paul Rubens. Der berühmte Maler und Freund Pelsaerts vertraute dem Kaufmann die Unikate an, weil Pelsaert glaubte, diese für seinen Freund an einen indischen Großmogul für eine astronomische Summe verkaufen zu können. Das Geschäft war als geheim eingestuft worden, und da es kaum Eingeweihte gab, sollte der Kaufmann später in arge Bedrängnis kommen.

Allmählich trafen alle Mitreisenden ein, 341 an der Zahl. Etwa zwei Drittel bildeten die Offizierscrew und das Schiffsvolk. Die verbleibenden 104 Personen waren Seesoldaten und zivile Passagiere. Unter den rund 35 Zivilisten befanden sich hauptsächlich Frauen und Kinder, die als Kolonialisten in Südostasien eine neue Heimat suchten oder die Rückreise zu Familienangehörigen antraten. Es begab sich der Seelsorger Gijsbert Bastiaensz mit seiner Frau, drei Töchtern und drei Söhnen auf große Fahrt. Bastiaensz war zunächst für das Seelenheil an Bord zuständig. Später würde er in Batavia eine Gemeinde betreuen oder Missionsarbeit verrichten.

Mit allerhand Koffern und Hutschachteln schritt Lucretia Jansz, verehelichte van der Mijlen, mit ihrer Zofe Zwaantie Hendrix an Deck.

Seesoldaten und Schiffsvolk bestanden aus einem bunten Haufen aus Söldnern, altgedienten Matrosen, geschanghaiten Tagedieben und was sonst noch so den Preßkommandos ins Netz gegangen war. Sie kamen aus den Niederlanden, Frankreich, England und Deutschland, wie der Soldat Jan Hendricxsz aus Bremen, und Hans Hardens, Hans Fredericxsz, Otto Smit, Hans Radder und manch anderer.

Der Führungskader setzte sich aus V.O.C.-Offizieren, mit Oberkaufmann Francisco Pelsaert an der Spitze, dem Unterkaufmann Jeronimus Cornelisz, dem Hauptbuchhalter Salomon Deschamp und sieben Buchhaltern zusammen. Prediger Bastiaensz und der Polizist Pieter Jansz gehörten auch dazu. Zu den Schiffsoffizieren zählten Kapitän Ariaen Jacobsz, dann Obersteuermann Claas Gerritsz und drei Untersteuermänner sowie Hochbootsmann Jan Evertsz.

Mit Unterkaufmann Jeronimus Cornelisz kam ein höchst diffuser Charakter an Bord. Einst war er Apotheker in Haarlem gewesen. Ein Mann also, der mit geheimnisvollen Mixturen, Pillen und Giften umzugehen wußte. Er hatte den Beruf an den Nagel gehängt und sich der V.O.C. verpflichtet, um nach Übersee zu gelangen. War er auf der Flucht? Straftaten konnten ihm nicht zur Last gelegt werden, wohl aber war er insgeheim Anhänger des wegen amoralischer Lehren verfolgten Malers Torrentius van der Beecks. Van der Beecks war in Haarlem um 1625 zu zweifelhafter Berühmtheit gelangt durch ekelerregende Ölgemälde, die Sexorgien darstellten, ergänzt durch eine verworrene Philosophie, die verkündete, daß nichts verwerflich sei, alles von Gott käme, und der sei die Güte allein. Torrentius' Anhänger interpretierten die Lehre als Freibrief für jegliche Laster. Er wurde 1627 verhaftet und vor Gericht gestellt. Bevor es zur Verurteilung kam, verhalfen ihm einflußreiche Freunde zur Flucht nach England.

Aufgebracht veranstaltete die Stadtverwaltung von Haarlem eine Hexenjagd, um der Anhänger habhaft zu werden. So flüchtete Cornelisz aus seiner Heimatstadt und beschloß, sich nach Übersee abzusetzen. Mit ihm gelangte das obskure Gedankengut des Torrentius an Bord der BATAVIA.

Das eigentlich Gefährliche an dem 30 Jahre alten Jeronimus waren sein eloquentes Auftreten, seine guten Manieren, sein Charme, verbunden mit Überzeugungskraft, Intelligenz, Finesse und Skrupellosigkeit. So hielten ihn Pelsaert und die meisten an Bord für einen kompetenten und rechtschaffenen V.O.C.-Beamten. Zum ungehobelten Skipper bildete er einen wohltuenden Kontrast. Es wird überliefert, daß er schöne Kleider liebte, bisweilen ein leicht dandyhaftes Gehabe an den Tag legte, neben der niederländischen auch der französischen und lateinischen Sprache mächtig war. Gern redete er über den Tod als ein besonderes Phänomen und gab zu, daß ihn das Sterben von Kreaturen auf besondere Weise fasziniere, wenngleich er für sich physische Gewalt ablehnte. Dem Prediger Gijsbert Bastiaensz war Cornelisz von Anfang an suspekt. Der meinte, etwas Diabolisches in seinen Augen zu erkennen. Zum anderen war ihm unheimlich, wie er die Menschen für sich einzunehmen vermochte. Es schien, als verfügte der Demagoge Jeronimus Cornelisz über hypnotische Fähigkeiten.

Als Kaufmann beschäftigten den Kommandeur in erster Linie die ihm anvertrauten Güter. Diese sicher nach Batavia zu bringen war sein Bestreben. Der Psyche seiner Crew schenkte er keine Beachtung, schließlich hatte ihm die Compagnie bewährte Männer zur Seite gestellt.

Auf See

Am 29. Oktober 1628 war es dann soweit. Frauen und Kinder weinten. Männer verkniffen sich mühsam ihre Tränen. Manch einer sagte Lebewohl auf Nimmerwiedersehen. Vertreter der Compagnie hielten Abschiedsreden: Sie wiesen auf die bedeutende Reise mit dem modernsten Schiff der Flotte hin und wünschten dem Kommandeur Pelsaert viel Glück bei der Durchführung der verantwortungsvollen Mission. Die Menschenmenge am Kai brüllte Hurra. Trompeter und Fanfarenbläser schmetterten den letzten Gruß durch die Gassen des Hafenviertels von Amsterdam.

Abseits des Getümmels hielt sich ein mittelgroßer Mann um die Dreißig auf. Er trug einen Pagenschnitt, ein sorgfältig gezwirbeltes Monjoubärtchen, seinen Hals umschloß ein gestärkter, weißer Häkelkragen. Pelsaert bemerkte den Herrn höheren Standes nicht, doch der fixierte ihn mit bitterböser Mine. Es war Antonio van Diemen, der nicht begreifen wollte, daß er bei der Wahl des Kommandanten übergangen worden war. Der Schmerz saß tief wie ein Stachel in seinem Fleisch.

Auf ein Zeichen Pelsaerts bellte der Skipper Befehle in Richtung Schiffsvolk. Bootsmannspfeifen erschollen.

»Auf die Manöverstationen! Setzt Segel! – Blitz und Donner, bewegt euch!« brüllte Jacobsz.

Der Schiffskonvoi setzte sich behäbig in Bewegung, verließ den Hafen, um vorsichtig durch die flache Zuider See in Richtung Texel zu gleiten. Dort mußte noch verholt werden, um Schwergut zu laden.

Aus dem Schutz der Insel herausgesegelt, wurden die Schiffe von der rauhen offenen Nordsee gepackt. So heftig, daß sich die meisten aus den Augen verloren. Die BATAVIA umschiffte mit Mühe und Not eine Sandbank und kam mit einer leichten Grundberührung davon. Der S'GRAVENHAGE riß dieselbe Untiefe den Rumpf auf. Sie mußte im Hafen von Middelburg repariert werden.

Das Wetter beruhigte sich. BATAVIA, ASSENDELFT und BUREN blieben zusammen, sie konnten den Törn einigermaßen geordnet fortsetzen. Vor ihnen lagen rund 18000 Seemeilen, die es in neun Monaten zu bewältigen galt.

Verglichen mit den übrigen »Indiamen« war die BATAVIA ein

schwimmender Palast. Gezimmert aus erlesener baltischer Eiche, 56 Meter lang und 10 Meter breit. Vom Deck zum Kiel maß sie 12 Meter. Die Großmasthöhe belief sich vom Schiffsboden auf 55 Meter. Auf zehn Segel verteilten sich 1200 Quadratmeter Tuch. Der Tiefgang betrug 5 Meter. Sie war dreimal so groß wie Columbus' SANTA MARIA und das Doppelte von Cooks ENDEAVOUR. Sie hatte 600 Tonnen an Gütern geladen. Ihr Heck war als prunkvolles Achterkastell ausgebildet, und am Bug prangte der Holländische Löwe als Galionsfigur, grün gestrichen und mit Blattgold verziert. Die Bewaffnung machte die BATAVIA zur schwimmenden Festung. Mit 32 Kanonen, sieben davon waren schwere Kaliber aus Bronze, einer Kompanie Soldaten und großen Waffenarsenalen trotzte sie feindlichen Schiffen, Piraten oder aufständischen Insulanern. Gegen Angriffe von außen war das Flaggschiff bestens gerüstet. Doch auf langen Seereisen droht Gefahr mitunter auch von innen.

Der Kurs war klar. Um die günstigen Winde südlich des Äquators an der Westseite Afrikas zu nutzen, nahm man die stürmische See der nördlichen Hemisphäre zwischen Oktober und Januar in Kauf. Ariaen Jacobsz hielt sich bis Dakar unweit der afrikanischen Küste, plante dann einen Schlag in Richtung Brasilien, um südlich der Inselgruppe Fernando de Noronha das Kap der Guten Hoffnung anzupeilen. Bis 1611 arbeiteten sich die Ostindienfahrer nach der Kapumrundung an Madagaskar, Ceylon und Sumatra vorbei nach Java.

Der erwähnte Hendrik Brouwer segelte erstmals einen neuen und schnelleren Kurs bis kurz vor die australische Westküste, um dann im 90 Gradwinkel vor dieser noch unbekannten Landmasse nach Norden abzudrehen. Die Zeitersparnis brachten die »Roaring Forties«. Brouwers Kurs war den holländischen Navigatoren nun 17 Jahre bekannt, dennoch konnte er zur tödlichen Falle werden. Erst vor gut einem Jahr wäre der General-Gouverneur Coen ums Haar an Klippen zerschellt, die Frederik de Houtman schon 1619 als Gefahr für die Schiffahrt beschrieb. Gemeint war der Abrolhos-Archipel mit seinen Riffen. Auch Coen warnte eindringlich vor den Hindernissen, weil sie nicht nur tückisch, sondern überdies in den Seekarten falsch eingetragen worden waren.

Die BATAVIA passierte die Kanarischen Inseln, setzte Kurs für die Kapverden, hielt auf Sierra Leone zu, um sich dann gen Westen zu wenden. Der Wind stand gut, man machte schnelle Fahrt. Im Topp der Masten flatterte die holländische Flagge mit dem V.O.C.-Emblem. Zur Freude von Passagieren und Besatzung erreichte der Konvoi das Kap der Guten Hoffnung am 14. April 1629, also einen Monat früher als geplant.

Eigentlich gab es keinen Grund zur Besorgnis, abgesehen von Pelsaerts angeschlagener Gesundheit und der Tatsache, daß der Kapitän der schönen 27jährigen Lucretia nachstieg. Regelrecht verschossen war der Seebär in die zarte Lady, deren Abweisung ihn zu immer kühneren Avancen trieb. In Höhe von Sierra Leone schlug das Buhlen des gekränkten Kapitäns in Haß um. Er streute das Gerücht aus, Lucretia sei nichts anderes als eine Edelnutte, die sich mit dem Kommandeur prostituiere. Aus Rache hielt er sich an die Zofe Zwaantie. Die wiederum genoß als Magd die unerwartete Aufwertung durch den Kapitän. Während Jacobsz und Zwaantie an Bord ungeniert als Liebespaar auftraten, lag der arme Pelsaert vom Fieber geschüttelt in der Koje, ahnungslos, was an Bord brütete und schwelte.

Leidlich wiederhergestellt, begab sich der Kommandeur am Kap an Land und verhandelte mit den Hottentotten über Lieferungen von Trinkwasser und Frischgemüse. Anschließend nahm er an einem Jagdausflug zu Füßen des Tafelbergs teil. Früher als erwartet auf sein Schiff zurückgekehrt, wird ihm von den Kommandeuren der SARDAM und BUREN gemeldet, daß sich sein Kapitän höchst ungebührlich benommen hätte.

Was war geschehen? Jacobsz, Zwaantie Hendrix und Unterkaufmann Cornelisz hatten die Gunst der Stunde genutzt und die BATAVIA unerlaubt verlassen. Sie ruderten zu den nahe ankernden Schiffen der Flotte, um dort so richtig auf die Pauke zu hauen. Nachdem der Kapitän wieder einmal mit Zwaantie geschlafen hatte, ließ er sich mit Genever vollaufen. Unflätig zog er über seinen Vorgesetzten her, geriet mit Crewmitgliedern der BUREN in Streit, was zu einer handfesten Schlägerei mit Arm- und Schädelbrüchen führte.

Außer sich vor Wut, hielt Pelsaert seinem immer noch angetrunkenen Skipper eine öffentliche Standpauke: »Ihrem Rang nach haben Sie sich unwürdig benommen! Schlimmer als ein gewöhnlicher Seemann. Schauen Sie in den Spiegel – abstoßend Ihr glasiger Blick, Ihr rotes, verquollenes Gesicht und Ihre ungekämmten Haare. Gehen

Sie mir aus den Augen! Begeben Sie sich in Ihre Kabine und schlafen Sie Ihren Rausch aus. Sie haben Arrest, bis wir auslaufen!«

Von schwerem Kater gequält und mit einer mächtigen Wut im Bauch, stürmte Adrian Jacobsz aus der großen Kajüte, direkt zu Jeronimus.»Bei Gott«, polterte er,»wenn die Schiffe nicht so dicht zusammenliegen würden, ich würd' den elenden Hund so zusammenschlagen, daß er 14 Tage nicht aus der Koje kommt. Und wär' ich etwas jünger, ich würd' sonst was tun – die Anker lichten und das Schiff übernehmen!«

Jeronimus horchte auf und grinste vielsagend, dann sagte er vertrauensvoll:»Was heißt, wenn ich jünger wäre?«

Die Antwort blieb vorerst aus. Doch die gefährlichen Worte des Skippers klangen nach wie ein dumpfer Gong. Ohne Aussprache schien sich eine Stimmung ergeben zu haben, die nach einer Verschwörung aussah.

Die BATAVIA segelte oberhalb der »Brüllenden Vierziger« und machte rasche Fahrt. Der Indische Ozean wurde diagonal durchfurcht. Die Instruktionen der Compagnie lauteten jetzt:»Auf Ostkurs zwischen dem 36. Grad und 39. Grad südlicher Breite sind 3500 Meilen zurückzulegen. Dann ist nach Nordosten zu steuern. Bei 30 Grad südlicher Höhe kommt Eendracht's Land (die holländische Bezeichnung für den damals unbekannten Teil der Westaustralischen Küste) in Sicht. Von hieraus ist direkter Kurs auf Java zu nehmen.«

Unterhalb Madagaskars folgte ein ausgewachsener Sturm und trieb die Flotte auseinander. Und die BATAVIA mußte sich ihren Weg nach Osten allein suchen. Mit einem schwerkranken Kommandeur und einer undurchschaubaren Offizierscrew. An Bord war die Stimmung explosiv wie vor einer Detonation. Es hieß, der Skipper habe den Sturm genutzt, um sich vorsätzlich von der Flotte abzusetzen. Meuterei lag in der Luft.

An Deck war alles ruhig. Die Nachtwache drehte ahnungslos ihre Runden. Teernacken hingen in den Rahen oder braßten aus Leibeskräften, um die BATAVIA im schweren Wetter auf Kurs zu halten.

Im Zwischendeck, kaum 1,20 Meter hoch, auch Kuhbrücke genannt, schnarchten die Seesoldaten im beißenden Mief. Vom Palmenstrand Javas träumten die betuchteren Passagiere im komfortableren Oberdeck.

In einer dunklen Kajüte des Zwischendecks hatte sich ein Dutzend Verschwörer versammelt und heckte einen teuflischen Plan aus: die BATAVIA zu übernehmen und die meisten der 341 Leute an Bord zu ermorden. Es ging um Details der Meuterei und um den günstigsten Zeitpunkt. Die Spießgesellen ergötzten sich an der Vorstellung, mit der BATAVIA einen gewaltigen Coup zu landen. Allein die mitgeführten Waren waren Millionen Gulden wert. Noch größerer Reichtum lockte, wenn die BATAVIA als Piratenschiff unter der Flagge der Compagnie die Weltmeere unsicher machte. Gold, Silber im Überfluß zu haben und sich der verhaßten Obrigkeit zu entledigen, davon träumten die Männer unter Deck in der dunklen Kammer.

Kommandeur Pelsaert würden sie als ersten über Bord werfen! Der Plan war reif. Die einzige Kerze des Raumes warf gespenstische Schatten an die mächtigen Eichenholzspanten. Man sprach im Flüsterton. Uneingeweihten durfte das Vorhaben nicht ruchbar werden. Vor der Tür stand jemand Schmiere. Ängstlich horchte man auf warnendes Klopfen. Seit der Demütigung des Kapitäns hatte man sich wiederholt getroffen. Unter äußerster Geheimhaltung. Auf ihr Vorhaben stand die Todesstrafe, doch viel schlimmer wäre die Tortur am Rad.

»Wann ist es soweit?« fragte einer.

»Wenn wir das Südland seh'n!« sagte der Anführer.

»Wer gegen uns ist, wird über Bord geworfen«, raunte ein Dritter.

»Den Haien zum Fraß«, pflichteten andere bei.

Auf einen Wink rückte man näher zusammen: »Vorher nehmen wir uns die Lucretia vor. Das Luder muß büßen!«

»Bei Gott, das muß sie!« Es wurden Gläser mit Genever gefüllt. »Auf morgen nacht!«

»Und die Küste des Südlands!«

Der Schnaps rann die Kehlen hinab.

Ängstlich lugten sie aus der Tür, dann schlich sich ein jeder auf seinen Posten. Bald wären sie die Herren der BATAVIA, das brachte sie in Stimmung. Sie wußten, daß man mit einer Handvoll Entschlossener das Schiff in die Gewalt bekam, schlug man nur rasch und brutal zu. Lucretia zu erniedrigen sollte der Auftakt sein. Ein Racheakt, der den Kommandeur in Bedrängnis bringen würde. Ganz gleich, wie er die Tat verfolgte, er würde das letzte Quentchen an Autorität verlieren.

Damit spekulierten die Drahtzieher des Komplotts: Unterkaufmann Jeronimus Cornelisz, Schiffer Ariaen Jacobsz, Hochbootsmann Jan Evertsz und Kadett Coenraat van Huyssen. Wie sich später herausstellte, befanden sich unter den Verschwörern auch Matrosen und Seesoldaten – ein Haufen ehrloser Gesellen, der sich als Werkzeug mißbrauchen ließ.

Das intrigante Hirn des Unterkaufmanns hatte ein Netz geknüpft, in dem die Figuren wie Marionetten zappelten. Er übte Macht über andere aus, ohne selbst gewalttätig zu sein. Cornelisz war der böse Geist an Bord, und niemand wußte es. Animalisches Verlangen beherrschte seine Gedanken, wenn er Lucretia sah. Er wußte, daß er seine Gelüste nicht auf lautere Weise befriedigen konnte. Seine Welt war das Abnorme. Und längst hatte er für seinen abscheulichen Plan ein Werkzeug gefunden.

In dieser Nacht quälte Pelsaert das Fieber besonders heftig. Schweißgebadet wälzte er sich auf dem Lager. Er hatte keine Erklärung für seine Unruhe. In düsterer Vorahnung hatte er in sein Tagebuch notiert: »Cornelisz freundete sich mit dem Skipper Jacobsz an, beide gingen sehr vertraulich miteinander um. Ihre unterschiedlichen Gefühle und Ambitionen scheinen sich zu vereinen. Da ist der Skipper mit seinem angeborenen hochmütigen Dünkel und einem Ehrgeiz, der keine Autorität über sich duldet. Darüber hinaus hat er die Angewohnheit, sich über alle Leute, die nichts mit Seefahrt zu tun haben, lustig zu machen, diese gar zu verspotten... Im Gegensatz dazu Jeronimus, ein Mann wohlgesetzter Worte. Er weiß, wie man Unwahrheiten glaubwürdig verpackt. Er ist verschlagen und darauf aus, Leute für sich einzunehmen.«

Wie die alten Salzbuckel beklagte sich auch der Prediger Gijsbert Bastiaensz – über die Anwesenheit von Frauen als Unglück für das Schiff: »Sie entfachen den Teufel im Manne. Probleme erwachsen zwischen dem Skipper und dem Kommandeur, und sie wurden durch zwei Frauen hervorgerufen«, hielt der Prediger fest.

In der Nacht des 15. Mai schlug die Bande zu. Die Vergewaltigung der schönen Lucretia wurde wie geplant der Auftakt zum eigentlichen Schlag gegen Schiff und Kommandeur. Es kam, wie es Cornelisz prophezeit hatte: Die gottlose Tat, das zögerliche Durchgreifen des Kommandeurs, Gerüchte und Verdächtigungen isolierten den Oberkaufmann von Tag zu Tag mehr. Hinzu kam sein Ausfall infolge der Krankheit. Die stolze BATAVIA trieb führerlos, allein und unaufhaltsam durch den leeren Ozean – einer Katastrophe entgegen.

Das Riff

Irgendwo im Osten befand sich der Abrolhos-Archipel. Etwa 60 Kilometer von der australischen Westküste entfernt. Eine Ansammlung von Inseln, Inselchen, Sandbänken und Riffen, wie zufällig in den Indischen Ozean gestreut und über etwa 80 Kilometer verteilt, zwischen 28°.15.5' und 29°.00.5' südlicher Breite. Selbst bei Tag ist der Archipel schwer auszumachen, die höchste Erhebung mißt gerade 15 Meter. Die meisten Inseln sind von sichelförmigen Korallenbänken umgeben, deren Grundstruktur auf 100000 Jahre geschätzt wird. Bis auf einige Seevögel, Eidechsen, Zwergkänguruhs und ein paar Schlangen waren auch die größeren Inseln verwaist und von Menschen unberührt geblieben. Frederik de Houtman befand sich mit der DORDRECHT auf dem neuen Ostindien-Kurs des Hendrik Brouwer, als er am 29. Juli 1619 den Archipel entdeckte. Es grenzte an ein Wunder, daß Houtman dem Irrgarten unbeschadet entkam. Seit jener Zeit trägt der Abrolhos-Archipel den Beinamen »Houtman's«.

Und wo rührt der merkwürdige Ursprungsname »Abrolhos« her? Man vermutet die Wurzeln im Portugiesischen: »Abri vossos olhos!« Was soviel wie: »Augen auf, aufgepaßt!« heißt. Somit ist anzunehmen, daß die portugiesischen Seefahrer die Inselgruppe bereits Mitte des 16. Jahrhunderts kannten.

Die BATAVIA war dem Archipel gefährlich nahe gekommen. Pelsaert lag darnieder, wußte aber, daß die Kursänderung in absehbarer Zeit bevorstand. Der Schiffer spähte über die Kimm. »Landfall« war für ihn und die Spießgesellen das Zeichen zur Meuterei. Unter vollen Segeln hielt das Schiff Kurs Nordnordost. Bis auf Steuermann, Nachtwache und den Mann an der Pinne war die BATAVIA sich selbst über-

Cornelis de Houtman.
Er entdeckte für sein Land
die Gewürzroute.

lassen. Über den Nachthimmel wurden schwarze Wolken gepeitscht, die Mond und Sterne verdunkelten.

Zwei Stunden vor Mitternacht: Trotz aufgewühlter See kämpfte der Rudergast mit der Müdigkeit. Er stand nun sechs Stunden an der Pinne auf dem Großdeck, sehen konnte er ohnehin kaum etwas. Es wurde auf Zuruf gesteuert. Was er durch das Steuerhäuschen erkennen konnte, war nicht mehr als ein Teil des Halbdecks.

Ariaen Jacobsz, der große, hakennasige Kaptain, erschien auf der Brücke, eingepackt in einen Marinemantel. Seine Füße steckten in wasserdichten Stiefeln. Er trat an die Leereling und blickte über die aufgewühlte See. Plötzlich stutzte er und brüllte: »Verdammt, was ist das da vor uns?«

»Nur das Mondlicht, Kaptain!« rief Hans den Bosschieter, der Wachhabende, zurück.

Jacobsz gab sich damit zufrieden. Nach seiner Berechnung mußten sie noch gut 140 Meilen vom Südland entfernt sein. Wozu einen Ausguck ins Krähennest postieren? Tag wurde es erst in einigen Stunden, also schlüpfte er zurück ins warme Bett Zwaanties, der Geliebten.

Noch nicht eingeschlafen, schleuderte ihn ein gewaltiger Schlag gegen die Kojenwand. Gleichzeitig krachte es ohrenbetäubend. Nun folgte das scharfe Krachen splitternder Spanten. Furchtbare Laute! Auf einmal war es totenstill. Ariaen hetzte an Deck. Er taumelte, die Augen weit aufgerissen. Schlimmer hätte es nicht kommen können: Die BATAVIA lag wie angenagelt fest, umgeben von wütender, weißer Brandungsgischt.

»Das war die Brandung, kein Mondlicht«, schrie er in den frühen Morgen. »Wir sind aufgelaufen! Mein Gott, Schiffbruch!«

In der großen Kabine war der Kommandeur von dem heftigen Stoß im hohen Bogen aus der Koje geworfen worden. Erschrocken an Deck geeilt, stellte er fest, daß sämtliche Segel in Topp knatterten und der Wind hart aus Südwest blies. Der Schiffsrumpf lag in einem Ring aus dichtem Schaum.

Pelsaert ließ den Prediger zu sich kommen und schimpfte: »Wären wir von Türken gefangengenommen, so könnten wir Hoffnung auf Rettung haben... jetzo aber nicht!«

Zornig wandte er sich an den Skipper und warf ihm vor, ein unfähiger Navigator zu sein, der nicht imstande war, das Krähennest zu besetzen. »Was haben Sie da angerichtet, Skipper? Das haben Sie durch Ihre nachlässige Schiffsführung zu verantworten!«

Geladen blaffte Jacobsz zurück: »Natürlich habe ich weiße Schaumkronen bemerkt, aber der Wachhabende sagte mir, daß es sich um Mondlicht auf dem Wasser handele. Ich vertraute ihm.«

Das Unglück ereignete sich am 4. Juni 1629, um vier Uhr morgens. Für den Kommandeur war es Glück im Unglück, aber das konnte er nicht ahnen.

»Was schlagen Sie jetzt vor? Und wo sind wir überhaupt?« fragte Pelsaert unwirsch.

»Das weiß nur Gott allein«, sagte der Skipper. »Dies hier ist eine

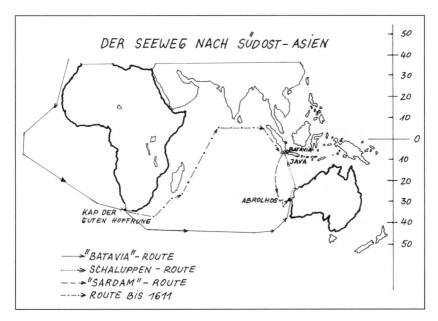

DER SEEWEG NACH SÜDOST-ASIEN

BATAVIA
JAVA

ABROLHOS

KAP DER
GUTEN HOFFNUNG

50
40
30
20
10
0
10
20
30
40
50

→ "BATAVIA"- ROUTE
·······→ SCHALUPPEN - ROUTE
— — →"SARDAM"- ROUTE
—·—·→ ROUTE BIS 1611

Auf südlichem Kurs bis vor die Küste Westaustraliens zu segeln war schnell, aber auch gefährlich, da die Lage der Abrolhos nur vage bekannt war.

unbekannte Untiefe, vom Land ziemlich entfernt gelegen. Wahrscheinlich sind wir bei Niedrigwasser auf ein Riff gelaufen.«

Allmählich graute der Morgen.

»Der Herr sei unseren Seelen gnädig«, stöhnte der Kommandant und suchte den Horizont ab. Seine Augen blieben an einem Saum weißen Sandes hängen. »Gott sei Dank – Inseln!« stieß er aus. »Sitzen wir also nicht auf einem Felsen mitten im Ozean.«

Unmittelbar vor ihnen befanden sich zwei Inseln, so flach, daß zu befürchten war, die Flut überspüle sie. Der Ufersaum einer größeren Insel zeigte sich einige Meilen weiter entfernt im Norden. Der Kapitän hoffte, die BATAVIA mit eigener Kraft flott zu bekommen. Er ließ einen Anker achteraus werfen, um sich damit bei höherem Wasserstand freizuziehen. Das Lot zeigte am Achterschiff sechs Meter Wasser und am Vorschiff kaum vier. Man entschloß sich, die schweren Geschütze über Bord zu werfen, dann das Rettungsboot und die

Eine der gut erhaltenen BATAVIA-*Kanonen. Sie ist neben vielen interessanten Exponaten im maritimen Museum von Fremantle, Westaustralien, zu besichtigen.*

Schute zu Wasser zu lassen. Schweren Herzens rollten die Kanoniere die blankpolierten Bronzerohre in Lee. Als sie zögerten, schwang Hochbootsmann Jan Evertsz den Tampen und rief: »Bord über, zugleich!« Die Prunkstücke plumpsten in die See. Stück um Stück gingen weitere Güter außenbords. Doch die BATAVIA rührte sich nicht. Zum Verdruß des Skippers wurde klar, daß sie sich bei Hochwasser festgefahren hatten. Das Schiff bekam immer schlimmere Schräglage, bis sich schließlich niemand mehr auf den Planken halten konnte. Und der Eichenrumpf krachte und splitterte unter Mordsgetöse. Zum Sturm gesellten sich Regenböen, und die Brandung stieß den Segler immer heftiger gegen das Riff.

Mit unbändigem Grimm im Bauch befahl der Skipper den Großmast zu kappen. Zum einen hoffte er, das Schiff noch leichter zu machen, zum anderen müßten so die Stöße der Wassermassen besser abgefangen werden. Jacobsz schwang die Axt in wilder Entschlossenheit als erster. Er hatte nichts mehr zu verlieren. Dieses Wrack machte alle Pläne zunichte, seine Karriere war am Ende. Selbst wenn er sein Leben retten konnte, die Compagnie würde die Havarie ihres Flaggschiffs nie verzeihen. Krachend schlug der Großmast auf die Backbordreling. Jacobsz hielt die Luft an, dann fluchte er in sich hinein. Da lag er, der Mast, tonnenschwer, drückte die Batavia in noch verheerendere Schieflage. In Kaskaden strömte das Wasser ins Innere.

Pelsaert gestikulierte verzweifelt. Welch schlimme Situation! Das Wetter klarte auf, die Sonne stieg höher und höher und tauchte das ganze Drama in gleißendes Licht. Männer, Frauen, Kinder, alles stolperte, hangelte, kletterte in zerfetzter Takelage, an zersplitterten Planken, zwischen Tauwulingen. Ihre Stimmen klangen hysterisch und schrill. Sie wollten Aufklärung, suchten Hilfe und Schutz, quollen aus dem Leib der Batavia wie aufgescheuchte Ratten. Einige in Nachthemden, andere spärlich bekleidet oder mit bloßem Oberkörper. Böse Blicke ruhten auf dem Skipper.

»Das ist der Schuldige. Er hat uns das eingebrockt!« riefen Stimmen.

»Ruhe, ihr Idioten!« polterte der Beschuldigte. »Aus dem Weg! Ihr behindert meine Leute. Noch ist das Schiff nicht verloren.«

Etwa um neun Uhr stand fest, daß es für die Batavia keine Rettung gab. »Gott der Herr prüft uns durch viele Züchtigungen«, schrieb Pelsaert. Und mit gefalteten Händen riefen einige den Herrn an, um einen guten Ausgang zu erflehen.

»Ich schickte den Skipper zu zwei kleinen Inseln oder Klippen, die nicht weit von uns entfernt lagen. Er sollte nachsehen, ob dort Menschen und Güter geborgen werden könnten. Nach neun Stunden kehrte er zurück und berichtete, daß die Eilande seiner Beobachtung nach nicht überflutet werden. Wegen des Geschreis und Gejammers der Frauen, Kranken und Kinder, auch wegen der Feigheit einiger Memmen, entschlossen wir uns, die Personen an Land zu bringen, die sich beim Bergen des Schiffes nicht nützlich machen konnten«, hielt der Kommandeur in seinem Journal fest.

Bei der Ausschiffung kam es zu chaotischen Szenen. Passagiere jeglichen Alters und Geschlechts kämpften um die ersten und sichersten Bootsplätze. Die stärkeren Männer stießen die schwächeren zurück oder trampelten rücksichtslos über Frauen und Kinder. Im allgemeinen Tohuwabohu wurden Mütter von ihren Kindern und

Frauen von ihren Männern getrennt. Es gab Tote und Verletzte zu beklagen. Zum Rudern und Pullen abgestellte Matrosen mußten handgreiflich werden, als die überladenen Boote zu kentern drohten. Wer ins übervolle Boot sprang, ließ sich eher erschlagen als aufs Wrack zurückbeordern. Mit jeder Passage versuchten die Seeleute auch Nahrung und Wasser an Land zu verfrachten. Ohne Vorräte war auf den wüstenhaften Inseln kein Überleben möglich. Die Angst vor dem nassen Tod war größer als die Vorsorge. So wurden manche Brotfässer und Wasserkanister achtlos ins Meer geworfen. Und jedesmal, wenn die Boote längsseits kamen, wiederholte sich der Alptraum im Kampf um die besten Plätze.

Überall tanzten graue ovale Riesenkorken. Quiekten und schnappten wild um sich: Ratten in Todesangst. Sie bissen sich an Menschen fest, die im Wasser standen.

Unter Deck spielten sich nicht minder beschämende Ereignisse ab. Seesoldaten, Kanoniere, Kadetten, Salzbuckel hatten die Wein- und Schnapsvorräte geplündert. Angetrunken brüllten und randalierten sie im Schiffsleib. Auf den Kampanje- und Oberdecks nackte Panik, in den Booten wildes Gerangel, auf den Inselchen totale Ratlosigkeit. Das überforderte manches Gemüt. Viele vergruben das Gesicht in den Händen und schluchzten ungehemmt drauflos. Aber es gab auch Menschen, aus denen ein Anfall irren Gelächters herausbrach.

Wirklich verheerend war, daß die See die Frischwassertanks flutete. Der Mangel an Trinkwasser würde einige das Leben kosten.

An Bord der BATAVIA ging es zu wie in einem Irrenhaus. Das angetrunkene Volk gebärdete sich von Stunde zu Stunde toller. Alle Hemmungen schwanden. Kreischendes Gelächter drang durch Decks, Kabinen, Luken – vom Backdeck bis zur großen Kajüte. Pelsaerts Kabine wurde durchstöbert, nachdem sie von dem Kadetten Allert Jansz aufgebrochen worden war. Aus den Schreibtischschubladen schütteten die Chaoten seine persönlichen Dinge achtlos in den Raum: Briefe, Familienbilder, Tabakdosen. Das V.O.C.-Siegel kollerte am Boden herum und wurde zertreten. Journal und Logbuch des Kommandeurs wurden gefunden. In spöttischem Ton las Cornelisz laut daraus vor. Tierisches Gebrüll hob an, als er Passagen wiedergab, die sich mit der Vergewaltigung Lucretias befaßten. Als niemand mehr zuhörte, wurde das wichtige Dokument zerrissen und ins Meer geworfen. Ihm folgten andere Gegenstände, unwiederbringliche Erinnerungsstücke, auch ein goldenes Medaillon mit dem Bildnis Prinz Frederik Henry von Holland.

Jean Thiriou, ein französischer Soldat, erbrach eine Schatztruhe, griff mit beiden Händen in den Berg Silbertaler und schleuderte seinen Kameraden das Geld entgegen.

Cornelis Jansz war ein blutjunger Seemann, er füllte seinen Hut mit allerlei Plündergut und warf es über Bord. »Da fliegt der Mist, und wenn er viele 1000 Gulden wert wäre!« krächzte er mit hoher Stimme.

Die Atmosphäre unter Deck wurde immer gespenstischer. Von den Trunkenbolden konnte sich kaum einer auf den Beinen halten. Auf allen vieren krochen sie durch die Gänge, bisweilen stürzte einer durch den Niedergang.

Jeronimus Cornelisz war zwar angetrunken, doch Herr seiner Sinne. Er hatte ein diabolisches Grinsen aufgesetzt. Interessiert ließ er die absurde Szene auf sich wirken. Auch seine Hoffnung war geschwunden, daß die BATAVIA je wieder flottkäme. Jacobsz' Unachtsamkeit hatte ihren Plan für ein zügelloses Leben in Reichtum zunichte gemacht. Er mußte umdisponieren. Bot sich seiner kriminellen Energie eine neue, eine andere Chance?

Ariaen Jacobsz stand am Ruder des Beiboots. Mit verbissenem Gesicht versuchte er wieder einmal am Wrack längsseits zu gehen. Ein gefährliches Unternehmen in der wütenden Brandung. Es würde für heute seine letzte Fährfahrt zwischen BATAVIA und der Insel sein. Die Sonne stand tief in seinem Rücken. Im Abendlicht erschien der bärtige, kaum 40 Jahre alte Skipper aus Durgerdam wie ein gebeugter Greis. Die Ereignisse des Tages hatten ihn um Jahre altern lassen. Wie ein Fahrstuhl hob und senkte sich das kleine Beiboot neben der Bordwand. Im günstigen Moment sprang er aufs Wrack. Das Boot rauschte abwärts. Nahrungsmittel wurden hinuntergeworfen. Passagiere sprangen in wilder Flucht hinterher. Einige verfehlten das Boot und landeten schreiend im schäumenden Wasser. Ariaen arbeitete sich zur großen Kabine vor.

Er fand ihn, wo er ihn vermutet hatte: hinter dem Schreibtisch des Kommandeurs. Dem Unterkaufmann steckte eine weiße Serviette im Kragen. Er saß vor edlem Geschirr und dinierte. Der betrunkene Steward Jan Pelgrom versuchte ihn zu bedienen. Dabei goß er den Wein am Glas vorbei auf den Tisch und über das weiße Leinentischtuch. Die Blicke der Männer trafen sich. Ariaens Miene verfinsterte sich.

»Nimm Platz«, sagte Jeronimus und machte eine einladende Handbewegung, »ich habe auf dich gewartet.«

»Bist du wahnsinnig? Es ist aus! Das Schiff ist verloren.«

»Nichts ist aus und nichts ist verloren«, widersprach Cornelisz in aller Ruhe.

Jacobsz stand einen Moment unschlüssig im Raum, dann machte er kehrt und stürmte an Deck.

Im Beiboot drängte er sich an die Pinne. Die Ruderer legten sich in die Riemen. Das randvolle Boot drehte den Bug in Richtung Insel, einer Art besserer Sandbank, 350 Meter lang, etwa 70 Meter breit, bei Flut kaum zwei Meter aus dem Ozean ragend. Vom Riff war sie etwa zwei Kilometer entfernt.

Prediger Bastiaensz kniete mit den Überlebenden am Strand nieder, betete und dankte Gott für seine »Güte«.

Kalt und naß war die Nacht. Zitternd und frierend rückten die Geretteten noch enger zusammen. Über der kleinen Insel stand eine beißende Rauchfahne, doch das Glimmen des feuchten Holzes wärmte nicht. Francisco Pelsaert wickelte sich in den Mantel und schaute in Richtung BATAVIA. Ihm war, als dringe ein schwacher Lichtschein aus seiner Kabine. Merkwürdig! Dann quälten ihn andere Fragen bis tief in die Nacht.

Am nächsten Tag wurde die Rettungs- und Bergungsaktion fortgesetzt. 180 Menschen drängten sich auf der Insel. Man begann ein notdürftiges Lager zu errichten. Aus Stangen und Segeln wurden Zelte gebaut, die Schatten spendeten. So gut es ging, schützten sich die Schiffbrüchigen vor dem Austrocknen. Ein jeder vermochte sich auszumalen, daß der Durst bald sein schlimmster Feind sein würde.

Auf der BATAVIA befanden sich neben Jeronimus Cornelisz noch 70 Menschen, die aus Angst, Volltrunkenheit oder Verzweiflung dort blieben. Die Brandung war noch höher aufgelaufen. Das machte die

Evakuierung riskanter als zuvor. Die Rettungsboote drohten zu kentern, was die vielen Nichtschwimmer auf dem Wrack veranlaßte, erst einmal in stumpfer Apathie auszuharren.

Mittlerweile verbrachte das kleinere Boot 40 Personen, etwas Brot und Wasser auf die Nachbarinsel. Mit der größeren Schaluppe, die Holländer nannten sie Langboot, versuchte Pelsaert die BATAVIA zu erreichen. Doch die Brecher donnerten so heftig gegen Riff und Wrack, daß ein Übersteigen unmöglich war. Kurz entschlossen sprang der beherzte Zimmermann Jan Egbertsz aus Amsterdam in die Fluten, schwamm zum Retourschiff, um den Wartenden zu berichten, daß man niemanden vergessen würde. Menschen und Güter sollten bei ruhigerer See geborgen werden. Dann veranlaßte er sie, einige Schiffsplanken über Bord zu werfen, damit die Rettungsboote mit stabilen Rudern ausgerüstet werden konnten.

Auf den beiden Inseln überschlugen die Offiziere ihre Wasservorräte. Es wurden 120 Krüge sichergestellt. Erschreckend wenig! Auf der kleinen Insel, mit etwas mehr als 40 Personen, waren es 20 Gallonen. Und auf der größeren, mit 180 Seeleuten, gab es noch weniger. Wie sollte man damit die nächsten Tage überleben?

Bei der Vorstellung, den schrecklichen Tod des Verdurstens zu erleiden, wurden die Leute renitent und verlangten, daß der Kommandeur endlich die Initiative ergreifen und die Nachbarinseln nach Wasser absuchen lassen solle. Pelsaert und Jacobsz gerieten wieder einmal herb aneinander. Der Skipper verlangte, augenblicklich nach Trinkwasser zu suchen, während der Kommandeur seine Leute nicht allein lassen wollte.

»Das Wasser reicht höchstens zwei Tage«, brüllte der Skipper, »dann ist hier die Hölle los!«

»Lassen Sie das Wasser rationieren und Wachen aufstellen. Wir warten ab, bis sich die See beruhigt. Dann werden Menschen und Fracht geborgen.«

»Das Wetter bleibt so stürmisch, Sie müssen endlich handeln!« Jacobsz ließ nicht locker.

Schließlich willigte Pelsaert ein. Es wurde beschlossen, die Inseln und, falls es sein mußte, auch das Festland nach Wasser abzusuchen. Pelsaert bestand aber darauf, den Menschen auf der Nachbarinsel das Vorhaben zu erläutern.

»Heller Wahnsinn, die werden Sie als Geisel festsetzen und das übrige Wasser verlangen!«

»Eher werde ich mit meinen Leuten sterben, als mich schnöde davonstehlen!« wetterte Pelsaert.

Ein Bootsmann und sechs Maate ruderten mit dem Kommandeur und einem Fäßchen Wasser zur anderen Insel. Als sich die Mannschaft dem Ufer näherte, hörte sie das Volk aufgebracht lamentieren.

Den Hochbootsmann verließ der Mut. »Sie werden Euch und uns festnehmen, wir werden nicht näher heranfahren. Habt Ihr etwas zu sagen, so ruft es ihnen aus der Ferne zu. Wir begeben uns nicht in Gefahr.«

Der Kommandeur war außer sich und wollte über Bord springen. Im letzten Moment riß ihn der Bootsmann zurück. Schweren Herzens fügte sich Pelsaert in sein Schicksal und ließ von dem Vorhaben ab.

Am Morgen des 6. Junis legte er eine handschriftliche Erklärung unter eine Brottonne, die lautete: »Ich und dazu Berufene haben sich mit dem Langboot auf den Weg gemacht, um auf den umliegenden Inseln oder dem Festland für euch und uns Frischwasser zu suchen. Wir sputen uns und kehren so rasch wie möglich zurück. Der Kommandeur Francisco Pelsaert.«

48 Stunden nach der Havarie setzten sich Pelsaert, der Skipper, Jan Evertsz, Zwaantie Hendrix, eine zweite Frau mit ihrem drei Monate alten Baby und 41 Seeleute ab. So jedenfalls kam es dem Kommandeur vor. Ihm war nicht wohl in seiner Haut. Schließlich ließ er 250 Menschen im Stich. Davon 70 auf dem Wrack. Sie mußten untergehen oder sich schwimmend durch die Brandung retten. Schwimmend? Fast alle waren Nichtschwimmer. 180 Überlebende verblieben auf der etwas größeren Insel. Ohne Hoffnung – mit Wasser für nicht mehr als zwei Tage. 180 Todgeweihte. Pelsaert war mit dieser schweren Hypothek in See gestochen. Kehrte er nicht rechtzeitig mit Wasser zurück, hatte er nicht nur die 40 in der Brandung Umgekommenen auf dem Gewissen, sondern auch die vielen Menschen an Land und auf der angeschlagenen BATAVIA.

Die Verlassenen nannten das Inselchen, von dem aus Pelsaert auf Nordkurs entschwand »Verraders' Eylandt« – Verrätereiland. Sie

2

1 Frederik de Houtman. Nach ihm heißt die
Inselgruppe vor Westaustralien Houtman-
Abrolhos-Archipel.

2 Antonio van Diemen, der spätere General-
Gouverneur von Ostindien, mit Sitz in Batavia.
Dem Aufsteiger Pelsaert war er nie wohlgesonnen.

3 Im Western Australian Maritime Museum,
Fremantle, nachgestellt: Pelsaerts Kajüte
mit dem aufgeschlagenen Journal auf der
BATAVIA.

4

5

4 Die BATAVIA-Küste Westaustraliens:
   die »Pinnacles«.

5 Blick aus dem Sportflugzeug:
   »BATAVIAS Friedhof«, heute Beacon
   Island. Die Insel, auf der Jeronimus
   Cornelisz sein Unwesen trieb.

6 Die wildromantische Felsenküste bei
   Kalbarri (BATAVIA Coast). In der Nähe
   setzte Pelsaert 1629 die Straffälligen
   Loos und de Bye aus.

7 Im Maritime Museum, Fremantle, steht
   das aus Sandsteinquadern errichtete
   »Wassertor«, das eigentlich für das Fort
   Batavia gedacht war.

7

8

8 Ein Taler der Stadt Hamburg
   von 1620 (Replikat).
   Originale wurden aus dem
   BATAVIA-Wrack geborgen und
   liegen jetzt in den Museen
   von Fremantle und Geraldton.

9 Am BATAVIA-Wrack wird
   gerade ein Krug geborgen.

11

10

12

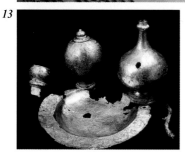

13

10 Ein Schwerthieb zertrümmerte die Schädelseite eines Unglücklichen auf »BATAVIAS Friedhof« (Geraldton-Museum).

11 Das Skelett des vermutlich auf »BATAVIAS Friedhof« ermordeten Andries de Vries. Es ruht heute im Maritime Museum, Fremantle.

12 Eine frühe Karte des Hafens von Batavia 1787.

13 Aus dem Wrack der BATAVIA geborgen: Silberteller und -behältnisse.

Ein Stich aus dem 17. Jahrhundert zeigt die havarierte BATAVIA. *Ein Beiboot bringt Überlebende nach Traitor's Island.*

fühlten sich verraten. Und »BATAVIAS Friedhof« tauften sie die etwas nördlich davon gelegene Insel.

Die Schaluppe war mit 47 Menschen an Bord total überladen und in der hohen See schwer zu manövrieren. Sie war ohnehin nicht besonders seetüchtig mit ihren acht Metern Länge, einem Mast und lächerlich kleinem Sprietsegel und der Stagfock. In der Art holländischer »Schlickrutscher« (Schouws) besaß die Schaluppe zwei einziehbare Seitenschwerter.

Noch etwas anderes machte dem Kommandeur Sorgen: Neben den Menschen hatte er auch die wertvollen Güter, ja Schätze der Compagnie im Stich gelassen. Wie sollte er das dem General-Gouverneur und den hohen »Herren XVII« erklären? Und mit wem war er da in See gestochen? Einem verdächtigen Vergewaltiger, einem Skipper, der ihn verwünschte und einer ehrlosen Zofe. Ob die Matrosen loyal waren, wußte er nicht. Wahrscheinlich würden ihn seine Widersacher bei passender Gelegenheit erschlagen oder einfach über Bord werfen. In der Tat fühlte sich der Oberkaufmann verdammt unwohl!

Die Steuermänner Gerritsz und Fransz unternahmen tags darauf mit dem verbliebenen Beiboot Versorgungs- und Rettungsfahrten zwischen dem Wrack und der Insel »BATAVIAS Friedhof«. Die See hatte sich etwas beruhigt. Die Überlebenschancen waren für die verbliebenen Insulaner wie für die Menschen in der Schaluppe gleich schlecht. Gab es für sie in den nächsten 30 bis 40 Stunden kein Wasser, trieben sie einem qualvollen Siechtum entgegen.

Es wurde kein Wasser gefunden. Der Durst fraß sich in ihre Körper wie Brandeisen. Heulen und Wehklagen hob an. Auf der Insel tranken einige ihren Urin, andere Seewasser. Schließlich öffneten besonders Gequälte ihre Pulsadern und tranken ihr Blut. Die ersten starben. Sehr schlecht ging es auch dem Prediger und seiner Familie. Ihre Dienstmagd, noch bei Kräften, konnte das Leiden der Herrschaft nicht länger ertragen. Sie sprang in die See, um die BATAVIA und damit ein Faß Trinkwasser schwimmend zu erreichen. Unter Lebensgefahr erreichte Wybrecht Claasz, so hieß die Magd, eine Klippe unweit des Wracks. Die Leute vom Schiff warfen ihr ein Tau zu und zogen sie an Bord. Wybrechts Einsatz beeindruckte dermaßen, daß man ihr ein Floß zimmerte und sie mit einem Fäßchen Wasser und guten Wünschen aussetzte. Die Magd erreichte die Insel. Manch dörre Kehle konnte mit dem Fäßchen Wasser benetzt werden. Doch der Durst wütete weiter. Es wurde gebetet, der Kommandeur wurde verflucht, viele gerieten ins Delirium, warteten auf den Tod als Erlösung…

Dann, am 10. Juni, sechs Tage nach der Havarie, geschah das Unfaßbare: Es regnete!

»Gott ist gnädig. Er hat uns nicht vergessen«, rief der Pfarrer aus, »war es auch für einige zu spät.«

Die Überlebenden entfalteten sich wie Pflanzen, kamen wieder auf die Beine. Sie ließen sich das Wasser über ihre Gesichter laufen und tanzten vor Freude. Es regnete ausgiebig während mehrerer Tage. Man riß die Segel von den Zeltstangen, fing das kostbare Naß auf und sammelte es in den leeren Fässern.

*

Pelsaerts Schaluppe suchte unterdessen nach Trinkwasser. Im Nordwesten wurden zwei größere Inseln, die Hohe Insel, heute Ost-Wallabi, und ganz in der Nähe Cats Island (West-Wallabi), erkundet. Pelsaert ließ einen Tag lang suchen und graben – erfolglos. Wahrscheinlich waren die Männer nicht gründlich genug. Wie sich herausstellen sollte, gab es zumindest auf West-Wallabi ausreichend Süßwasser.

Am nächsten Tag erhöhte Jacobsz mit seinen Männern die Bordwand der Schaluppe mit Planken. Das überladene Boot sollte für den Schlag von 40 Seemeilen zur Festlandküste gegen die rauhe See etwas besser gewappnet sein. Was hatte Pelsaert wirklich vor? Seine Vorbereitungen, die oberflächliche Wassersuche und die Tatsache, daß sich Frauen und ein auf der BATAVIA geborenes Kind auf der Schaluppe befanden, lassen den Schluß zu: Der Kommandeur wollte von Anfang an nach Batavia segeln. Aus eigenem Antrieb oder von Skipper Jacobsz, Hochbootsmann Jan Evertsz und anderen Verschwörern dazu verführt?

Für die Rädelsführer der geplanten Meuterei war es vorteilhafter, zusammen mit dem Kommandeur als bedauernswerte Schiffbrüchige Batavia zu erreichen. Vorausgesetzt, Jacobsz wollte den Ort tatsächlich ansteuern. Nur er besaß die notwendigen nautischen Kenntnisse.

Gegen Nachmittag machten sie im Osten bei 28 Grad 13 Minuten Festland aus. Ein schier unendlicher Küstenstreifen verhieß großes, unbekanntes Land. Vor ihnen lag der geheimnisvolle Südkontinent.

Teuflische Pläne

Am Riff wurde die BATAVIA Stück für Stück zerlegt. Wer nicht untergehen wollte, mußte sich schwimmend oder auf Treibgut retten, in der Hoffnung, zu einer der Inseln gespült zu werden. Als letzter kauerte Unterkaufmann Jeronimus Cornelisz im Bugspriet. Das war keine heroische Geste in der Absicht, der BATAVIA bis zum Ende treu zu bleiben, womöglich mit ihr unterzugehen. Nein, Cornelisz hatte ganz einfach Angst. Er war Nichtschwimmer, und der Anblick Ertrinkender lehrte ihn das Fürchten. Am 12. Juni brach eine Wange des Bugspriets ab. Er klammerte sich daran fest, hatte Glück und trieb, zusammen mit Wasser-, Essig- und Weinfässern, ans Ufer der Insel »Batavias Friedhof«.

»Gott sei gepriesen, unser Unterkaufmann ist da! Er hat überlebt«, freuten sich die Insulaner. Es waren mittlerweile fast 200 Menschen, die sich da auf engem Raum zusammendrängten.

Nach einem guten Essen und mit trockenen Kleidern war Cornelisz wiederhergestellt. Rasch resümierte er, daß die Lage gar nicht so schlecht war, in der sich die Gemeinschaft befand. Regen hatte die Wasserfässer gefüllt, eine stattliche Anzahl von Kisten mit Nahrungsmitteln und Wein waren angespült worden. Der Hauptmast lag am Strand. An den Rahen hingen Segel für weitere Zelte. Aus dem Treibholz konnten die Zimmerleute Boote bauen. Damit ließe sich die Umgebung erkunden. Erfreulich waren auch die örtlichen Nahrungsquellen: Fische, Seevögel, deren Eier, und in der Sonne lagen fette Robben. Und Pelsaert hatte sich abgesetzt. Welch eine Chance für den Unterkaufmann!

Die Verschwörer, Kadett van Huyssen und Buchhalter Davidt Zevanck, trafen sich mit Cornelisz etwas abseits und berichteten, daß Kanonier Woutersz über die geplante Meuterei ausgepackt hätte. Als der Skipper mit der Schaluppe in See stach, fühlte er sich verraten, betrank sich sinnlos und quatschte drauflos. Cornelisz war entsetzt, als er das erfuhr, ließ sich aber nichts anmerken. Im Camp soll es mächtig gebrodelt haben, als die Ungeheuerlichkeit die Runde machte, zumal Woutersz am nächsten Tag verschwunden war.

»Laßt uns kurzen Prozeß machen«, riet van Huyssen und ergänzte: »Alle können auf der Insel sowieso nicht überleben. Das Wasser wird nicht ewig reichen. Wir sind zu viele.«

Cornelisz gefielen die radikalen Gedanken des adligen Kadetten, doch sagte er nach einer Weile: »Keine voreiligen Schritte. Wir müssen geschickt vorgehen. Kommt es zum Kampf, sind wir unterlegen. Denkt an die Seesoldaten und ihre Waffen. Überlaßt mir die Sache. Unternehmt nichts, was uns verdächtig machen könnte. Ist das klar?«

Die beiden pflichteten bei.

Hinter der Maske des Biedermanns konnten sich die Insulaner keinen Meuterer vorstellen. Sie vertrauten Cornelisz, seine Worte schafften Zuversicht. Als Unterkaufmann, im Rang dem Kommandanten folgend, handelte er mit Sicherheit im Sinn der Compagnie. Das gute Verhältnis zum Pfarrer Bastiaensz war zusätzlich vertrauensbildend.

Cornelisz Plan war raffiniert und langfristig angelegt. Unter größter Geheimhaltung scharte er 20 Konspirative um sich, denen er das Überleben in goldener Zukunft versprach. Dabei bediente er sich der Führungskräfte, ausgebildeten V.O.C.-Angestellten und Kadetten, der angehenden Offiziere also.

In diesem Kreis fanden Versammlungen statt, und man beratschlagte, wer die Geschicke der Schiffbrüchigen in die Hand nehmen solle. Es war nur natürlich, daß Unterkaufmann Cornelisz zum Oberhaupt wurde. Er versprach, sich allzeit für das Wohl der Gemeinschaft einzusetzen. Die anderen gelobten ihm Treue und Gehorsam. Nach diesen Beteuerungen ernannte Cornelisz seine sogenannten Offiziere, die unter seinem Befehl standen und seine Beschlüsse auszuführen hatten. Daß es sich dabei um eine eingeschworene, skrupellose Bande handelte, war den Insulanern natürlich unbekannt.

»Der Kaufmann benahm sich zu Anfang sehr gut«, schrieb der Prediger in einem späteren Brief. Ja, die Menschen waren zufrieden unter Cornelisz Führung. Es wurden Flöße gebaut, mit denen sie zum BATAVIA-Wrack fuhren, um noch soviel wie möglich zu bergen. Man machte Erkundungsfahrten zu den Klippen und Eilanden der Umgebung. Dabei ließen sich weitere Güter sicherstellen. Auf einer sichelförmigen Insel, nordwestlich von »BATAVIAS Friedhof«, erlegten die Soldaten eine Strecke Robben, deren Fleisch gern gegessen wurde.

Allmählich konnte sich Cornelisz an die Verwirklichung seines Plans machen. Er hatte Teuflisches im Sinn:
– als Inselfürst die Herrschaft über Leben und Tod zu erlangen,
– die Bevölkerung bis auf 40 eingeschworene Spießgesellen ermorden zu lassen,
– die Schätze des Wracks zu plündern,
– sollte tatsächlich ein Schiff zu ihrer Rettung gesandt werden, die-

ses zu kapern, die Besatzung umzubringen, dann mit seiner Bande als Piraten Beute zu machen.

Dazu mußten noch Hindernisse aus dem Weg geräumt werden. Das größte Problem bereitete Cornelisz eine Gruppe von Soldaten, die, so wußte er durch seine spionierenden Offiziere, unbeirrt zur Compagnie hielten. Mit Geschenken und Versprechungen wurde deren Bestechlichkeit geprüft. Nur wenige waren empfänglich, so Mattys Beer, Wouter Loos, Andries Jonas und Hauptgefreiter Jacop Pietersz, auch »Fensterrahmen« oder »Steinzertrümmerer« genannt. Pietersz litt unter seinem abstoßenden Aussehen und haßte die Welt deswegen. Auch Jan Hendricxsz aus Bremen, der »Schieler«, entwickelte sich zu einem der blutrünstigsten Werkzeuge des Unterkaufmanns. Hendricxsz gehörte neben Cornelis Pietersz, Rutger Fredricxsz, Gysbert van Welderen, Hans Jacobsz Heylwech und natürlich Coenraat van Huyssen und Davidt Zevanck zum Rat und engsten Vertrautenkreis des Oberhaupts.

Der Inselfürst hortete Strandgut der BATAVIA, Nahrungsmittel und Trinkwasser. Nach Gutdünken gab er dem Volk etwas davon ab. Um sich der Ergebenheit seiner Helfershelfer sicher zu sein, machte er Coenraat van Huyssen zum Kapitän über die Soldaten und ließ seinen Rat ein Schriftstück unterschreiben, worauf sich alle unter Eid verpflichteten: »…alles Mißtrauen, das unter uns besteht oder entstehen sollte, zu beseitigen; bei unserer Seelen Seligkeit und unter dem größten Schwur, wozu uns Gott wahrhaftig helfen möge, einander in allem getreu zu sein und einander Liebe zu erweisen…«

Doch wie sich der V.O.C.-Loyalen entledigen? Und wie an deren Waffen gelangen? Allen voran war ihm der einfache Soldat Wiebbe Hayes ein Dorn im Auge. Hayes war ein typisch holländischer Kolonialsoldat: ehrlich, mutig, unbestechlich. Er hatte eine klare Vorstellung von Gut und Böse, gepaart mit einem unerschütterlichen Glauben an die Ziele der V.O.C. Ihn und seine Leute konnte man nicht einfach liquidieren. Es sei denn, man würde ein Blutbad riskieren, bei dem sich Cornelisz' Spießgesellen selbst gefährdeten. Nein, das war nicht die Vorgehensweise eines Mannes, der Winkelzüge und Heimtücke bevorzugte. Er sann nach einer eleganten, unauffälligen Lösung.

Eines Tages kehrten Matrosen – Sympathisanten von Cornelisz –

von einer Erkundungsfahrt zu den größeren Inseln im Norden zurück. Sie hatten eines der Boote benutzt, die auf »BATAVIAS Friedhof« gezimmert wurden.

»Das Land da oben ist felsig und trocken, verdammt unwirtlich, Süßwasser gibt es dort auch nicht«, berichteten sie.

»Das trifft sich gut«, sagte das Oberhaupt. »Erzählt im Camp, daß es dort Nahrung, vermutlich auch reichlich Trinkwasser gibt. Verstanden!«

Die Seemänner verstanden nichts, dennoch entsprachen sie der Order.

Seit einigen Tagen war Trinkwasser wieder Mangelware geworden. Der Durst quälte zwar noch nicht, aber die Schiffbrüchigen erinnerten sich mit Schrecken an die Trockenzeit. Es dauerte auch nicht lange, da meldete sich der wackere Soldat Wiebbe Hayes mit dem Vorschlag, die Insel (West-Wallabi) nach Wasser abzusuchen. Er war dem raffinierten Unterkaufmann auf den Leim gegangen.

»Gebt ihm und seinen Leuten Spaten mit, damit sie fleißig graben können«, sagte Cornelisz augenzwinkernd zu Coenraat van Huyssen.

»Sollen sie graben, bis sie verdursten!« lachte van Huyssen.

»Die Waffen müßt ihr hierlassen«, fügte Cornelisz an Hayes gerichtet hinzu, »wir brauchen jedes Gewehr, um notfalls die wenigen Vorräte an Nahrung und Wasser zu verteidigen.«

Das leuchtete ein. Bereitwillig wurden die Musketen übergeben.

»Viel Erfolg«, rief das Oberhaupt, »und denkt daran, wenn ihr Wasser gefunden habt, gebt Rauchzeichen, und wir werden kommen.«

Cornelisz stand am Strand und winkte, als sich Wiebbe Hayes mit 20 Soldaten aufmachte und kräftig rudernd das offene Meer erreichte.

Zufrieden kehrte Cornelisz in sein Zelt zurück. Den gefährlichsten Widersacher war er los. Beflissen hatte van Huyssen die Waffen verstaut und einen Wächter postiert. Nun konnte das Oberhaupt den zweiten Schritt auf dem Weg zur totalen Herrschaft antreten. Spitzel informierten ihn, daß es unter dem Volk noch viele Gegner gab. Deren mußte er sich rasch entledigen. Er ließ kleine Trupps zusammenstellen, die auf seeuntüchtigen Flößen unsinnige Erkun-

Auf »Batavias *Friedhof« wurden die ersten Zelte aus Segeltuch errichtet...*

dungen auf den Nachbarinseln durchführen sollten. Alle Insulaner,
die auf diesen waghalsigen Floßfahrten nicht untergingen, wurden
von einem besonderen Kommando verfolgt und kurzerhand erschlagen oder ertränkt. Auf Fragen der Verbliebenen hieß es, die
Flößer seien auf die entfernte Hohe Insel gefahren.

Der nächste Akt in Cornelisz Plan war die Evakuierung von Leuten auf die zwei Nachbarinseln Seals Island und Traitor's Island.
Nach der Devise: »Teile und herrsche.«

Er trat vor »sein« Volk und verkündete: »Batavias Friedhof‹ ist
übervölkert. Die Insel kann uns nicht alle ernähren. Wir müssen auf
den nächsten beiden Inseln Siedlungen gründen, anderenfalls überlebt niemand. Mit unseren Booten und Flößen können wir untereinander Kontakt halten.«

Der Umsiedlung ging eine vollständige Entwaffnung voraus.
Schließlich verfügte nur noch das Gesindel um Cornelisz über Musketen, Schwerter, Dolche, Äxte und andere gefährliche Gegenstände. Das Arsenal füllte ein Zelt in Jeronimus' Nähe.

Auf den Fahrten zu den Inseln wurden die Ahnungslosen überfallen, von van Huyssens Leuten an Händen und Füßen gefesselt und ins Meer geworfen. Andere, denen es gelang, Seals Island zu erreichen, wurden an Land umgebracht. Des gefährlichsten Opponenten hatte sich der Inselfürst entledigt, konnte ihn zumindest auf Abstand halten. Bei der Gestaltung eines kleinen Königreichs der Auserwählten war der Hedonist Cornelisz an einen entscheidenden Punkt gestoßen. Es ging ihm jetzt um die Reduzierung der Insulaner auf 40 Leibeigene. Seine »Bluthunde« zerrten wild an den Ketten. Das Erschlagen Unschuldiger und Betrogener hatte ihnen Freude bereitet.

»Die Stunde ist gekommen«, verkündete er, »tötet das überflüssige Gesindel!« Die »Hunde« stürzten sich auf die Beute. Blut besudelte den Sand. Auf »Batavias Friedhof« wurde weiter gemordet.

Kurs Batavia

Skipper Ariaen Jacobsz hatte die Schaluppe bei harter Brise und schwerer See vor der Küste von Eendracht's Land (Australien) nach Norden laviert. Wind, erbarmungslose Sonne und Trockenheit hatten die Crew ausgelaugt. In stiller Resignation harrte sie auf den Ruderbänken, tags wie nachts. Zum Ausstrecken gab es keinen Platz. Zu dürstenden Kehlen und aufgesprungenen Lippen gesellten sich Rückenschmerzen und die dumpfe Pein hungriger Mägen. Das Baby lag unter der Schürze der Mutter. Still, als sei es nicht mehr am Leben. Wie welke Pflanzen hingen die Menschen in einem Boot, das die Fahrt direkt in den Orkus angetreten hatte. Und über ihnen kreiste Harpyie, bereit zum Gnadenstoß...

Kommandeur Pelsaert empfahl dem Skipper anzulanden. Doch die Dünung war zu stark, die Küste zu steil und die Crew zu schwach. Unvermutet lief die See noch höher auf. Die überladene Schaluppe drohte unterzugehen. Den überkommenden Wellen war durch Schöpfen nicht Herr zu werden.

Plötzlich erscholl die donnernde Stimme von Ariaen Jacobsz. Nur er vermochte sich in tobender See Gehör zu verschaffen: »Kappt die Vorleine! Unwichtiges über Bord! Wir müssen leichter werden. In Gottes Namen, tut was ich sage: Über Bord mit unnützem Ballast oder wir sinken!«

Mit weniger Tiefgang überstand die Schaluppe die schrecklichen Stunden.

Am 13. Juni segelten sie auf 25 Grad 40 Minuten Höhe. Jacobsz stellte fest, daß sie mächtig abgetrieben worden waren, was auf einen starken Küstenstrom nordwärts hindeutete.

Tags drauf war »labbere Kühlte« angesagt, die sich zum Nachmittag gänzlich abschwächte. Sie hielten bei flauem Ostwind Nordkurs bei und liefen mit kleinem Segel in Ufernähe. Pelsaert quälte seine Krankheit, selbst ein erquickender Regenschauer brachte ihm keine Linderung.

Wie ein Hoffnungsschimmer erschienen ihm kleine Rauchsäulen am Ufer. Rauch bedeutete Menschen. Wo Menschen waren, mußten Trinkwasser und Nahrung sein. Doch die wilden Brandungswogen machten ein Anlegen unmöglich. Schon war das Beiboot im Begriff beizudrehen, als sich sechs Seemänner mit dem Mut der Verzweiflung in die Fluten stürzten, um das Ufer schwimmend zu erreichen. Während die Schaluppe außerhalb der Dünung auf 25 Faden vor Dregganker lag, erkundeten die Männer das Ufer. Gierig suchten sie nach Eßbarem und Trinkwasser. Sie fanden weder das eine noch das andere. Statt dessen machten sie eine interessante Entdeckung und berichteten: »An Stellen, an denen der Rauch aufstieg, nahmen wir vier Menschen wahr. Sie krochen auf Händen und Füßen. Als wir uns zu erkennen gaben, sprangen sie auf und ergriffen die Flucht. Es waren schwarze, völlig nackte, wilde Menschen, die sogar ihr Geschlecht unbedeckt hielten, wie Tiere. Keine Ahnung, ob es eine unbekannte Rasse oder ob es überhaupt Menschen waren.«

In den folgenden Tagen beruhigte sich die See, und die Crew wagte einen Landgang. Unterhalb des heutigen Nord-West-Kaps. Wieder trafen sie auf schwarze, krausköpfige Menschen, die bei Annäherung der Weißen fluchtartig das Weite suchten. Die Crew fand endlich Süßwasser, labte sich und sammelte einen Vorrat von 80 Krügen.

Pelsaert und Jacobsz gerieten wieder einmal aneinander. Der eine wollte weiter nach Wasser suchen, der andere auf dem direkten Weg nach Java.

»Blödsinn, die zeitraubende Wassersuche«, polterte der Skipper. »Wir müssen Kurs auf Batavia nehmen und der Compagnie Meldung machen. Bei günstigem Wind können wir in zehn Tagen Java erreichen.«

Jacobsz hielt stur Nordkurs bei.

Am 17. Juni willigte Pelsaert ein. In seinem Journal hielt er fest: »Wir befanden uns bei 28°17' südlicher Breite, vom Wrack der BATAVIA waren wir nun weit entfernt. Deshalb entschied ich, Batavia anzusteuern.«

Das Wetter war trocken, sie legten mit einer Toppsegelkülte aus Nordwest im Schnitt 15 Meilen in vier Stunden auf Nordkurs zurück.

Ohne besondere Zwischenfälle erreichte die Besatzung am 28. Juni die Südküste Javas. Eine beachtliche Leistung! Vom letzten Landgang bis Java bezwang Jacobsz 900 Seemeilen offenen Indischen Ozean in 12 Tagen. Dabei halte man sich die kleine, überladene Schaluppe vor Augen, deren zermürbte Crew wenig Hilfe leistete.

Am Strand der einstigen Insel Nusakambangan fiel Francisco Pelsaert auf die Knie und dankte Gott für seine Güte. (Im Laufe der letzten Jahrzehnte dehnte sich das Schwemmland der Flüsse Daman, Dangal und Oedjoeng dermaßen aus, daß Nusakambangan heute mit dem Festland verbunden ist.) An einer Felswand, unter tropischen Farnen verborgen, stießen die Schmachtenden auf frisches Quellwasser. Sie labten sich, füllten ihre Krüge. Wieder etwas zu Kräften gekommen, hatten alle den einen Wunsch: möglichst rasch Batavia erreichen! Der Törn durch die Sunda-Straße beanspruchte noch sieben Tage. Landgänge konnten die Schiffbrüchigen nicht wagen, da die Eingeborenen den Weißen feindlich gesonnen waren.

In Höhe der Insel »Wegbehinderung« (heute: Sangiang) näherten sich von achtern drei Rahsegler. Feindliche Europäer in diesen Gewässern? Pelsaert konnte sich dies nicht vorstellen und beschloß, den nächstliegenden Segler näher in Augenschein zu nehmen. Mit Erstaunen stellte er fest, daß es sich um den Frachtensegler SARDAM handelte, eines seiner Konvoi-Schiffe, das nach dem Passieren Texels im Sturm von ihnen getrennt worden war. Pelsaert ließ sich an

...kaum erschien der Unterkaufmann Jeronimus Cornelisz auf der Insel, gediehen Verrat, Mord und Totschlag. Im Vordergrund des alten Stichs ist das Batavia-*Wrack zu erkennen.*

Bord der Sardam hieven. Der Schiffsführer, Unterkaufmann van Dommelen, traute seinen Augen nicht, als er in dem zum Skelett abgemagerten, in Fetzen gehüllten Mann seinen Flottenpräsidenten Pelsaert erkannte. Der Kommandeur des prächtigsten Schiffes der V.O.C. wurde gebrechlich wie ein Greis aus einer ramponierten Nußschale geborgen. Nicht zu fassen!

Pelsaert berichtete von seinem Mißgeschick und erfuhr, daß sich die Sardam in Begleitung der Fredrick Hendrick befand. Es handelte sich um ein größeres Retourschiff, auf dem Herr Crijn Rameborch, ein hoher Beamter der Compagnie und Mitglied des Rats von Ostindien, mitfuhr. Die Fredrick Hendrick hatte Holland drei Monate später verlassen und war zufällig auf Pelsaerts versprengte Flotte gestoßen, um dann ebenfalls nach Batavia zu segeln.

Der Kommandeur ließ sich umgehend auf die Fredrick Hendrick bringen, um dem Ratsherrn Rameborch Bericht zu erstatten. Erleichert schrieb er: »Ich begab mich sofort zu dem hohen Rat und erzählte mit kummervollem Herzen von unserem traurigen Desaster. Er war sehr verständig und erlaubte, daß ich auf dem Schiff bleiben möge, bis wir Batavia erreicht hätten.«

Auf der dreitägigen Fahrt bis Batavia quälten den »Kommandeur ohne Schiff« schreckliche Vorwürfe des Versagens.

Rameborch beruhigte ihn: »Sie können auf mich zählen. Wenn es nötig werden sollte, vertrete ich Ihren Standpunkt gegenüber dem General-Gouverneur Coen. Ich weiß, daß er eisenhart ist, doch glauben Sie mir, Pelsaert, ich war oft mit ihm zusammen und weiß: Jan Pieterszoon Coen hat Verständnis für Schicksalsschläge. In seinen Entscheidungen ist er stets fair gewesen. Außerdem hat er selbst große Seereisen unternommen, um beurteilen zu können, was auf den Weltmeeren geschehen kann.«

Trotz der verständnisvollen Worte fühlte sich der Oberkaufmann ausgesprochen unwohl, als er am Sonntag, dem 8. Juli 1629, einen Monat nach Verlassen des Abrolhos-Archipels, zum General-Gouverneur zitiert wurde. Coen eilte der Ruf eines unerbittlichen Verwalters voraus. Aus den Leibern gefallener Javaner hatte er Batavia, das Machtzentrum der V.O.C., gestampft. Zum Wohle der Compagnie benutzte er Menschen wie Schachfiguren. Dieser Gouverneur war der Motor, Initiator und Spiritus rector des mächtigsten Unternehmens im fernen Osten. Gleichsam Vizekönig der größten, privaten Institution der damaligen Zeit, mit Vollmachten ausgestattet, wie sie gewöhnlich nur Staaten vorbehalten waren. Als Mensch war er durch und durch Asket, hart gegen sich und andere.

Da stand Pelsaert, der Mann, der sein Schiff verloren, seine Leute im Stich gelassen hatte und nun versuchte, sich zu rechtfertigen. Coens stechender Blick durchbohrte ihn förmlich und schien den hintersten Winkel seiner Seele zu erkunden. Zwei steile Falten durchfurchten die Stirn in der Verlängerung der Nasenwurzel und verliehen seinem unbeweglichen Gesicht Zynismus und Eiseskälte. Pelsaert durchfuhren Angstschauer. Er erschrak über die absolute Unnahbarkeit des hohen Herrn – ohne sichtbare menschliche Regungen. Als Pelsaert seinen Vortrag beendet hatte, stellte Coen Fragen zu den Gütern auf der BATAVIA, zu den Menschen, die allein mit dem Wrack zurückgelassen wurden, zu den Mitverantwortlichen der

Besatzung. Der Oberkaufmann wußte, daß von der Beurteilung Coens alles abhing, seine Reputation, seine Karriere, sein Gehalt, ja, sogar sein Leben.

»Halten Sie sich für morgen früh bereit. Ich werde eine außerordentliche Sitzung einberufen und verkünden, welche Schritte zu unternehmen sind. Über den Skipper Ariaen Jacobsz erwarte ich von Ihnen einen schriftlichen Bericht. Hochbootsmann Jan Evertsz ist zu arretieren!«

Damit war das Gespräch mit dem General-Gouverneur beendet.

Pelsaert war entlassen, aber keinesfalls erleichtert. Er hoffte jetzt auf die Fürsprache seiner alten Freunde. Die jedoch schienen auf Distanz zu gehen. Nicht, daß sie ihn als Schuldigen betrachteten, aber doch als einen Mann ohne Fortune, der zumindest politisch in tiefer Schuld steckte.

Der Montag rückte heran. Das Konzil tagte, und es kam gleich zu Beginn klar zur Sprache: Pelsaert trage für Menschen und Güter die Verantwortung, dieser müsse er sich zu einem späteren Zeitpunkt stellen. Jetzt ginge es darum, die Menschen – sofern sie noch am Leben seien – zu retten und die Fracht zu bergen. Man wollte dem Oberkaufmann eine Chance geben, seine angeschlagene Reputation durch eine erfolgreiche Rettungsaktion wenigstens teilweise wiederherzustellen.

Mit der Entscheidung konnte Pelsaert hochzufrieden sein. Er hatte wohlwollende Richter gefunden. Unter seinem Kommando sollte die SARDAM Kurs auf die Abrolhos nehmen. Mit Jacob Jacobsz – nicht mit Ariaen verwandt – als Skipper und dem ehemaligen Obersteuermann der BATAVIA, Claas Gerritsz, als Navigator.

Am 15. Juli erhielt Pelsaert vom Gouverneur persönlich den Befehl auszulaufen. Man setzte mit einer Crew von 26 Mann, vier indischen und zwei holländischen Tauchern, Segel. Mit den Tauchern hoffte Pelsaert, die Schatzkisten aus dem Wrack bergen zu können.

Die SARDAM, ein schnellaufender Segler, von den Holländern »Jacht« genannt, pflügte unter vollem Tuch den Indischen Ozean gen Süden, zurück zum großen Südland. Pelsaert war voller Tatendrang, er hatte eine Chance bekommen, die es zu nutzen galt. Und es gab eine Genugtuung: Sein Widersacher Ariaen Jacobsz saß im Verließ der Zitadelle von Batavia. Die Folterknechte würden schon herauspressen, ob er sich der Verschwörung und der Notzucht schuldig gemacht hatte. Seine Verhaftung war am Freitag, dem 13. Juli, erfolgt.

Im Fall Jan Evertsz, Hochbootsmann der BATAVIA, waren die Würfel bereits gefallen. Er wurde wegen Vergewaltigung an Lucretia van der Mijlen schuldig gesprochen. Die Magd Zwaantie Hendrix behauptete, in ihm einen der Täter erkannt zu haben. Unter der Folter gestand er sein Vergehen. Zu Vorwürfen, auch an einer beabsichtigten Meuterei beteiligt gewesen zu sein, schwieg er beharrlich. Er wurde gehängt. Die Qual am Rad blieb ihm erspart, weil eine Verschwörung nicht nachgewiesen werden konnte.

Der Wind blies aus Süden. Um Kurs zu halten mußte die SARDAM kräftezehrend und zeitraubend kreuzen. Erst zwei Monate nach dem Verlassen Batavias kamen die ersten Brandungsbrecher der Abrolhos in Sicht. Ihr Ziel – die BATAVIA vor dem Morning Reef – konnte nicht mehr fern sein. Mit jedem Tag stieg die Spannung. Für Pelsaert wurde sie fast unerträglich.

Was war aus den Menschen geworden? Hatte überhaupt jemand überlebt? Und das Wrack? Gab es die BATAVIA noch oder lagen ihre Einzelteile längst irgendwo zerstreut auf dem Meeresgrund? War die schöne Lucretia noch am Leben? Vielleicht wäre es besser, sie hätte die ewige Ruhe gefunden. Was hatte sie durchmachen müssen! Die Nachricht, die er überbringen mußte, war von großer Traurigkeit: Ihr Mann war tot, auf dem Weg nach Batavia gestorben. Boudewijn van der Mijlen hatte seine Frau in der Hafenstadt empfangen wollen. Pelsaert ahnte nicht, daß ihn auf den Inseln etwas erwartete, was an Grauen jegliche Vorstellungskraft übertraf.

General des Schreckens

»Tötet sie!« befahl Cornelisz. »Zuerst die Stärksten, und zwar heimlich und nachts. Erzählt den Leuten, sie seien zur Hohen Insel gefahren.«

Die Schergen schwärmten aus. Gnadenlos erfüllten sie ihren Auftrag. Weißer unbefleckter Korallensand färbte sich rot vom Blut unschuldiger Männer, Frauen und Kinder. »BATAVIAS Friedhof« wurde zum Massengrab, und im Zelt des Führers wurden immer neue Scheußlichkeiten ausgeheckt. Während Pelsaert als Retter mit der SARDAM gen Süden kreuzte, waren Cornelisz' Häscher auf die Seals Island gerudert, wo sie 40 Menschen meuchelten. Unter dem Vorwand, dort besser überleben zu können, waren diese zuvor auf das Eiland gelockt worden. Dasselbe Schicksal war den Leuten auf Traitor's Island (Verrätereiland) beschieden. Auf »BATAVIAS Friedhof« tobte sich der Wahnsinnige mit besonderen Scheußlichkeiten aus. Niemand gebot ihm Einhalt. Leicht ließ sich sein Plan verwirklichen, zu leicht. Wäre da nicht noch eine Gruppe wackerer Männer am Leben gewesen, die im Norden ahnungslos nach Wasser suchte.

Wiebbe Hayes, der Soldat, war ausgesandt worden, um zu sterben. Doch er fand Wasser und blieb am Leben. Drei Tage kräuselten sich seine Rauchzeichen am klaren Himmel. Es kam keine Reaktion. Hayes und seine 20 Männer fragten sich besorgt, was wohl im Süden der Insel geschehen war. Man hatte mit Unterstützung und mit Dank und Freude über das gefundene Trinkwasser gerechnet.

Die Antwort brachten Überlebende. Bei Nacht war es wenigen Leuten gelungen zu fliehen. Unbemerkt hatten sie Bretter zu einem Floß verbunden und waren von der Schreckensinsel hinauf zu den Wallabis gelangt. Es schien, als seien die Geflohenen der schwärzesten Hölle entronnen. Wiebbe Hayes stellte die Rauchzeichen ein und rechnete mit dem Schlimmsten…

Cornelisz fiel auf, daß der Rauch plötzlich verblaßte. Er ließ van Huyssen kommen.

»Sind euch Leute entwischt?«

»Möglich, zwei oder drei vielleicht.«

»Verdammt, ich bin sicher, Wiebbe Hayes wurde gewarnt. Sie haben Wasser und können uns gefährlich werden.«

»Gefährlich?«

»Denk doch nach! Die Hohe Insel liegt im Norden. Sollte Pelsaert tatsächlich mit Rettern zurückkommen, wird er so gewarnt werden. Hayes und seine Männer müssen sterben, alle und rasch. Zum Glück haben sie keine Waffen.«

Auf »BATAVIAS Friedhof« ging das Morden weiter. Wie geheißen,

*Regen Bootsverkehr zeigt der Stich zwischen »*Batavias *Friedhof«,* *Traitor's Island und dem Wrack.*

tötete man die Starken hinterhältig des Nachts. Sie wurden aus dem Schlaf gerissen, vor ihr Zelt gezerrt und mit dem Schwert erschlagen, dann heimlich verscharrt. Andere wurden von Cornelisz' Offizieren zum Angeln aufgefordert. Die Männer überfielen und töteten die Unglücklichen, versenkten ihre Körper im Meer. Auf Verrätereiland bauten sich Pieter Jansz mit Frau und Kind, Claudine Patoys und ihr Kind, Claas Harmansz mit Frau und Kindern, gemeinsam mit anderen Familien ein Floß und versuchten auf die Hohe Insel zu entkommen. Sie hatten die Rauchzeichen wahrgenommen. Doch ihre Flucht endete in den Fängen des Mordgesindels. Man schlug sie tot oder halbtot und warf sie in die Fluten. Einigen gelang es noch, »Batavias Friedhof« schwimmend zu erreichen. Sie wankten blutend, von Schwertern angehackt und erschöpft zu ihrem Anführer Cornelisz, warfen sich nieder und flehten um Hilfe.

»Tötet sie!« befahl dieser mit eisiger Stimme.

In gieriger Mordlust, Kampfhunden gleich, stürzten sich die »Offiziere« auf ihre Opfer.

»Andries Jonas van Luyck hackte einen Enterhaken durch die Kehle des Seemanns Pauls Barentsz. Der stürzte nieder und wurde von Jan Hendricxsz aus Bremen mit Füßen getreten, bis er starb...« heißt es in den Annalen.

Rutger Fredricxsz verfolgte Bessel Jansz und Claas Harmansz mit erhobenem Schwert. Als er sie erreicht hatte, schlug er wie im Rausch auf sie ein, bis sie tot zusammenbrachen.

Angst und Schrecken überzogen »Batavias Friedhof«. Im Camp lauerte der Tod.

»Welch eine Grausamkeit! O Abscheu über Abscheu!« stieß der Pfarrer aus. Geduckt schlich er durchs Camp, täglich rechnete er mit seinem Ende. Die wenigen Überlebenden ermahnte er, allzeit zum Sterben bereit zu sein. Mit Rettung sei nicht mehr zu rechnen. Vernahm er nachts Geräusche vor dem Zelt, sah er den Tod eintreten, betete und begab sich in die Hände des Herrn.

Sprach er Cornelisz und die Mörder auf ihre Missetaten an, brüllten sie: »Schweigt – oder Ihr werdet mit den anderen umgebracht!«

Der Prediger wagte »kein Wörtlein mehr zu sagen, sah nirgends einen Ausweg und ging davon, wie der Ochs vor dem Beil«.

Cornelisz sann nach äußerem Glanz. Wertvolle Waren hatte man aus dem Wrack der Batavia geborgen und auf »Batavias Friedhof« geschafft. Den Großteil hatte das Oberhaupt konfisziert. Doch längst nicht alles. Ihn gelüstete nach dem Rest. »Es gibt Betrüger unter uns, die die Compagnie schädigen wollen. Ich bin sicher, daß Güter der V.O.C. illegal in einigen Zelten versteckt gehalten werden. Schafft sie bei!«

Jan Hendricx, Davidt Zeevanck und weitere Spießgesellen ergriffen ihre Hieb- und Stichwaffen, hängten sich eine Lampe an den Arm und durchkämmten die Zelte. Passchier van den Ende, der Kanonier, wurde zur Rede gestellt: »Hast du Waren versteckt?«

»Nein.«

Zeevanck rief: »Lügner!« Und zu seinen Kumpanen: »Macht ihn fertig!«

Jan Hendricx rang van den Ende nieder, mit dem Messer durchtrennte er ihm die Kehle. Zeltgenosse Jacop Hendricks wurde ans Licht gezerrt. Er flehte um das Leben seiner Frau und das seine. Zeevanck war sich unschlüssig, mit Jan Hendricx begab er sich zum

Führer. Beide trugen vor, daß man Jacop Hendricks am Leben lassen solle, er sei ein ausgezeichneter Schiffszimmerer.

»Kommt nicht in Frage. Er ist ein Verräter, außerdem lahmt er. Jacop muß weg.«

Die beiden stürmten zurück. Jan Hendricx schleuderte den Zimmermann zu Boden, Lenart Michielsz setzte sich auf seinen Körper, um ihn unten zu halten, während Hendricx ihm mit dem Messer in Brust und Hals stach. Jacop war unglaublich zäh und wollte nicht sterben, schließlich brach das Messer ab. Mit einem Stück Klinge durchtrennte der Mann aus Bremen den Hals des Zimmermanns.

Dann wurde der kranke Kabinensteward auf ähnliche Weise malträtiert und getötet.

Die blutdürstigen Tyrannen waren durch das Morden wie berauscht. Zu den übrigen Abscheulichkeiten zerschnitten sie die kostbaren Samt-, Seiden- und Brokatstoffe der Compagnie und ließen sich extravagante Kleider mit Rüschen und goldenen Borten nähen. Dabei trieb es Jeronimus am tollsten. Überwältigt von dem Reichtum, der ihm zugefallen war, kleidete er sich wie ein Märchenprinz. In seinem surrealistischen Outfit begab er sich an den Strand und paradierte, von allen angestaunt, auf und ab. Ein Pfau hätte sich nicht besser zur Schau stellen können: scharlachrote, geraffte Tunika, mit Goldborten eingefaßt, an den Stulpenstiefeln große Silberschnallen; auf dem Kopf einen Florentiner, an dem eine mächtige Straußenfeder wippte.

Von Zeit zu Zeit zog er sich in sein Zelt zurück, öffnete eine Schatztruhe und liebkoste das Geschmeide: eine unermeßlich wertvolle Riesengemme aus Onyx, eine herrliche Vase, aus einem Jadeblock filigran herausgearbeitet, schöne Elfenbeinschnitzereien, funkelnde Steine, Eßbestecke in Gold und Silber. Nach ausgeführten Mordaufträgen verschenkte er gönnerhaft das eine oder andere weniger wertvolle Teil an seine Komplizen. Auch ließ er die Männer bisweilen von den köstlichen spanischen Weinen kosten. So blieben die Kerle gefügig und ergeben, »…schreckten selbst nicht vor Morden an Kindern und schwangeren Frauen zurück, deren Fleisch Möwen und Haien als Fraß dienten«.

Das hörigste Gesindel bedachte Cornelisz mit roten Roben, die mit Goldposamenten besetzt waren. Um allem Übel die Krone aufzusetzen, wurden die ansehnlichsten der noch lebenden Frauen als Beute untereinander aufgeteilt. Der Führer nahm sich, was er schon immer begehrte: Lucretia Jansz, verehelichte van der Mijlen. Coenraat van Huyssen verlangte die älteste Tochter des Predigers. Als Gijsbert Bastiaensz das erfuhr, verfiel er in tiefe Resignation. Wollte er am Leben bleiben, mußte er es dulden. Doch selbst sein Tod hätte an der Ungeheuerlichkeit nichts ändern können. Die Frauen und Mädchen Tryntgien und Sussie Fredricxs, Anneken Hardens, Anneken Bosschieters sowie Marretgie Louys mußten den übrigen Kerlen nach Gutdünken zur Verfügung stehen. Die Tyrannen besiegelten Treueschwur und Frauenvergabe unter Eid – welch Hohn – im Namen Gottes.

»Wir unterzeichneten Personen verpflichten uns gegenseitig bei unserer Seele Seligkeit und so wahr uns Gott helfen möge, einander treu zu bleiben... vor allem, die Belange der Gemeinschaft zu fördern. Wir wollen uns... mit folgenden Weibspersonen vergnügen, die da sind... Zur Kenntnis genommen und unterschrieben am 16. Juli 1629 auf der Insel ›BATAVIAS Kerckhof‹.«

Cornelisz verfügte: »Wer nicht unterschreibt, ist des Todes.«

Alle Spießgesellen setzten ihre Namen unter den schändlichen Schwur.

Am Tag des Schwurs gab der Führer einen neuen Mordbefehl. »Stecht dem Schreihals die Augen aus und tötet ihn!« kreischte er aufgebracht, als ein Kind, durch die Umstände verwirrt, heulend in seiner Nähe weilte. Erst als der blutende Kindskopf über den Sand kollerte, war Cornelisz zufrieden. 120 Menschen waren seinen Befehlen zum Opfer gefallen. Die Meuterer eilten von Greueltat zu Greueltat.

Einer der brutalsten Morde betraf die Familie des Pfarrers. Es geschah am 21. Juli. Jeronimus hatte den Prediger verschont, um ihn für seine Interessen nützlich zu machen. Judith, seine älteste und attraktivste Tochter, war dem blutrünstigen Kadetten, Coenraat van Huyssen, zugesprochen worden. Der forderte sein Recht. Doch Judith wollte lieber sterben, als sich mit dem verruchten Kadetten einzulassen.

Einige Tage später erschien Cornelisz und sagte in freundlich süßem Ton: »Domine, man wird Eure Tochter Judith mit dem Soldatenobersten van Huyssen verehelichen und Eure Magd einem anderen guten Gesellen geben.«

Der Pfarrer wußte, daß seine Tochter keine andere Wahl hatte. Anderenfalls brächte man sie um oder überließe sie als Freiwild dem Offiziersgesindel nach Lust und Laune.

Unter Tränen folgte die Tochter dem Rat ihres Vaters, das kleinere Übel zu wählen und einzuwilligen. Coenraat van Huyssen lud daraufhin seine Zukünftige nebst Prediger zum Abendessen ein. An die Tafel, im Zelt des Kadetten, gesellte sich auch das Oberhaupt. Reichlich wurden Speisen, Wein und Wasser gereicht. Vater und Tochter genossen es, sich nach Wochen des Darbens endlich wieder einmal richtig sattessen und ausreichend trinken zu können.

»Gern hätte ich auch Eure Ehefrau eingeladen, Domine«, sagte van Huyssen, »mein Zelt ist jedoch zu klein. So werden wir ihr und Euren Kindern etwas Essen bringen.«

Tochter und Vater freuten sich über die Worte und glaubten, die Schrecken hätten nun ein Ende.

Unterdessen hatten sich Zevanck, Hendricx, Wouter Loos, Andries Jonas und Andries Liebent auf Befehl Cornelisz heimlich zum Zelt des Pfarrers geschlichen. Mit sanfter Stimme rief einer die Magd heraus und stach sie ab wie ein Stück Vieh. Unter dem Vorwand nach V.O.C.-Gütern zu suchen, stürmten die anderen ins Zelt. Mit Äxten fielen sie über die Familie her, dabei wurde die Öllampe umgeworfen. In der Dunkelheit hob ein wildes Gemetzel an, das erst endete, als die Frau des Predigers und ihre sechs Kinder erschlagen in ihrem Blut lagen.

Söhnchen Roelant brachte die Häscher in Rage. Er rannte schreiend zwischen ihren Beinen herum und entwischte jedesmal, wenn Jan Hendricx mit der Axt zuschlagen wollte. Schließlich brachte der Mörder Klein-Roelant durch einen furchtbaren Schlag mit einem Holzscheit für immer zum Schweigen. Die Leichen wurden an den Haaren in ein schon vorbereitetes Grab geschleift und eilig verscharrt.

Unterdessen genossen Vater und Tochter das reichhaltige Mahl. Der Wein hatte ein volles Bouquet und schmeckte herrlich. Als das Abendessen beendet war, empfahlen sich der Pfarrer und Judith. Beinahe wäre ihnen noch ein Wort des Dankes über die Lippen gekommen. Cornelisz und van Huyssen erhoben sich in gespielt devoter Geste und wünschten eine angenehme Nachtruhe.

»Ach, wolle Gott uns doch noch einmal Rettung schicken!« seufzte der Pfarrer fast erleichtert. Am unbeleuchteten Zelt angekommen, wähnte er seine Familie schlafend. Gijsbert Bastiaensz zündete eine Kerze an, dann sah er die Blutlachen, das heillose Durcheinander, stöhnte auf. Er verfiel in tiefe Depression und wünschte sich nichts sehnlicher als zu sterben.

Um ihr eigenes Leben zu retten, führten Männer wie der Kadett Andries Liebent, die Buchhalter Salomon Deschamps und Andries de Vries oder Schiffsjunge Claas Harmansz, Mordaufträge durch. Aus Angst machten sie sich schuldig wie die Anstifter selbst. Deschamps, einst Intimus von Pelsaert, erwürgte unter Druck ein Baby, und der anfangs erwähnte de Vries wurde zum Serienmörder, bevor es ihn selbst erwischte.

Eines Tages rief Cornelisz nach dem Buchhalter: »Andries, im Krankenzelt liegen elf kranke Leute herum. Für uns sind die un-

Seals Island: Insel, auf der die Verdammten ihr Ende fanden. Die ersten Mörder baumeln an den Galgen. Im Vordergrund liegt die SARDAM *vor Anker.*

brauchbar. Sie werden ohnehin bald sterben. Hier hast du ein scharfes Messer, schneide ihnen die Kehlen durch, als Beweis für deine Freundschaft zu mir. Nun geh schon!«

Des Führers Worte ließen keinen Widerspruch zu. So begann die Verbrecherkarriere von de Vries. Schwere Gewissensnöte peinigten ihn nach der Tat. Er wußte, daß er niemals ein Freibeuter werden könnte. Seine Feigheit nahm ihm jegliche Selbstachtung.

Und wieder trat der Satan in der Gestalt von Jeronimus Cornelisz zu ihm. »Töte die letzten Kranken, Andries. Sofort!« Damit reichte er ihm seinen Dolch.

Wieder tat er es. Und er fühlte sich erbärmlicher als zuvor. Hilfesuchend wandte er sich an die schöne Lucretia. Als sie erfuhr, was de Vries getan hatte, eilte sie entsetzt davon.

Zu spät. Spitzel hatten die beiden beobachtet. Auf Todesstrafe war es jedermann verboten, mit Lucretia, Cornelisz' Konkubine, zu sprechen. Der Verräter wurde mit Schiffsbeute belohnt.

»Jan Hendricx, Rutger Fredricxsz, Lenart Michielsz van Os, zu mir!« rief Cornelisz.

Wie Lakaien eines Sultans meldeten sie sich zur Stelle und warteten geduldig, bis Jeronimus seine Waffentruhe geöffnet hatte. Er übergab den Männern Schwerter. Sie wußten, was das zu bedeuten hatte. Zur Einstimmung wurde Wein ausgeschenkt. Draußen stürzten sich dann die »Offiziere« auf den in Panik flüchtenden de Vries. Lachend und die Schwerter schwingend, jagten sie ihn den Strand entlang, wie einen räudigen Hasen – bis ans Ende der Insel. Und stachen ihn ab. 334 Jahre später wurden Andries de Vries Gebeine auf Beacon Island (»BATAVIAS Friedhof«) gefunden. Am eingeschlagenen Schädel, dem defekten Schulterblatt und der Halslage war der Mord zu rekonstruieren.

Im August lebten auf der Insel nur noch 36 Männer. Alle übrigen Personen waren umgebracht worden, ganz nach Cornelisz' Plan. Nun ging er daran, sein Schreckensreich neu zu organisieren. Erst einmal legte er den Titel Unterkaufmann ab und ließ sich vom »Volk« als »Generalkapitän« anreden. Dann verfaßte er eine neue Resolution, auf die er seinen Haufen toller Hunde einschwor. Sogar der Pfarrer mußte seinen Namen dafür hergeben. Er tat es, willenlos, mehr geistig umnachtet als bei Verstand. Es wurde gelobt:

»Wir unterzeichnenden Personen, alle hier auf dieser Insel anwesend, sowohl Ratsmitglieder, Soldaten, Bootsgäste als auch unser Domine, nehmen an als unseren Generalkapitän Jeronimus Cornelisz, dem wir schwören, so wahr uns Gott helfen möge, ihm in allem, was er uns gebieten wird, treu und gehorsam zu sein. Wer sich dawider verhält, möge dem Teufel verfallen. Hiermit machen wir sämtliche bisherigen… Versprechen und Eide… zunichte. Wir wünschen…, daß das Bootsvolk nicht mehr Bootsgäste genannt, sondern im gleichen Rang mit den anderen Soldaten ein und derselben Kompanie zuzurechnen sind.

Unterschrieben auf der Insel mit dem Namen ›BATAVIAS Kerckhof‹, am 20. August 1629.«

Es folgten die Namen der 36köpfigen Piratencrew.

Soweit war alles organisiert und eingeschworen. Was für die Kaperfahrten fehlte, war ein schnelles Schiff. Cornelisz war sicher, daß er ein solches bekommen würde. Vielleicht schon bald – und er würde es in seine Gewalt bringen, wie er alles unter seine Knute gezwungen hatte. Nicht der Stärkste siegt, es siegt der Gemeinste, der Skrupelloseste, der Hinterhältigste, der Fintenreichste – das war sein Credo.

Doch ehe er zum nächsten Schlag ausholen konnte, nämlich die Vernichtung seines Widersachers Wiebbe Hayes, hieß es, die Spießgesellen bei Laune zu halten. Dazu waren die Schätze aus dem Wrack der BATAVIA, Wein und die Frauen von gutem Nutzen.

Von Zeit zu Zeit durften die Kumpane im Zelt ihres Oberhaupts erscheinen, um sich an der Pracht der Beute zu berauschen. Mit großem Pathos führte Cornelisz den Schlüssel ins Schloß der Schatztruhe und öffnete den schweren Eichendeckel. Die Augen der Halunken leuchteten gierig. Ihre Hände zitterten vor Verlangen, wenn sie im Berg der Silbermünzen wühlen oder Riesengemme und Achatvase betasten durften.

»Die Gemme ist die größte der Welt und die wertvollste«, sagte Cornelisz bedeutungsvoll, »sie wurde im 4. Jahrhundert für den römischen Kaiser Constantin geschaffen. Nur der indische Mogul ist in der Lage, ihren Preis zu zahlen. Die Achatvase stammt aus derselben Zeit. Sie ist ebenso wertvoll. Alles gehört uns! Und das ist erst das Startkapital. Bald werden wir die großen Handelsschiffe kapern. Unvorstellbarer Reichtum wird jedem von uns beschieden sein. Ich verspreche es.«

Ein Raunen der Begeisterung entfuhr den Kehlen. Die Kerle verließen das Zelt und widmeten sich, ihren Trieben folgend, den Frauen. Die Schwestern Tryntgien und Sussie Fredricxs, Anneken Bosschieters, Anneken Hardens und Marretgie Louys hatten, wie gesagt, das schlimmste Los. Sie mußten der Allgemeinheit zur Verfügung stehen. Und die war brutal und unersättlich. Judith Bastiaensz hatte sich ihrem Schicksal ergeben. Sie war dem Teufel Coenraat van Huyssen zu Willen.

Der Pfarrer berichtete über diese Zeit: »Ach, wie habe ich mit Judith geweint... Fürwahr, wir hatten allen Grund zu Tränen. Straßenräuber nehmen den Reisenden ihre Habe, lassen jedoch ihren Opfern das Leben. Diese Schurken aber nehmen alles: Gut und Blut... Unterdessen aber litt ich Höllenqualen. Nur in größter Heimlichkeit konnte ich gelegentlich mit meiner Tochter einige Worte wechseln, indes van Huyssen mich behandelte, als sei ich Luft. Gelang es mir einmal, eine Viertelstunde mit Judith zusammen zu sein, bereitete ich sie in tiefem Ernst auf mein plötzliches Ende vor, und wir neigten uns vor Gott in feurigem Gebet...«

Lucretia van der Mijlen mußte das Zelt mit dem Oberhaupt teilen. Trotz aller Verführungskünste, Wein und Drohungen widerstand Lucretia, sich körperlich mit ihm einzulassen. Ihr schauderte vor einem Verbrecher, dessen Seele so blutbesudelt war.

Cornelisz machte seinem Ärger Luft.

Zevanck sagte: »Laß mich nur machen. Sie wird sich fügen.« Dann suchte er Lucretia auf und sprach: »Ich höre Beschwerden über dich.«

»Inwiefern?« fragte sie erstaunt.

»Du fügst dich nicht den Wünschen unseres Generalkapitäns. Es gibt zwei Möglichkeiten. Entweder du folgst dem Weg der Wybrecht Claasz (Magd des Pastors, die ermordet wurde) oder du fügst dich den Wünschen. Nur wenn du willig bist, bleibst du am Leben. Verstanden?«

Von diesem Tag an war Lucretias Widerstand gebrochen. Sie wußte, daß Cornelisz sie ohne eine weitere Drohung umbringen lassen würde. So wurde sie des Satans Kurtisane.

Cornelisz stand am Strand und starrte übers Meer. Fern am Horizont gab es immer noch eine Gruppe von Menschen, die seine Pläne durchkreuzen konnten. Was ging dort vor? Es ließ Jeronimus keine Ruhe. Wiebbe Hayes war eine Gefahr, ihr mußte begegnet werden, mit dem Äußersten – mit neuen Morden.

Invasionen

Für Wiebbe Hayes brach eine Welt zusammen, als ihm der Seemann Pieter Lambertsz von Greueltaten auf »BATAVIAS Friedhof« und den übrigen Inseln berichtete. Er wollte es nicht glauben. Kurz darauf gelang dem Verletzten Barbier Aris Jansz die Flucht. Nun war gewiß: Im Süden tobte das Böse.

Cats Island (West-Wallabi) vermochte die jetzt 45 Mann zählende Gruppe zu ernähren, auch Trinkwasser war in ausreichender Menge vorhanden. Also beschloß man, zu bleiben und sich auf eine eventuelle Verteidigung einzustellen. Bevor mit den notwendigen Arbeiten begonnen wurde, wählten die Leute Wiebbe Hayes offiziell zu ihrem Anführer. Der ordnete sogleich an, aus den herumliegenden Steinen Wälle zu errichten. Einen in Ufernähe und einen landeinwärts. Dahinter hoffte man sogar gegen Musketenfeuer einigermaßen sicher zu sein. Im Schutz der Steinmauern wurden Behausungen errichtet, die aus Steinen, Holz und Segelfetzen bestanden. Großen Wert legte Hayes auf Steindepots. Die Steine sollten im Ernstfall als Wurfgeschosse dienen. Die Soldaten, die meisten von ihnen waren Franzosen, arbeiteten Tag und Nacht. In großer Eile bauten sie ihre Insel zu einem primitiven Bollwerk aus. Dabei wurde besonders die strategisch wichtige Bucht im Südosten der Insel gesichert.

Als für die Verteidigung alle wichtigen Vorkehrungen getroffen waren, konnten sich Hayes und seine Männer der Nahrungssuche widmen. Für den Fall einer Belagerung mußte ein ausreichendes Proviant- und Trinkwasser-Magazin geschaffen werden. Gottlob bot die Insel gute Überlebenschancen. Eier von Seevögeln waren leicht zu finden. Sie ließen sich zu schmackhaften Omelettes verarbeiten. Besonders mundete das Fleisch kurioser, kleiner Hüpfer, die bisher noch niemand irgendwo gesehen hatte. Francisco Pelsaert beschrieb die wunderlichen Tiere und nannte sie »Katzen«, daher hieß West-Wallabi lange Zeit Cats Island. Es waren Tammar-Wallabis, zur Familie der Zwerg-Känguruhs gehörend.

Am östlichen Strand tummelten sich Robben, und das Meer lieferte Fische, Muscheln, Krebse und Langusten. Dennoch war der Anführer besorgt. Seine Leute würden sich mit bloßen Händen gegen einen Haufen toller Hunde mit Feuerwaffen verteidigen müssen. Gab es da überhaupt eine Chance? Er besann sich auf sein Handwerk als Soldat.

»Ihr verteidigt das Gute vor dem Bösen«, verkündete er und schwor sie als »Verdedigers« für die Gerechtigkeit ein, entwarf einen Ausbildungsplan, drillte den Nahkampf, den Umgang mit Wurfgeschossen wie Steinen und Lanzen. Disziplin und hartes Training formten aus den Landsknechten eine schlagkräftige Gemeinschaft. In der wenigen Freizeit wurden zusätzliche Waffen hergestellt. Gebogene Baumstämme dienten als Steinschleudern. Über einer primitiven Schmiede entstanden Morgensterne, Pfeil- und Lanzenspitzen aus Eisen. Täglich wurde die Verteidigung verbessert, und die Verteidiger wurden entschlossener.

Ende Juli 1629 kam die Stunde der Konfrontation. Der Ausguck hatte ein Boot gesichtet. Etwas später begab sich ein Parlamentär ans Ufer und übergab einen Brief in französischer Sprache. Er stammte aus der Feder von Cornelisz und rief die französischen Soldaten auf, einen Pakt mit ihm zu schließen. Augenscheinlich beabsichtigte Cornelisz, einen Keil zwischen Hayes und seine Leute zu treiben. Der Brief wurde durch den Kadetten Daniel Cornelisz überbracht, einen blutrünstigen Gefolgsmann seines Namensvetters. Kaum hatte er den Strand betreten, packten ihn Hayes Leute und fesselten ihn. Cornelisz wartete auf »Batavias Friedhof« auf eine Antwort, die niemals kam. Wut und Groll erfaßten den Inselfürsten.

»Tötet sie!« befahl er seinen Offizieren.

Soldat Jacop Pietersz, genannt »Fensterrahmen«, führte den ersten Angriff. Er rechnete mit einem verschüchterten Rudel Angsthasen, das problemlos abzuschlachten wäre, wie zuvor auf der Robben-Insel. Kaum hatten sich jedoch die finsteren Gesellen aus den Booten geschwungen, um im knietiefen Wasser ihre Waffen einzusetzen, überfiel sie ein Hagel aus Wurfgeschossen, daß ihnen Hören und Sehen verging. Von schweren Steinen getroffen oder auf der Flucht – stürzten die Angreifer samt ihren Musketen ins Wasser. Mit nassem Pulver war Wiebbe Hayes »Burg« nicht zu knacken. Demoralisiert blies Pietersz die Invasion ab. Auf »BATAVIAS Friedhof« berichtete er kleinlaut über seine Erfolglosigkeit.

»Unglaublich! Da laßt ihr euch von Steinen in die Flucht schlagen.«

»Wir konnten nicht schießen«, jammerte Jacop.

»Ihr seid unfähig. Alles muß man selbst machen«, kreischte Cornelisz in höchster Rage und verschwand in seinem Zelt.

Hayes hatte sich also auf einen Angriff vorbereitet, überlegte Jeronimus, mit roher Gewalt war ihm schwer beizukommen. Der Generalkapitän besann sich seiner größten »Tugend«, der Arglist und schmiedete einen Eroberungsplan.

Auf der Katzen-Insel war man über die gelungene Verteidigung glücklich. Hayes jedoch mahnte zur erhöhten Wachsamkeit. Er ahnte, daß der Hauptangriff noch bevorstand. Sicher werden die Meuterer ihre Schußwaffen dann besser nutzen und uns arg bedrängen. Vielleicht sogar siegen? Wiebbe verwarf den düsteren Gedanken. Statt dessen trainierte er seine »Verdedigers« und ließ die Insel nach weiteren Steinen absuchen.

Gut eine Woche später wurde Cats Island aufs neue heimgesucht. Jeronimus Cornelisz führte seine Streitmacht persönlich. In drei Booten saßen 37 bis an die Zähne bewaffnete Männer. Mit von der Partie waren auch Lucretia, die der »Show« ihres Galans beiwohnen sollte, und der Pfarrer als Mittel zum Zweck. In Kisten waren allerlei schöne Kleider, Weinflaschen und Silbertaler verstaut. Cornelisz stand mit gezogenem Degen im Bug des letzten Bootes und wirkte wie ein Operetten-General, im purpurroten Umhang, einem riesigen Schlapphut, mit ebensolcher Feder am Kopfputz.

Kämpfen, Auge um Auge, Mann gegen Mann, war ihm verhaßt. Da er im Grunde feige war, hatte er die Heimtücke zu seiner Waffe gemacht. Bei dieser Invasion durfte er nicht kneifen. Coenraat van Huyssen, sein Kapitän, könnte ihm gefährlich werden, der drängte auf eine Entscheidung.

Während Cornelisz immer noch abseits des Geschehens im Boot

stand und lauthals anfeuerte, wurde im seichten Wasser und am Strand erbittert gekämpft. Hayes wackere »Verdedigers« hielten die Stellung mit Zähnen und Klauen, am Ufer wich man keinen Meter zurück. Auf unerklärliche Weise schwiegen auch diesmal die Feuerwaffen. Der Angriff wurde zurückgeschlagen. Nun kam Cornelisz' Stunde. Der zahnlose Löwe schlüpfte ins Fuchsfell. Prediger Bastiaensz sollte heimlich vermitteln. Das Angebot lautete: Wein, Geld und warme Kleider gegen Aufgabe der Eigenständigkeit und Anerkennung von Cornelisz als Oberhaupt.

Man würde darüber nachdenken und den Vorschlag mit den Leuten besprechen, hieß es im Lager Wiebbe Hayes. Erst einmal verabredeten die Anführer Waffenruhe bis zum nächsten Tag. Cornelisz sollte dann wieder erscheinen, aber unbewaffnet, zum Zeichen seiner friedlichen Absicht.

Als van Huyssen von den Verhandlungen hinter seinem Rücken erfuhr, geriet er in Wut und verabredete mit Zevanck, die Insel auf jeden Fall gewaltsam zu erobern. Buchhalter Zevanck nutzte die Feuerpause, um einige von Hayes französischen Soldaten mit 6000 Gulden zu bestechen. Sie sollten sich morgen auf die Seite der Angreifer schlagen und helfen, Hayes nebst Getreuen zu ermorden.

Allmählich begriff der Pfarrer, daß er schändlich mißbraucht wurde. Weder Cornelisz noch van Huyssen oder Zevanck wollten wirklich Frieden. Er konnte und wollte sich nicht länger bei der Mörderbande aufhalten und beschloß, bei Hayes Leuten auf West-Wallabi zu bleiben. Bastiaensz wurde herzlich aufgenommen und verköstigt. Mit großer Sorge gedachte er seiner Tochter. Wie würde es Judith ergehen, wenn bekannt wurde, daß er sich auf die Seite von Wiebbe Hayes geschlagen hatte? Würde sie der blutrünstige van Huyssen kurzerhand töten? Oder ihn, den Pfarrer, erpressen wollen? Er mochte nicht daran denken.

Haarklein berichtete er von den Greueltaten auf »BATAVIAS Friedhof«. Unbewegt hörte sich Hayes das Ungeheuerliche an. In der Nacht überdachte er die Ereignisse und zog seine Schlüsse daraus.

Am späten Nachmittag erfuhr Cornelisz von dem Bestechungsversuch seines Buchhalters und war von der List sehr angetan. Um dem Vorhaben Nachdruck zu verleihen, schrieb er den vermeintlichen Verrätern folgenden Brief in Französisch:

»Geliebte Brüder und Freunde…

Wir haben Euch stets für unsere besten und getreuesten Brüder und Freunde gehalten und Eure Nähe und Gesellschaft gesucht, die wir wert halten wie unser eigenes Leben… Was uns aber seltsam vorkommt, ist dies, daß Ihr einigen Verbrechern Euer Ohr zu leihen scheint, die Euch alles mögliche weiszumachen suchen und allein schon wegen solchen Aufwiegelns den Tod verdienen… Nun wohl, geliebte Brüder und Freunde, begebt Euch mitsamt Jean Coos de Sally (französischer Soldat) wieder zu uns, helft uns, die Gerechtigkeit zu fördern und die Missetäter zu bestrafen…«

Die Zeilen wurden Hayes ausgehändigt. Auch die Franzosen hielten zu ihm. Der Brief hatte die Verteidiger noch enger zusammengeschweißt und Hayes Entschluß nur bestätigt.

Anderentags erschienen General-Kapitän Jeronimus Cornelisz, Kapitänleutnant Coenraat van Huyssen, Buchhalter Davidt Zevanck, Kadett Gysbert van Welderen, Soldat Cornelis Pietersz und Soldat Wouter Loos – ein ausgesuchtes Schurken-Sextett. Siegesgewiß stampften sie den Strand hinauf. Vor dem Steinwall legten sie die edlen Stoffe und andere Geschenke ab, mit denen sie sich Frieden und Sieg erkaufen wollten. Cornelisz' übrige Männer waren gerade dabei, den vermeintlich übergelaufenen Franzosen die Schmiergelder auszuzahlen. Das konspirative Treffen fand auf einer kleinen Nachbarinsel statt. Die Meuterer waren gut gerüstet, und bereit, Wiebbe Hayes den Todesstoß zu versetzen.

»Der Plan ist genial«, frohlockte Jeronimus. »Der ahnungslose Hayes sitzt in der Falle. Ich werde die Falle zuschlagen, mit Intelligenz – Muskelkraft ist für Idioten.«

Die Rückkehr

Francisco Pelsaert stand an Deck der SARDAM und suchte die Kimm ab. Große Unruhe hatte ihn gepackt. Man schrieb den 4. September. Seit er Batavia verlassen hatte, waren 50 Tage vergangen. Weder Inseln, Riff noch Wrack waren gesichtet worden. Alle Anzeichen ver-

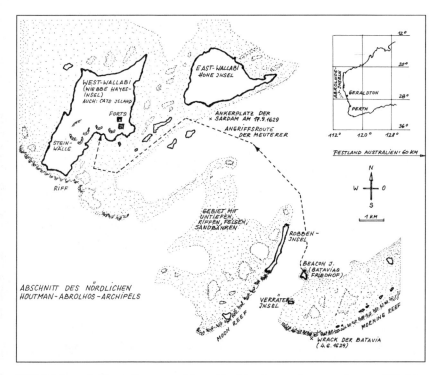

Mit List und Gewalt versuchten die Meuterer den wackeren Wiebbe
Hayes zu besiegen – als Pelsaert mit seiner SARDAM erschien, konnte
die Bande endlich in Ketten gelegt werden.

hießen Land in unmittelbarer Nähe: kurze Wellen, Tang, Seevögel.
Doch wo waren die verdammten Inseln? Der Kommandeur stellte
den Skipper zur Rede, zog dessen nautische Kenntnisse in Zweifel.
Der beleidigter Skipper blaffte den Steuermann an.

»Ich erreichte Java in 30 Tagen mit 'ner kleinen Schaluppe«, wurde
dem Kaptain Jacob Jacobsz vorgehalten, »und Ihr kreuzt mit 'ner
Yacht geschlagene eineinhalb Monate, ohne die Inseln zu finden.
Habt Ihr Euch verirrt?«

»Die BATAVIA hatte sich verirrt, und wir müssen sie suchen«, gab
Jacobsz barsch zurück.

Die SARDAM segelte die ganze Nacht parallel zu den Brandungs-
brechern der südlichen Abrolhos.

»Es war ziemlich ruhig, und wir drifteten oberhalb des Riffs, so dicht, daß wir die Brandung vernahmen«, schrieb Pelsaert. Ein Schauer durchfuhr ihn, als er an die BATAVIA dachte. Doch das Wrack blieb unsichtbar. Heute wissen wir, es grenzte an ein Wunder, daß die BATAVIA auf ihrem Kurs so weit hineinsegeln konnte in den Irrgarten aus Riffen, Untiefen, Inselchen und gefährlichen Brandungswogen. Hinzu kam, was Skipper Jacob die ganze Zeit vermutete: Ariaen Jacobsz, Skipper der BATAVIA, hatte ihm die Lage des Wracks mit 28 Grad 15 oder 20 Minuten angegeben. Das war falsch, das Wrack lag oberhalb 28 Grad 30 Minuten südlicher Breite!

Die SARDAM kreuzte jetzt unweit der Wallabis. Pelsaert erinnerte sich der Katzen-Insel, die er vor drei Monaten verlassen hatte. Ohne voneinander zu wissen, befanden sich die eigentlichen Kontrahenten Cornelisz und Pelsaert in einer entscheidenden Situation in unmittelbarer Nachbarschaft.

Nur noch wenige Schritte trennten Wiebbe Hayes von dem siegessicheren Cornelisz.

»Packt die Lumpen!« zischte Hayes.

Die Soldaten stürzten sich auf die Meuterer, erschlugen vier, überwältigten Cornelisz und warfen ihn in eine Grube. Wie ein Blitz aus heiterem Himmel traf es die Verschwörer, und der verdutzte Inselfürst begriff erst im tiefen Erdloch so richtig, was geschehen war. Er, der Fallensteller, saß plötzlich selbst in der Falle. Oben vernahmen die Soldaten ein fürchterliches Brüllen aus Wut und Selbstmitleid.

Der sechste im Bunde, Wouter Loos, nahm geistesgegenwärtig die Beine in die Hand, stürzte sich ins Wasser und entkam schwimmend. Von der nahen Insel hatte man die Ereignisse beobachtet. Loos wurde aufgefischt, dann zog sich der Rest der Meute kampflos auf »BATAVIAS Friedhof« zurück.

In der Grube saß Cornelisz und bangte um sein Leben. Wie konnte ihm das passieren? Der Plan war perfekt gewesen, der Sieg zum Greifen nahe. Sein Gegner ein simpler Soldat. Hatte er nicht ganz andere aufs Kreuz gelegt? Es war zum Heulen!

Ein Gesicht zeigte sich am Grubenrand.

»Laß mich raus. Wirst reich belohnt«, flehte Jeronimus.

»Könnt' dir so passen, Mörder«, sagte die Person und ließ ein Entermesser aufblitzen.

In den Augen Cornelisz stand Todesangst. Wiebbe Hayes beschloß, den Unhold am Leben zu lassen – vorerst.

Auf »BATAVIAS Friedhof« verarbeitete man erst einmal die Niederlage. Dann wurde beratschlagt, wie es weitergehen sollte, so ohne Führer, ohne Konzept. Wer gab künftig die Anordnungen im Hauptquartier, auf der kargen, kleinen Insel? Der General-Kapitän gefangengenommen, vielleicht schon tot, Soldatenkapitän van Huyssen samt Kumpanen erschlagen worden. Kommandeur Pelsaert womöglich in der Nähe. Die Ereignisse spitzten sich zu. Es wurde ein neuer Anführer gebraucht. Jacop Pietersz, der »Fensterrahmen«, war zwar brutal und stark, aber einfältig. Schließlich einigte man sich auf den Soldaten Wouter Loos.

Lucretia wartete verängstigt in ihrem Zelt. Mußte sie nun dem neuen Anführer willig sein? Loos war ein Mörder, aber er hatte auch menschliche Züge gezeigt. Den Küfer Jan Willems Selyns hatte er sogar vor einem Anschlag gewarnt und so sein Leben retten können.

Lucretia gegenüber verhielt er sich fair. Vor Gelüsten der rohen Gesellen schützte er sie.

»Wer sich Frau van der Mijlen unsittlich nähert, stirbt, dafür bürge ich«, verkündete Wouter.

Von nun an schlief sie allein in dem großen Zelt von Cornelisz. Dachte an die schreckliche Zeit davor und träumte von ihrem Mann. Ob sie ihn je treffen und in die Arme schließen konnte?

Im Morgengrauen des 17. September stieß Wouter Loos mit seiner kleinen Streitmacht und zwei Booten in See. Sein Ziel war, die Unterwerfung Wiebbe Hayes im Kampf zu erzwingen und die Befreiung von Cornelisz.

Wouter setzte von Anfang an auf seine Feuerkraft. Die Musketen waren durchgesehen worden. Sie zeigten keine Ladehemmungen. Das Pulver war trocken.

Zu Beginn der ersten Attacke wurden vier von Hayes Leuten schwer verwundet. Einer davon starb. Die »Verdedigers« kämpften mit der Verzweiflung eines waidwunden Bullen. Allmählich ging der Steinvorrat aus, und die Meuterer gewannen Meter um Meter an Boden. Wiebbe mußte weichen. Nur noch ein Wunder konnte ihn und seine Leute retten…

Das Wunder ereignete sich um neun in der Frühe: Rahsegel zeigten sich am Horizont. Ein Aufschrei der Erleichterung ging durch die Reihen der Bedrängten: »Die Rettung naht!«

Jetzt war Wouter Loos in Schwierigkeiten. Sollte er weiterkämpfen? Sollte er Wiebbe Hayes Waffenstillstand anbieten, in der Hoffnung, bei günstiger Gelegenheit das Segelschiff zu kapern? Er entschied sich für einen sofortigen Rückzug, um alle Kräften gegen den Segler zu richten.

Gegen Mittag hatte die SARDAM das Operationsgebiet West-Wallabi erreicht. Für sein Erscheinen hätte Pelsaert keinen dramatischeren Augenblick wählen können. Pfarrer und Soldaten fielen auf die Knie und dankten Gott und Pelsaert für die Hilfe in höchster Not.

Der Praktiker Wiebbe Hayes hatte andere Sorgen. »Schnell zum Boot. Wir müssen das Schiff warnen!«

In großen Sprüngen hatte er einen Kahn mit drei Mann erreicht. Sie stießen ab und schwangen die Paddel, schnell wie Schaufelräder.

Unterdessen hatten sich die Meuterer im Hinterhalt gesammelt, um das ahnungslose Schiff in ihre Gewalt zu bekommen. Musketen, Entermesser, Degen und Schwerter fest in den Fäusten, kauerten sie hinter Bootswänden und warteten auf ein Zeichen. Wouter Loos hob die Hand. Rasch glitten die Piraten aus der schützenden Bucht, legten sich in die Riemen. Hayes arbeitete sich von Norden an die immer noch ahnungslose SARDAM heran. Dann begann ein Wettrudern auf Leben und Tod.

Francisco Pelsaerts Journal erzählt uns den spannenden Verlauf aus seiner Sicht: »Zur Mittagszeit näherten wir uns den Inseln. Wir sahen Rauch von einem länglichen Inselchen, nahe dem Wrack, aufsteigen. Darüber waren wir alle hocherfreut, nunmehr hoffend, unser Schiffsvolk oder wenigstens die meisten noch lebend anzutreffen. Als der Anker in den Grund geworfen war, fuhr ich mit dem Beiboot zur höchsten Insel, die daneben lag. Bei mir hatte ich ein Faß Wasser, Brot und Wein. Dort angekommen, sah ich jedoch niemanden, was uns sehr wunderte.

An Land gegangen (wahrscheinlich die höchste Erhebung von Ost-Wallabi erstiegen, ein 15 Meter hoher Sandhügel), sahen wir plötzlich ein kleines Boot mit vier Mann, das um das Nordeck herum auf uns zuruderte. Einer von ihnen, mit Namen Wiebbe Hayes, sprang ans Ufer, kam mir entgegengerannt, rief mich schon aus der Ferne an: ›Willkommen! Doch rasch zurück zu Ihrem Schiff. Eine Schurkenbande will die Jacht überfallen!‹ Außerdem berichtete Hayes kurz, wieso er Kapitän über 47 Seelen geworden sei, die so lange auf dieser Insel geblieben waren, um ihr Leben zu retten. Wie es geschah, daß einige des Schiffsvolkes Verbrecher geworden seien und wohl um die 125 Personen, Männer, Frauen, Kinder ermordet hätten. Und daß sie vor einigen Tagen Jeronimus Cornelisz, das Oberhaupt der Verbrecher, festgesetzt hätten...«

Pelsaert schwindelte von der Wucht unglaublicher Informationen. Cornelisz, sein Stellvertreter, ein Mörder? Frauen und Kinder umgebracht worden? Mein Gott!

»Die Piraten kommen!« rief jemand vom Strand her.

Pelsaert wurde aus seinen Gedanken gerissen. »Zum Schiff zurück, aber rasch!« befahl er. Schon im Boot rief er Hayes nach: »Schafft Cornelisz an Bord!«

»Jawel meester!« (Jawohl Herr.)

Gerade noch rechtzeitig erreichte der Kommandeur die SARDAM, traf Vorkehrungen für einen gebührenden Empfang. Gerade wollten die Meuterer-Boote längsseits gehen, um aufzuentern. In ihren roten, goldgeborteten Roben, großen Hüten, Schnallenstiefeln schien es, als wären sie auf dem Weg zu einem Kostümball. An der Steuerbordreling hatten Seesoldaten Position bezogen.

»Legt an!« befahl Pelsaert, und zu den Leuten in den Booten: »Waffen weg!«

Total überrascht gehorchten die Meuterer, warfen Musketen, Hieb- und Stichwaffen ins Meer. Artig enterten sie auf, einer nach dem anderen. An Bord wurden sie sofort in Eisen gelegt. Kaum war die Bande dingfest gemacht worden, begann der Kommandeur mit dem Verhör. Jan Hendricxsz aus Bremen war der erste. Ohne Ausflüchte gestand er, 17 bis 20 Menschen ermordet oder bei deren Ermordung geholfen zu haben. Doch immer nur auf ausdrücklichen Befehl seines General-Kapitäns Jeronimus.

»Dann erzählte Hendricxsz, daß sich Schiffer Ariaen Jacobsz, Jeronimus Cornelisz, Jan Evertsz und andere verschworen hätten, die

BATAVIA in ihre Gewalt zu bekommen, den Kommandeur umzubringen und über Bord zu werfen, um anschließend mit dem Schiff auf Raub auszuziehen. Cornelisz hatte mit seinen Verschworenen angenommen, daß der Skipper mich auf dem Weg nach Java umgebracht hätte. Hendricxsz trug den Vorschlag von Cornelisz vor: Das beste sei es, wenn das Schiffsvolk bis auf 40 Personen umgebracht und dann die nahende Jacht überfallen werden würde. Doch der Widerstand Wiebbe Hayes durchkreuzte seine Pläne«, hielt Pelsaert fest.

Welch schreckliche Nachrichten! Unglaubliches hatte sich in seiner Abwesenheit ereignet. Er wagte kaum zu fragen: »Ist Lucretia van der Mijlen noch am Leben?«

»Ja, sie wurde als Geliebte des Jeronimus gehalten«, sagte Loos.

Stunden später erschienen der Held Hayes, der immer noch verstört wirkende Pfarrer Bastiaensz und Jeronimus an Bord. Cornelisz, an Händen und Füßen gefesselt, rollte böse mit den Augen, fluchte wie ein Fischweib und rasselte schauderhaft mit den Ketten.

»Ich vermochte mir nicht vorzustellen, was Cornelisz dazu bewogen hat, sich derartig zu vergessen«, schrieb Pelsaert.

Er unterzog ihn in seiner und in Gegenwart des Rates einer ersten Befragung.

»Ich erkundigte mich, warum er sich durch den Teufel, aller Menschlichkeit bar, hatte verleiten lassen, zu tun, was bisher noch nie von einem Christenmenschen so grausam bewerkstelligt wurde… Lediglich aus kalter Blutgier, um seinen bösen Gelüsten zu folgen? Hierauf antwortete Cornelisz, daß man ihm die Schuld nicht geben dürfe. Er schob diese Coenraat van Huyssen, Davidt Zevanck und anderen zu, die beim Renkontre mit Wiebbe Hayes erschlagen worden waren. Er sagte, daß sie ihn zu den Greueltaten gezwungen hätten, daß man ihn anderenfalls erschlagen hätte. Einen geplanten Überfall auf die BATAVIA leugnete er. Der Vorschlag, die rettende Yacht zu überfallen, wäre von Zevanck. Jeronimus hätte vermutet, nie und nimmer von den unseligen Inseln erlöst zu werden. Wäre es gelungen, eine Yacht zur Rettung auszusenden, hätte er gewiß versucht, diese vor den Meuterern zu warnen.«

Auf niederträchtige Weise versuchte Cornelisz, sich vor dem Kommandeur in Unschuld zu baden, Tote zu beschuldigen und dreist zu lügen. Um einer Strafe zu entgehen, war ihm jedes Mittel recht. Voll

Zorn über so viel Ehrlosigkeit ließ Pelsaert Cornelisz abführen und für die Nacht in Eisen legen.

Am nächsten Morgen ließ der Kommandeur Segel setzen, um das Rattennest »BATAVIAS Friedhof« auszuheben. Die dort verbliebenen Verbrecher hatten schnell erkannt, daß ihre Komplizen überwältigt worden waren. Beim Anblick der Musketen verließ sie der Mut. Ohne Gegenwehr ergaben sie sich ihrem Schicksal, ließen sich abführen und fesseln.

Lucretia und Judith erwachten aus einem schier endlosen Alptraum. Nahmen sich in die Arme und vergossen Tränen der Freude und Erleichterung. Die Herrschaft des Bösen war zu Ende. Am Ende siegte Gott über den Teufel, und seine Handlanger hatten sich zu verantworten.

Pfarrer Bastiaensz hielt am weißen Korallenstrand von »BATAVIAS Friedhof« eine flammende Predigt. Zum Verlust des Ehemannes fand er für Lucretia tröstende Worte.

Der Kommandeur widmete sich der Suche nach den Juwelen. Man fand die meisten in Cornelisz Truhe, einiges lag verstreut herum. Am Ende fehlte bis auf eine Goldkette nichts. Die Juwelen stellten einen Wert von fast 57000 Gulden dar. Für die Compagnie rettete der Oberkaufmann auch einen Kasten schweres Tafelsilber und zehn Kisten mit holländischen Talern und Realen. Während der Suche unterschlugen die Maats der SARDAM 400 Taler, die ihnen Pelsaert jedoch wieder abnahm.

Erhebliche Werte mußten noch im Wrack der BATAVIA auf dem Meeresboden ruhen. Um diese zu bergen, befanden sich die Taucher an Bord der SARDAM.

Der Kommandeur berichtete: »Als wir gegen Abend zum Wrack fuhren, fanden wir es in mehrere Teile auseinandergebrochen. So war ein Stück vom Kiel samt achterlichem Rumpf abgerissen und lag bis zur Wasserlinie überspült..., viele andere Teile von geringerer Größe, die hierhin und dorthin an die verschiedensten Stellen getrieben waren, so daß... keinerlei Hoffnung bestand, noch viel Geld und anderes Gut bergen zu können.«

Um im Meer erfolgreich zu tauchen, müssen die Voraussetzungen entsprechend sein. Starker Wind und hoher Wellengang mit donnernder Brandung machten Tauchgänge im Moment unmöglich.

Noch am gleichen Tag ließ der Kommandeur die verbrecherischen Helfershelfer auf die nahe Robben-Insel bringen. Aus Korallenblökken wurde ein solides Gefängnis gebaut, in dem sie angekettet schmachten konnten bis zur Stunde der Verhöre.

Jeronimus und die ärgsten der Argen saßen in der sichersten Kajüte der SARDAM und harrten ihrer Prozesse.

Das Tribunal

Am Morgen des 19. Septembers befahl Pelsaert dem Skipper der SARDAM, die Schurken an Land zu holen, um sie zu verhören und ihr verwerfliches Handeln zu untersuchen. Neben Jeronimus Cornelisz wurden elf Delinquenten einem Schiffstribunal, mit dem Kommandeur als Präsidenten, vorgeführt. Verhandlungsort war »BATAVIAS Friedhof«, das Zentrum allen Übels. Dem Gerichtshof gehörten vier Beisitzer an. Einer davon war der Untersteuermann Claas Gerritsz, der einzige der BATAVIA-Crew. Die Verhandlungen sollten zermürbende zwei Wochen dauern. Pelsaert war bemüht, den Angeklagten einen fairen Prozeß zu machen. Zu fair, wie sich noch herausstellen sollte.

Zur Wahrheitsfindung erlaubte das holländische Recht die Folter. (In damaliger Zeit war die Tortur übrigens in allen Ländern Europas gang und gäbe). Fälle freiwilliger Eingeständnisse wurden zuerst abgehandelt. Dann folgte die Beurteilung widersprüchlicher Aussagen, schließlich wandte man sich den abgestrittenen Sachverhalten zu. Hatten Vorsitzender und Beisitzer den Eindruck, daß der Angeklagte log, wurde die Tortur befohlen. Im fernen Osten wandten Gerichte die effektive »Abfüllfolter« an. Sie hatte den Vorteil, daß keine besonderen Apparaturen gebraucht wurden. Andererseits lösten die Qualen die schweigsamsten Zungen.

Der Delinquent wurde auf ein Brett gelegt, an Händen und Füßen gefesselt und gestreckt. Einen Trichter steckte man ihm so tief wie möglich in den Hals hinein. Nun wurde in diesen Wasser gegossen, bis es in der Nase hochstieg. Wollte der Unglückliche atmen, mußte er schlucken. Schluckte er, schwoll sein Leib allmählich an wie ein Kürbis und schmerzte höllisch. Die Batavia-Meuterer ließen es gar nicht soweit kommen. Folgsam beantworteten sie die Fragen des Gerichts. Warum die Folter ertragen, wenn man ohnehin schuldig war? Physische Schmerzen zu erdulden war nicht ihre Stärke. Allein der Blick auf die riesigen Wasserkrüge löste ihre Verstocktheit.

Nach holländischem Gesetz durfte niemand zum Tode verurteilt werden, der die ihm zur Last gelegten Taten bestritt. Das Gericht brauchte ein »freiwilliges« Geständnis innerhalb 24 Stunden nach der Folter. Ankläger und Zeugen verglichen die nach der Tortur gemachten Aussagen. Unterschieden sie sich, wurde bis zur Übereinstimmung der Geständnisse wieder und wieder »abgefüllt«.

Jeronimus Cornelisz – welche Rolle spielte er wirklich? Dies in Erfahrung zu bringen war Pelsaerts Bestreben. Einerseits hatte er es mit einem Weichling zu tun, der keine körperlichen Schmerzen ertrug. Andererseits war er ein Meister der Hinhaltetaktik. Er versuchte mit immer neuen Lügen und Anschuldigungen sein erbärmliches Leben zu retten. Jeronimus seiner Taten zu überführen war schwerer als erwartet. Fünfmal mußte er der Folter unterzogen werden. Jedesmal änderte er seine Aussagen, brachte neue Einwände, die er tags darauf wieder zurückzog. Er verfing sich in einem Gespinnst niederträchtigster Anschuldigungen. Dabei berief er sich vornehmlich auf Ermordete, die seine »lautere Gesinnung« bezeugen sollten. Cornelisz brachte das Gericht zur Verzweiflung.

Schließlich war Pelsaert der Märchen überdrüssig. Er rief das gesamte Volk zusammen, auch die Kriminellen. Dann verkündete er die Verbrechen, die Cornelisz zur Last gelegt wurden, verlas die Zeugenaussagen und befragte jeden, ob es einen Tatbestand gäbe, dessen Cornelisz nicht schuldig sei.

»Wenn einer unter euch lügt, trage er die Verantwortung für ein Menschenleben vor seinem Gewissen und dem Jüngsten Gericht.«

Einhellig wurde bestätigt, daß Cornelisz aller verlesenen Delikte schuldig sei.

Mit den Beisitzern beriet der Kommandeur die Frage, ob die Bösewichte als Gefangene nach Batavia zu bringen oder an Ort und Stelle zu bestrafen seien. Nach reiflicher Diskussion wurde beschlossen, das Schiff nicht einer zusätzlichen Gefahr auszuliefern, die der Verbrechertransport berge, sondern Jeronimus Cornelisz samt seiner willigsten Henkersknechte hier und sofort abzuurteilen und die Urteile zu vollstrecken.

Der Beschluß leuchtete ein. Die Crew der SARDAM bestand aus 26 Mann. Ein Seemann verdiente rund 10 Gulden im Monat. Schlecht bezahlte Matrosen und Schwerverbrecher zusammen mit den geborgenen Schätzen der V.O.C. im engen Schiffsraum, das stellte ein zu hohes Sicherheitsrisiko dar.

An einem grauen Septembertag verlas der Kommandeur die Urteile. Das Schiffsvolk war vor die Zelte getreten. In der Ferne donnerte die Brandung über die Reste des BATAVIA-Wracks. Pelsaert las mit monotoner Stimme. Die Menschen starrten auf den Sand. Ob schuldig oder unschuldig, jeder schien ergriffen von der Macht des Guten und dem Sieg der Gerechtigkeit. Die Urteilsverkündung war lang und ausführlich, endlos die Verlesung der Missetaten von Jeronimus Cornelisz und der sieben ebenfalls hier für schuldig Befundenen.

»…Erstens: Daß Jeronimus Cornelisz aus Haarlem, Apotheker und gewesener Unterkaufmann auf dem gestrandeten Schiff BATAVIA, 30 Jahre alt, ein greulich heruntergekommenes Subjekt, jeglicher Menschlichkeit bar und wie in einen Tiger verwandelt, sich durch den Schiffer Ariaen Jacobsz aus Durckerdam dazu habe bewegen lassen… das Schiff BATAVIA an sich zu bringen und den Kommandeur mitsamt allen anderen, ausgenommen etwa 120 Personen, die ihnen zu Willen gewesen wären, umzubringen…

…Welch schlimmere Sünde kann ein Mensch auf sich laden, wie kann er deutlicher zeigen, wahrlich vom Satan besessen zu sein? Wie ruchlos, gewissenlos, gottlos muß jemand sein, wenn er den christlichen Glauben so schnöde verrät und des Teufels wird? Gott hat geurteilt, indem er uns den Frevler zugeführt hat, um endlich dem Bösen Einhalt zu gebieten. Wir haben die gerechte Strafe zu vollstrecken im Namen Gottes und der Compagnie, unserer Herren und Meister…«

Es folgte das Anstiften zu den vielen abscheulichen Morden an Frauen, Kindern und Männern.

»…Und schließlich: Jeronimus hat, obwohl verehelicht, Lucretia

Jansz zu sich in sein Zelt genommen und sie zwei Monate lang gegen ihren Willen als seine Kebse (Nebenfrau) bei sich behalten und fleischlich mißbraucht…, daß die Person nicht nur mit abscheulichen Missetaten behaftet, sondern außerdem einer verdammenswerten Sekte verfallen sei, indem er behauptete, daß es weder Teufel noch Hölle gebe, und versucht habe, dies seinen Maats einzupflanzen, um ihnen allen diese falsche Gesinnung beizubringen… Alle haben miteinander in seiner Gegenwart bekannt, ihrer Seele Seligkeit dafür verpfändet, daß sie, wenn sie ihn nur vom Geringsten zu Unrecht beschuldigt hätten, dafür den Tod erleiden wollten… So haben nunmehr der Kommandeur und die Ratspersonen des Schiffes SARDAM, nachdem sie die Fakten aufs schärfste geprüft und nach langen Verhören und Untersuchungen alles besprochen und erwogen haben… den christlichen Namen von einem so unerhörten Bösewicht zu reinigen, besagten Jeronimus Cornelisz hiermit zu verurteilen, daß er Montag, den 1. Oktober 1629, auf die Robben-Insel an einen Ort gebracht werde, der zum Vollzug des Urteils vorbereitet ist. Ihm werden beide Hände abgeschlagen und er danach an einem Galgen mit dem Strick zu strafen sei, bis der Tod eintritt. All sein Gut: Geld, Gold, Silber, Monatsgelder oder welche Forderungen er auch immer allhier in Indien haben möge, werden beschlagnahmt zum Profit der Vereinigten Ostindischen Compagnie unserer Herrn und Meister.«

Außerdem wurden verhandelt und verurteilt: Jan Hendricxsz aus Bremen, Soldat, 24 Jahre alt, hat laut eigenem Geständnis in den Verhören ausgesagt, 17 oder 18 Menschen ermordet zu haben oder an diesen Morden beteiligt gewesen zu sein. Außerdem hatte er die Absicht, die Jacht SARDAM gemeinschaftlich zu kapern…

Lenart Michielsz van Os, Kadett, 21 Jahre alt, gab zu, 12 Personen ermordet zu haben oder an diesen Morden beteiligt gewesen zu sein. Außerdem schlief er mit verheirateten Frauen gegen deren Willen. Als seine Geliebte wider Willen hielt er sich Anneken Bosschieters, die Frau des Kanoniers Jan Carstensz von Tonningen, und gebrauchte sie auf gar schändliche Weise fleischlich.

Mattys Beer von Munsterberg, Soldat, 21 Jahre alt, gestand, neun Personen ermordet oder bei diesen Morden geholfen zu haben. Er hielt sich die verheiratete Sussie Fredricxs als Kebse und gebrauchte sie fleischlich.

Allert Jansz von Assendelft, Kanonier, 24 Jahre, gestand, von Jeronimus Cornelisz angestiftet worden zu sein, die BATAVIA mit Gewalt zu übernehmen. Außerdem durchschnitt er die Kehle des Jungen Andries de Bruyn aus Haarlem, half bei der Ermordung des englischen Soldaten Jan Pinten und versuchte, den Barbier Aris Jansz zu ermorden. Mit einem Streich verletzte er Jansz schwer. Es war dem stumpfen Schwert zuzuschreiben, daß der Mann flüchten konnte und noch am Leben ist. Hinzu kommt, daß sich der Angeklagte schändliche Dinge zuschulden kommen ließ, die er auf dem Wrack der BATAVIA beging, dazu gehören Diebstahl und Sachbeschädigung von Eigentum der Compagnie.

Den vier Genannten soll die rechte Hand abgehackt werden, hernach haben sie am Galgen zu hängen, bis der Tod eintritt.

Die Delinquenten Jan Pelgrom de Bye, Kabinensteward, 18 Jahre; Andries Jonas van Luyck, Soldat, 40 Jahre, und Rutger Fredricxsz, Schlosser, 23 Jahre, werden gehängt...

Den gottlosesten Mördern wurden die Hände abgehackt, bevor sie am Galgen endeten. Den hohen Herrn in Batavia war die Strafe zu milde.

Kommandeur Pelsaert hielt inne und schaute auf. Zu vernehmen war nur das monotone Rauschen der Brandung und das Gekreisch kreisender Möwen. Leichenblaß, mit hängendem Kopf standen die Verurteilten da. Einige, darunter auch Cornelisz, schwankten, als würden sie jeden Moment zusammenbrechen.

Nach einer andächtigen Pause wurden die weniger schweren Strafen der übrigen Angeklagten verlesen: Kielholen, ein- oder dreimal unter den Schiffsleib der SARDAM ziehen und Auspeitschungen zwischen 24 und 100 Schlägen.

Die Exekutionen wurden für den nächsten Tag, Montag, den 1. Oktober, auf der Robben-Insel einberaumt, wo Zimmerleute bereits mit dem Aufstellen der Galgen beschäftigt waren.

Soldat Wiebbe Hayes von Winschooten, dessen couragierte und loyale Haltung zur Compagnie und zu seinem Kommandeur Menschenleben gerettet und verhindert hatte, daß die SARDAM gekapert wurde, der außerdem den Hauptübeltäter dingfest gemacht hatte, bevor er noch mehr Unheil anrichten konnte, wurde zum Feldwebel befördert, mit einem Monatslohn von 18 Gulden. Seine getreuen Helfer Otto Smit aus Halberstadt und Allert Jansz aus Assendelft beförderte Pelsaert zu Unteroffizieren, bei 15 Gulden Monatssold.

Es stürmte, und die See lief hoch auf. Das Übersetzen auf die Hinrichtungsinsel mußte verschoben werden. Aufschub für Cornelisz, der sich mit dem Urteil nicht abfand. Er versuchte alles mögliche, sein Leben zu verlängern. Zum Beispiel verlangte er getauft zu werden, um somit eine Woche oder 14 Tage Zeit zu gewinnen und in der Hoffnung, von seiner Zelle aus eine neue Meuterei zu organisieren. Die Taufe gewährte man ihm, aber keinen Aufschub.

Er tobte: »Ich sehe, ihr wollt mein Blut und mein Leben. Aber Gott wird nicht zulassen, daß ich unter so schmachvollen Umständen sterbe. Gott erschien mir heute nacht, es wird ein Wunder geschehen, man wird mich nicht hängen.«

Pelsaert verstärkte die Wachen und ordnete an, daß Jeronimus keine eisernen Gegenstände ausgehändigt bekam, mit denen er sich etwas antun könnte. Trotz der Vorsichtsmaßnahmen gelang es dem Unhold, Gift zu nehmen.

»Es begann etwa um ein Uhr morgens zu wirken. Er krümmte sich vor Schmerzen und schien zu sterben. In großer Panik bat er um pflanzliche Substrate als Gegengift, die ihm, dem Apotheker, geläufig waren. Allmählich erholte er sich. Das eingenommene Gift war nicht stark genug«, hielt Pelsaert fest, und: »In der Nacht ist er mindestens zwanzigmal aus seinem Gefängnis geführt worden. Sein angekündigtes Wunder wirkte von oben und unten.« (Mit Erbrechen und Durchfall.)

Am Sonntag lehnte er den Gottesdienst ab und verlangte, seine Frau in Batavia zu sehen, bevor er hingerichtet werde. »Wenn das Gericht etwas Menschlichkeit besitzt, erlaubt man mir, solange zu leben, bis ich mich von ihr verabschiedet habe.«

Dies wurde ihm nicht gewährt.

Der Verzweiflung nahe, verkündete er die Lehre Torrentius, die ihn ruiniert hatte und an den Galgen bringen werde: »Es gibt weder Teufel noch Hölle. Alles, was ich tat, Gutes oder Böses: Gott beschützt mich. Im Herzen der Menschen gibt es nichts Böses, weil es weder Teufel noch Böses in Gott gibt.«

Die einzige Möglichkeit, den Gotteslästerer zum Schweigen zu bringen, war, ihn so schnell wie möglich aufzuhängen.

Die Verschiebung der Hinrichtung infolge des schlechten Wetters legte Cornelisz als Gnade Gottes aus, der nicht zulasse, daß er sterbe.

Tags darauf beruhigten sich die See und der Wind. Der Kommandeur ließ die Boote zum Übersetzen klarmachen. Die Henker packten ihre Utensilien ein: Äxte und Stricke. Drüben standen die Galgen, aus dem Holz der gesunkenen Batavia hergestellt. Sie warteten darauf, endlich beschickt zu werden.

Pelsaert fühlte sich schlecht. Er war Kaufmann, kein Scharfrichter. Menschen vom Leben in den Tod befördern zu müssen wühlte sein Inneres auf. Andererseits, gab es Schlimmeres als wehrlose Frauen und Kinder heimtückisch zu morden? Er versah seine Pflicht als Kommandeur so gerecht und so human wie möglich. Vor Gott und seinem Gewissen hatte er sich nichts vorzuwerfen. Er hoffte inständig, daß auch die Compagnie, seine Herrn und Meister, so dachte.

Am Strand der Robben-Insel stand das Volk wie eine teilnahmslose, schweigende Wand. Das Hinrichtungskommando rollte einen Hauklotz in die Nähe der Galgen. Eine Axt wurde daran abgestellt. Von zwei Soldaten eskortiert, wurde Jeronimus Cornelisz an den

Hauklotz geführt. Er sollte als erster für seine Schuld büßen. Seine gefesselten Arme wurden auf den Klotz gepreßt. Die Axt wurde geschwungen – sauste hernieder. Zwei abgehackte Hände fielen in den weißen Sand. Aus den Armstümpfen schoß das Blut, schubweise im Rhythmus des pumpenden Herzens. Jeronimus bäumte sich auf und stieß ein gurgelndes Brüllen aus. Nicht aus Schmerz, es war das Entsetzen über die fehlenden Hände. Die beiden Soldaten schleppten Cornelisz zum Galgen, kletterten eine Leiter empor, hievten ihn ein Stück vom Boden, legten den Strick um seinen Hals. Jetzt hing er schaukelnd im Wind. Bevor die Schlinge seinen Hals zuschnürte, um sein Leiden langsam zu beenden, drang schaurig »Rache! Rache!« aus seinem Mund. Den Anwesenden stockte der Atem, bis der Körper leblos baumelte. Das dauerte lange. Cornelisz starb nicht an plötzlichem Genickbruch, sondern erlitt den Erstickungstod.

Über Cornelisz Tod schrieb der Pfarrer: »Wenn es überhaupt je ein völlig gottloses Wesen gegeben hat, so war er ein solches... Gottes Urteil war gerecht. Er war ein greulicher Mörder. Möge dieses Drama den edlen Herren Oberen doch zur Warnung dienen, gut achtzugeben, daß sie nur treue, gottesfürchtige Leute in ihren Dienst nehmen...«

Jan Hendricxsz und die anderen starben, wie sie gelebt hatten, hart und unerschrocken.

Allert Jansz stand noch mit dem Strick um den Hals auf der Leiter, als er seinen blutigen Armstumpf hob und Pelsaert beschwor: »Gebt acht, Kommandeur, es sind noch genug am Leben, die unser Werk fortsetzen!«

Dann spannte sich auch sein Seil. Das flackernde Augenlicht nahm noch einmal wahr, was ihm zuvor so viele Wochen vertraut war: den weißen Korallenstrand, das Eiland »BATAVIAS Friedhof«, dann das Morning Reef, an dem die stolze BATAVIA zermalmt wurde...

Bis auf Jan Pelgrom hingen jetzt alle. Gespenstisch baumelten sieben leblose Körper in frischer Ozeanbrise wie Vogelscheuchen. Ein Berg Golgatha! Entsetzt wandten sich die Menschen ab.

Jan jammerte und schrie herzzerbrechend. Als es darum ging, Menschen umzubringen, war er stark und mutig. Aber um zu büßen, war er zu schwach: Er konnte nicht laufen, war unfähig, die Galgenleiter zu ersteigen.

Pelsaert hatte Erbarmen. Er schenkte dem Jungen das Leben, aber nicht nur aufgrund seines Alters. Es war genug gestorben worden, genug Blut geflossen.

Das Schiffsvolk staunte nicht schlecht, als der Todeskandidat wieder auf »BATAVIAS Friedhof« erschien.

Bis die SARDAM zur Rückfahrt nach Batavia klargemacht wurde, vergingen nochmals sechs Wochen. Die Taucher bargen bei gutem Wetter zehn von zwölf Truhen mit Silbertalern. Die elfte wurde zwar gefunden, konnte jedoch, zwischen Mast und Kanone eingekeilt, nicht gehoben werden. Pelsaert ließ den Meeresboden gründlich absuchen. Tatsächlich gelang es, den Großteil der wertvollen Fracht für die Compagnie zu bergen.

Eigentlich hätte der Kommandeur mit dem Ergebnis seiner Mission zufrieden sein können, wenn sie nicht von dem Tod fünf seiner Leute überschattet gewesen wäre. SARDAM-Skipper Jacob Jacobsz, der Zahlmeister Pieter Pietersz und drei Maate hatten sich in das Beiboot der Jacht begeben, wurden bei steifem Wind abgetrieben und nie mehr gesehen. Wahrscheinlich schlugen sie mit dem Boot um und ertranken.

Am 15. November war es soweit. Die SARDAM hatte auf West-Wallabi Wasser gebunkert, in den Stauräumen lagen gebratene Zwergkänguruhs, Fische, Möweneier sowie reichlich andere Nahrungsmittel für die lange Rückfahrt. An Bord beschworen die Gefangenen den Kommandeur, sie um Himmels willen abzuurteilen. In den Augen Pelsaerts gehörten ihre Vergehen zu den leichteren und mittelschweren Fällen, sie fürchteten aber, daß die Richter in Batavia drakonische Strafen verhängen könnten. Buchhalter Salomon Deschamps hatte seine Missetat mit dreimaligem Kielholen und 100 Stockschlägen gebüßt. Konnte er vor noch Schlimmerem sicher sein? Er hatte gemordet, zwar unter Druck des teuflischen Cornelisz, doch Mord blieb Mord. Am Ende hing auch sein Leben am seidenen Faden.

»So ist mir diese Last von Unglücksfällen in unbeschreiblicher Dichte auf den Hals gefallen«, schrieb Francisco Pelsaert an die V.O.C., und es klang wie Klage und Rechtfertigung in einem. »Jedoch werde ich mit Gottes Gnade meine schuldigen Dienste und Pflichten wieder aufnehmen zugunsten der Compagnie, die ich, obwohl krank und durch Sorgen verzehrt, niemals aus den Augen verloren habe. Gottlob habe ich meinen Auftrag ausführen können, den großen Schaden, den die Compagnie erlitten hatte, zu reparieren, soweit es in eines Menschen Macht stand.

Wohlbehalten bringe ich Euch heim: 113 Männer, 7 Frauen und 2 Kinder, insgesamt 122 Seelen. Der Allmächtige möge die edle Compagnie vor weiterem Schaden und Unheil behüten!«

Ahnte der Oberkaufmann, daß sich auch über seinem Haupt ein Unwetter zusammenbraute?

Die Jacht verließ den Abrolhos-Archipel auf Kurs Nordnordost, um unweit des heutigen Kolbarri noch einmal die Westküste des geheimnisvollen Südkontinents anzusteuern. An der Mündung des Wittecarra Creeks wurden Wouter Loos und Jan Pelgrom de Bye ausgesetzt. Es war Pelsaerts Idee, dem Soldaten und dem jungen Steward auf diese Weise das Leben zu schenken. Ihnen wurden Trinkwasser, gepökeltes Wallabi-Fleisch, ja sogar kleine Tauschartikel für die Eingeborenen überlassen. Fast fürsorglich gab ihnen der Kommandeur Ratschläge fürs Überleben unter Wilden in unbekannter Wildnis.

»Gott möge euch eine gute Chance geben, damit wir eines Tages erfahren können, was sich in diesem Land ereignet. Beobachtet mit Wachsamkeit, welche Materialien verwendet werden. Vertragt euch mit den fremden Menschen, damit ihr möglichst viel über sie erfahren könnt. Im April, Mai, Juni und Juli werden Schiffe auf Südland-Kurs Java ansteuern. Haltet Ausschau, gebt Rauchsignale. Man wird euch an Bord nehmen.«

Damit entließ Pelsaert an jenem sonnigen Morgen des 16. Novembers 1629 die beiden ersten Europäer, die in Australien siedelten. Wahrscheinlich setzten sie sich an den Strand. Vor ihnen lag der unendliche Ozean, hinter ihnen die Öde eines ganzen Erdteils. Sie mögen der SARDAM nachgeschaut haben, bis sie schließlich hinter der Kimm entschwand. Dann mag die große Einsamkeit über sie hereingebrochen sein. Wurden sie von freundlichen Eingeborenen aufgenommen? Oder von kriegerischen erschlagen? Sind sie landeinwärts gewandert und verdurstet? Haben sie sich mit einem Floß aufs Meer gewagt? Sind sie ertrunken? Gern hätten wir ihre Geschichte

Das Ölgemälde aus dem 17. Jahrhundert zeigt General-Gouverneur Jan Pieterszoon Coen, den »Herrscher« der V. O. C.-Besitzung Niederländisch-Ostindien mit Sitz Batavia.

erfahren: das Abenteuer der ersten weißen Pioniere Australiens. Doch niemand hat jemals wieder etwas von ihnen gehört. Später wurden Schiffskommandeure angewiesen, nach den Männern Ausschau zu halten. Umsonst, Jan und Wouter blieben spurlos verschwunden.

Nach 20 Tagen tauchte die Zitadelle Batavias an dem schlammigen Ufer Javas auf. Und kurz darauf rauschte die Ankertrosse durch die Klüsen. So ganz ohne Fahrtwind legte sich die tropische Hitze wie lähmendes Gas über Mensch und Schiff. Schwer atmend und mit müden Schritten verließ der Kommandeur seine SARDAM. Die Last der Verantwortung und die Sorge um die Zukunft zeichneten den Mann. Kettenrasselnd stiegen die Meuterer an Land. Düstere Ahnung war in ihren Gesichtern zu lesen. Manch einer hätte lieber das Los mit den Ausgesetzten geteilt.

»General-Gouverneur Coen ist tot!« war die erste unerfreuliche

96

Nachricht für Pelsaert. Coen war kurz vor dem Eintreffen der SAR-DAM an Ruhr gestorben. Sein Nachfolger hieß Jacques Specx. Wie beurteilte er den Fall BATAVIA? Würde er Verständnis haben für die Ereignisse, die Taten der Menschen, für den Kommandeur?

Die Betroffenen mußten sich gedulden, drei lange Wochen in Angst und Ungewißheit verweilen. Am 31. Januar 1630 kam die Stunde der Urteile. Sie standen im höheren Interesse der Compagnie, was erbarmungslose Härte für die Schuldigen bedeutete.

Außerhalb des Forts Batavia waren Trommler, Fahnenträger und Soldaten angetreten. Die ganze Stadt und die Menschen aus dem Umland waren auf den Beinen. Es bildete sich ein Spalier johlender und schimpfender Zuschauer, an dem die Delinquenten vorbeigeführt wurden. Öffentliche Bestrafungen waren Ereignisse, die man einfach miterleben wollte. Sensationen dieser Art brachten etwas Abwechslung in die Eintönigkeit des Lebens im fernen Java.

Voran schritt mit hängendem Kopf und zittrigen Knien der arme Teufel Salomon Deschamps. Der Gerichtsrat Batavias erachtete die vom Kommandeur verhängte Strafe als zu gering. Für dieselbe Tat, den Mord am Säugling der Mutter Mayken Cardoes, mußte er nun hängen. Mit Deschamps bildeten insgesamt zehn Verurteilte eine Prozession der Verdammten: Schiffsjunge Claas Harmansz hatte eine Geißelung mit dem Strick um den Hals über sich ergehen zu lassen. Buchhalter Isbrant Isbrantsz sollte mit dem Schrecken davonkommen; ihm wurde eine Schlinge um den Hals gelegt; so, im Angesicht des Todes, hatte er allen Hinrichtungen beizuwohnen; am Ende würde man die Schlinge nicht zuziehen, sondern entfernen. In der Gesamtschau gehörte er zu den »Harmlosen«, die sich der schweigenden Zustimmung schuldig gemacht hatten. Die Scheinhinrichtung brachte ihn an den Rand des Wahnsinns.

Des weiteren lauteten die Urteile des Gerichtsrats: Für den Kadetten Olivier van Welderen: harte Geißelung und drei Jahre Kettenhaft; für den Kajütenjungen Rogier Decker und den Schiffsjungen Abraham Gerritsz: Losentscheid zwischen Strang oder harter Geißelung mit dem Strick um den Hals; für den Seemann Cornelis Jansz: Geißeln und Brandmarken; für den Kadett Andries Liebent und Soldat Hans Fredericxsz: Geißelung am Schandpfahl und drei Jahre Verbannung in Ketten; für Kadett Johan Jacobsz Heylwech und

Lucas Gellisz: Tod durch den Strang; für Daniel Cornelisz: das Abhacken der rechten Hand und Tod durch den Strang.

Das schlimmste Los – es wurde auch »Fensterrahmen« genannt – ereilte den Hauptgefreiten Jacop Pietersz. Er galt als Berater von Jeronimus Cornelisz. Die Richter wollten ihn am Rad sterben sehen. Eine grausame Strafe! Der Verurteilte wurde gefesselt in die Waagerechte gebracht. Dann begann der Scharfrichter dem Unglücklichen die Knochen zu brechen. Das geschah mittels einer Eisenstange, Knochensegment für Knochensegment, vom Halswirbel beginnend, abwärts bis zu den Füßen. Dabei bohrten sich die gebrochenen Knochen durch das Fleisch und gaben dem Körper ein bizarres Aussehen. Widerstandslos ließ sich die morphe Masse auf ein Wagenrad flechten. Das Rad war mit einer Achse verbunden, wurde aufgerichtet und öffentlich zur Schau gestellt und bisweilen noch gedreht. Manchmal bekamen die Henker von milden Richtern Anweisung, den Geräderten zu erwürgen, um die Qualen zu verkürzen. Geschah dies nicht, trat der Tod erst nach Stunden oder Tagen ein, je nach Konstitution.

Mit Jacop Pietersz und den anderen Todeskandidaten hatte niemand Erbarmen. Sie starben unter den Schimpfkanonaden und dem Hohngelächter der blutrünstigen Massen.

Neben all diesen Abgründen menschlichen Handelns und Denkens hatten sich auf den Abrolhos aber auch Tapferkeit, Treue und Mut gezeigt. Ungeahnte Scheußlichkeiten erzeugen unvermutet große Taten. Ein schwacher Trost im Verlauf der Geschichte.

Wiebbe Hayes, den einfachen Söldner aus den Niederlanden, haben die Umstände zum unsterblichen Helden der BATAVIA-Story gemacht. Die mächtigen General-Gouverneure der Compagnie hat die Nachwelt vergessen bis auf wenige Ausnahmen – Wiebbe Hayes bleibt mit seinen Leuten als Retter und Führer auf Cats Island unvergessen.

Jacques Specx war großzügiger als Pelsaert. Er hob die Beförderung zum Feldwebel mit einem Sold von 18 Gulden auf. Statt dessen beförderte er Hayes zum Fähnrich mit 40 Gulden Monatssold und sprach im Namen des General-Gouvernements eine öffentliche Belobigung aus.

Ehrungen, aber auch gehängte und gebrochene Körper ließen diesen denkwürdigen Donnerstag im Januar 1630 bei Trommelwirbel und Fanfarenstößen ausklingen. Gouverneur und Gericht hatten ihre Schuldigkeit getan. Ein Abschnitt der BATAVIA-Geschichte war zu Ende. Zurück blieb ein nachdenklicher, ganz und gar nicht erlöster Francisco Pelsaert. Wie würde seine Karriere verlaufen? Was hatten die hohen Herrn mit einem Flottenpräsidenten vor, der seine Flotte verloren hatte und das Flaggschiff an einem Riff zerschellen ließ?

Pelsaert war einsam, als er gebeugt, von einem neuen Fieberanfall geschüttelt, durch das größte Tor der Zitadelle schritt. Unter dem mit Holzstangen eingerüsteten Portal blieb er stehen und schüttelte den Kopf. Unvollendet. Alles unvollendet oder mißglückt. Er konnte nicht einmal dazu beitragen, daß das für alle sichtbare »Wasserportal« fertiggestellt wurde.

Schicksale

Von den hohen »Herren XVII« wurde das Drama der BATAVIA in einer Stellungnahme auf einen einfachen Nenner gebracht: »Alles Elend auf dem unseligen Schiff ist verursacht worden durch die Streitigkeiten, die zwischen dem Kommandeur und dem Skipper wegen Weibergeschichten stattfanden. Es muß ernstlich erwogen werden, ob es in Zukunft wohl ratsam ist, Frauen auszusenden... Denn sie verursachen an Bord die größten Differenzen, und nach ihrer Ankunft in Indien hat die Compagnie nicht den geringsten Nutzen von ihnen, sondern nur Sorgen und Schaden... Aus alledem ziehen wir den Schluß, daß unsere Siedler sich mit den Weibern des Landes begnügen sollten.«

General-Gouverneur Coen war tot, in Batavia mit allen militärischen und zivilen Ehren beigesetzt worden. Mit ihm starb auch die Idee der Kolonialisierung Ostindiens durch holländische Pionierfamilien, weil ein einzelner Versuch mißlungen war, weil der Blickwinkel der »Herren XVII« in Amsterdam kein gesellschaftspolitischer war, sondern allein die Kasse im Auge hatte. Kaufleute sind eben keine Staatsmänner mit übergeordneten Zielen im Sinn.

Das BATAVIA-Drama als Weibergeschichte abzutun war für die hohen Herrn das einfachste. Wie angenehm ließen sich mit diesem Argument die Hände in Unschuld waschen. Es lenkte ab von den folgenschweren Personalfehlern, den Fehlbesetzungen in allen wichtigen Positionen, die allein das Management der V.O.C. zu verantworten hatte: einem kranken, überforderten Pelsaert, dem unverträglichen, illoyalen Skipper Ariaen Jacobsz, dem Charakterschwein Jeronimus Cornelisz als Pelsaerts Stellvertreter, Feiglingen wie Kaufmann Salomon Deschamps, Pfarrer Gijsbert Bastiaensz und anderen des leitenden Schiffspersonals, Offiziersanwärtern von zweifelhafter Gesinnung, allen voran Coenraat van Huyssen...

Die »Herren XVII« hatten auf dilettantische Weise Menschen zusammengewürfelt, die von vornherein zum Scheitern verurteilt waren. Für das Schicksal der Menschen und der BATAVIA tragen allein die hohen Herrn die Verantwortung. Ihr Berufen auf »Weibergeschichten« klingt im Zusammenhang mit dem Drama geradezu zynisch-naiv.

Werfen wir einen Blick auf den weiteren Weg der Überlebenden. Was sagen die Quellen über die Menschen, deren Schicksale die V.O.C. leichtfertig aufs Spiel setzte?

Die Spur des neu ernannten Fähnrichs Wiebbe Hayes verlief sich in Batavia. Seine Belobigung endete mit der Lobrede und dem Versprechen, daß er aufgrund seiner Verdienste zum Wohle der Compagnie mit einer weiteren Beförderung rechnen könne. Ob eine solche eintrat, wann und mit welchem Ergebnis, ist unbekannt. Hayes versah seinen Dienst bei den Kolonialtruppen der V.O.C. in Südostasien. Ob er bei Kämpfen mit Aufständischen auf den Molukken, auf Sumatra oder sonstwo ums Leben kam oder ob er irgendwann ins Mutterland zurückkehrte, wird uns verborgen bleiben. In den Archiven gibt es darüber keine Auskunft.

Pfarrer Gijsbert Bastiaensz erholte sich allmählich von dem tragischen Verlust seiner Frau und der sechs Kinder. 1631 heiratete er die Witwe des Gerichtsdieners von Batavia, siedelte mit ihr nach Banada in Indien über und starb dort 1633 an Ruhr.

Seine älteste Tochter Judith, als »Abrolhos-Braut« in die Annalen eingegangen, hatte mit zwei Ehen wenig Glück und fand nie finanzielle Sicherheit. Arm wie eine Kirchenmaus starb ihr zweiter Mann im Jahre 1634. Sie saß mittellos in einem Ort namens Ambon und wäre gar verhungert, hätten die »Herren XVII« nicht zufällig von ihrem Schicksal gehört. Die V.O.C. erbarmte sich ihrer. Man zahlte Judith zweimal eine Summe von 300 Gulden. Der erste Betrag war als Witwenrente, der zweite als Entschädigung für das erfahrene BATAVIA-Leid gedacht.

Wie wir wissen, war die schöne Lucretia van der Mijlen vom Schicksal arg gebeutelt: auf der BATAVIA vergewaltigt, vom Inseldespoten mißbraucht, mußte sie erfahren, daß ihr Mann auf der Fahrt nach Batavia gestorben war. Wie erging es ihr nach dieser Schreckensreise?

Mit der Heirat des einfachen Infantrie-Gefreiten Jacob Cornelisz Cuick begann sie ein neues Leben. Das Paar blieb kinderlos. Beide litten in den feucht-heißen Tropen. Allerlei Krankheiten machten ihnen das Leben schwer, bis sie sich Ende 1635 entschlossen, nach Holland zurückzukehren. In der Stadt Leiden ließen sie sich nieder. Ein örtliches Register der Baptistengemeinde erwähnt Lucretia zuletzt 1641. Sie war Trauzeugin bei der Heirat eines Neffen. Leider hat sie die BAVARIA-Erlebnisse und ihre Gedanken dazu nicht schriftlich hinterlassen. Es wäre ein interessantes Dokument geworden, das sicher auch Klarheit in die Beziehung zwischen ihr und Francisco Pelsaert gebracht hätte. So bleibt das Gerücht des Skippers Jacobsz über ein »Liebesverhältnis« auf ewig ungeklärt.

An den Gefängnismauern Batavias trennten sich die Wege der Magd Zwaantie Hendrix von dem ihres Liebhabers, Kapitän Jacobsz. Zwaantie trat als Zeugin gegen den Hochbootsmann Jan Evertsz auf und bescherte ihm wegen Vergewaltigung den Strick. Danach hören wir nichts mehr von der kessen Magd.

Ariaen Jacobsz schmachtete nach dem 13. Juli 1629 hinter dicken Verliesmauern und wartete auf einen Prozeß wegen geplanter Meuterei. Zwei Jahre widerstand er Anschuldigungen und Folter. Zu gern hätte die Administration ihn aufs Rad geflochten: die normale Strafe für Meuterei. Jacobsz war hart gegen sich selbst und andere gewesen. Und es blieb die Frage, ob er wirklich meutern und den

Kommandeur töten wollte. Hatten sich auf der Fahrt mit der Schaluppe nicht genügend Möglichkeiten geboten, Pelsaert über Bord zu werfen? Oder einen Unfall zu konstruieren? Kaum vorstellbar, daß ein Mann wie Jacobsz solche Chancen außer acht ließ und sich statt dessen blauäugig in die Höhle des Löwen begab. Es sei denn, er war tatsächlich unschuldig.

Die unerwartete Standhaftigkeit und das Verhalten des inhaftierten Skippers lassen ihn nach und nach in einem anderen Licht erscheinen. Ariaen Jacobsz, am Ende doch ein Ehrenmann, den Umstände und die Verbindung zu ehrlosen Gesellen zur tragischen Figur machten? Dennoch bleiben seine skandalöse Liebschaft mit der Magd, seine verhängnisvolle Nähe zum Komplott um Cornelisz, zur Vergewaltigung seiner Herzensdame Lucretia, dann der fatale Navigationsfehler vor der Küste Westaustraliens. Zur sicheren Fahrt in der kleinen Schaluppe vom Archipel hinauf nach Batavia muß ihm jedoch gratuliert werden.

Zum Ende des Skippers schweigen die Archive. Vielleicht tauchen eines Tages Dokumente auf, die etwas über sein Leben nach dem Verlassen des Kerkers aussagen, sofern es für Jacobsz ein Leben danach gab.

Wir wissen, daß die »Herren XVII« die Prozeßunterlagen in Amsterdam studierten, und diese schließlich, infolge fehlender Geständnisse, für lückenhaft erklärten. Der Fall Ariaen Jacobsz schmorte entscheidungslos vor sich hin.

Bis sich am 5. Juni 1631 Antonio van Diemen in einer Depesche an die »Herren XVII« in Amsterdam zu Wort meldete. Van Diemen hatte es inzwischen zum einflußreichen Ratsmitglied auf Java gebracht. Die BATAVIA-Affäre beschäftigte ihn mit stiller Genugtuung. Pelsaerts einstige Blitzkarriere schmerzte immer noch seine Seele. In dem Schreiben hieß es mit einem Seitenhieb postum an den Kommandanten Pelsaert: »Es steht außer Frage, daß auf der BATAVIA ein gottloses und teuflisches Leben geführt wurde. Beide, der Skipper und der Flottenpräsident Pelsaert, sind daran in hohem Maße schuldig. Mag der Allmächtige ihnen ihre Sünden vergeben und die Reputation der Compagnie nicht zu sehr Schaden genommen haben. Wir empfehlen, daß die ehrenwerten Herrn den Fall des Skippers der BATAVIA nochmals prüfen und entsprechende Anweisungen geben mögen. Die Anklagen gegen ihn sind schwerwiegend, und die Tatsache, daß das Schiff und die Besatzung so beschämend im Stich gelassen wurden, was das ganze Desaster erst provozierte, ist unentschuldbar.«

Für Jacobsz Zeilen der Hoffnung oder der Todesstoß? Wir wissen es nicht. Die Antwort des V.O.C.-Direktoriums ist uns nicht bekannt.

Auch für den Oberkaufmann, den ehemaligen Kommandanten, waren die Tage des Leidens nicht zu Ende. Als er, von der Last der Sorgen tief gebeugt, durchs Tor der Zitadelle schritt, war er ein gebrochener Mann. Vor dem Fort hatte er den Strafaktionen an Männern seiner Crew beigewohnt. Männer, die die Umstände zu Verbrechern machten. Hatte nicht er, Francisco Pelsaert, diese Umstände geschaffen, indem er sie verlassen hatte? Noch war er nicht bestraft worden, doch er fühlte sich schuldig. Schuldig für die unfaßbaren Ereignisse, die wie ein Dämon auf seinem Gemüt lasteten, schuldig an den Urteilen, die im Namen der Compagnie an seinen Leuten vollstreckt wurden. Die Monate zwischen der BATAVIA-Havarie und jetzt hatten den Kommandanten gezeichnet. Sein einst jugendliches Richelieu-Gesicht durchfurchten steile Sorgenfalten, seine Augen wirkten müde und glanzlos, waren von dunklen Ringen der Erschöpfung umgeben. Die Schweißtropfen auf seiner hohen Stirn rührten nicht allein von tropischer Hitze her. Rasch hatte er gemerkt, daß die Herren von Rang und Namen seine Gesellschaft mieden. Man distanzierte sich vom gestrigen Protegé Pelsaert. In Batavia umgab ihn eisige Kälte.

Sein letzter Brief an die »Herren XVII« klingt wie ein Aufschrei, wie eine konfuse Rechtfertigung:»...all mein Trachten lag darin begründet, gehorsam und mit ganzer Kraft den Erwartungen der Compagnie zu entsprechen. Das war immer mein Bestreben, selbst bei zunehmender Verschlechterung meines Gesundheitszustandes. Meine erste Erkrankung schwächte mich in hohem Maße zwischen dem Kap der Guten Hoffnung und der Schiffshavarie. Das Stranden der BATAVIA machte notwendig, daß ich etwa 1200 Seemeilen in einem Langboot, bei erwähnter schlechter gesundheitlicher Verfassung, zurücklegte, geplagt von Hunger, Durst und anderen Entbehrungen... Bezüglich meines Einsatzes zum Wohle der Compagnie habe ich ein gutes Gewissen. Mir sind keine Fehler, keine Irrtümer unterlaufen, ich habe keine kriminellen Handlungen unternommen. Ich bin mir meiner Redlichkeit sicher und erkläre dies vor Gott und meinem Dienstherrn... Derzeit lastet die Wucht des gesamten Desasters auf meinen Schultern. Es ist mir nicht möglich, die Bürde in Worte zu fassen, dennoch will ich so ausführlich wie möglich darüber berichten – bei dem Versuch habe ich mir die Augen ausgeweint... Mit der Güte Gottes werde ich bei der Fortführung meines Dienstes im Stande sein, der Compagnie mit ganzer Kraft zu dienen, so wie ich es immer getan habe...«

Davon waren General-Gouverneur und Rat nicht überzeugt. Pelsaert wurde zwar nicht gänzlich abgeschoben, wohl aber zurückgestuft und im April 1630 unter der Leitung des Indien-Ratsmitglieds Pieter Vlack als Vize-Kommandant auf eine Handelsmission nach Sumatra entsandt. Es ging um eine delikate Aufgabe im Pfefferhandel. Durch Gewalt oder Verhandlungsgeschick sollte den Portugiesen das Gewürzmonopol auf Sumatra entrissen werden.

Die Mission war ein voller Erfolg für die V.O.C. In der Provinzhauptstadt Jambi (heute Telanaipura) fiel kein einziger Schuß. Das Erscheinen der holländischen Schiffe genügte, den Portugiesen klarzumachen, wer der eigentliche Herr des Sumatra-Handels war.

In Batavia gingen die Ermittlungen gegen Francisco Pelsaert weiter. Dabei entwickelte Rivale Antonio van Diemen eine bemerkenswerte Energie. Es schien, als wollte er nicht eher ruhen, bis er den Oberkaufmann zur Strecke gebracht hatte. Aus seiner Feder flossen zahlreiche versteckte Anschuldigungen und nebulöse Hinweise.

Peinliche Fragen und schmachvolle Verhöre sollten Pelsaert erspart bleiben. Vielleicht meinte das Schicksal es gut mit ihm: Er starb im September 1630, bald nach der, auch für ihn, erfolgreichen Rückkehr aus Sumatra. In einer Routinesitzung des Rates von Batavia wurde sein Tod an einem Freitag, dem 13. September, lapidar erwähnt. Später teilte van Diemen in einem Schreiben mit: »Francisco Pelsaert starb in Batavia nach langer Krankheit.« Wir kennen nicht einmal seinen Todestag, geschweige denn, was weiter mit seinen sterblichen Überresten geschah.

Wurden mit dem Tod nun auch die Ermittlungen eingestellt? Beileibe nicht! Dafür sorgte van Diemen, indem er den Direktoren in Holland immer neue Informationen lieferte.

Kaum war Pelsaert unter der Erde, gab es keine Rücksichtnahme mehr. Da machten Nachreden die Runde wie:»Im Nachlaß des BATA-VIA-Kommandeurs sind Schätze und Juwelen aufgetaucht. Der ehrenwerte Kommandant Pelsaert ein gerissener Schmuggler und Schieber, der in die eigene Tasche wirtschaftete?«

Was war geschehen?

Tatsächlich tauchte in den ansonsten spärlichen Hinterlassenschaften des Oberkaufmanns die besagte Riesengemme auf, die im Auftrag von Peter Paul Rubens an den indischen Großmogul verkauft werden sollte. Pelsaert, mit besten Kontakten zum Hof des Fürsten Jahangir, war mit dem Maklerdienst betraut. Da sich Rubens Geheimhaltung erbeten hatte, bleibt ungewiß, ob die hohen »Herren XVII« von dem Geschäft Kenntnis hatten. Neben der Gemme, die auf »BATAVIAS Friedhof« vorübergehend in den blutbesudelten Händen Jeronimus Cornelisz lag, entdeckte man auch einen Koffer mit Juwelen im Wert von 1300 Gulden.

Dann sickerte etwas von einer sagenhaft wertvollen »Rubens-Vase« aus Achat an die Öffentlichkeit. Doch wo war diese abgeblieben? Hatte Pelsaert sie versteckt oder gar unter der Hand verscherbelt? Private Geschäfte waren jedoch streng verboten. Die V.O.C. ahndete Verstöße mit hohen Strafen. Für Pelsaerts Inquisitor van Diemen war der Nachlaßschatz ein willkommener Anlaß, den verhaßten Konkurrenten für die Nachwelt über den Tod hinaus und in alle Ewigkeit zu diskreditieren. Was ihm auch gelang. Geschickt, wie van Diemen taktierte, vermied er eine formelle Anklage wegen Unterschlagung oder Diebstahl. Blieb doch die Möglichkeit, daß Pelsaert in geheimer Absprache mit den »Herren XVII« gehandelt hatte. So versorgte er die V.O.C-Direktoren mit Andeutungen und ließ mitteilen, daß in Pelsaerts Koffer »eine Achat-Gemme und noch verschiedene andere Juwelen« gefunden wurden.

Die »Herren XVII« bemerkten dazu ebenso vieldeutig: »Wir sind darüber unterrichtet, daß besagter Pelsaert… nicht nur große Posten Juwelen für sich selbst, sondern auch von anderen Privatpersonen mit sich geführt und hinterlassen hat.«

Die Wahrheit blieb für immer hinter Anschuldigungen und Verdächtigungen verborgen. Und die Schatten unseres verstorbenen Helden wurden länger und dunkler. Mutter Pelsaert bat 1632 um die

Aushändigung der Hinterlassenschaften ihres Sohnes. Die V.O.C. teilte mit, daß alle Güter konfisziert seien, sogar Franciscos restliches Gehalt nicht zur Auszahlung kommen könne. Selbst die Fürsprache ihres einflußreichen Verwandten Hendrik Brouwer, General-Gouverneur von Ostindien in Batavia, stimmte die »Herren XVII« nicht um.

Van Diemen hatte sein Ziel erreicht: Am Namen Pelsaert klebte der Makel einer gewissen Ehrlosigkeit wie Pech. Daran kann selbst die Nachsicht dreier Jahrhunderte nichts ändern. Noch heute wird das Wirken Francisco Pelsaerts mit gemischten Gefühlen beurteilt. Denn neben der Skepsis zum Charakter, die sein unerwarteter Nachlaß aufkommen ließ, bleibt unverzeihlich, daß ein Kommandant Menschen und Schiff sich selbst überlassen hatte.

Die V.O.C. zog die Lehre daraus und erließ das Edikt: »Unter gar keinen Umständen darf die Führung das ihr anvertraute Schiff verlassen. Im Falle der Havarie werden die unteren Offiziersränge ausgesandt, um Hilfe zu holen!« Bis heute gilt die Verpflichtung: »Der Kapitän verläßt sein Schiff zuletzt oder geht mit ihm ins Grab.«

Die tragische Figur Pelsaert war am grobschlächtigen Skipper Jacobsz, am hinterhältigen Unterkaufmann Cornelisz und an den Reizen der Frauen Zwaantie und Lucretia gescheitert. Die Compagnie hatte unverträgliche Menschen zusammengebracht und damit ein Umfeld geschaffen, in dem der seemännisch unerfahrene Kommandant versagen mußte. Antonio van Diemens Anklage: »Schiff und Menschen wurden schändlich verlassen...« beendeten Pelsaerts Karriere, förderte hingegen die seine. Van Diemens hatte sich über das Versagen des Konkurrenten den Weg nach ganz oben, zum General-Gouverneur von Ostindien freigekämpft. Ob Pelsaert mit der gewagten Fahrt in der kleinen Schaluppe sein Leben retten und sich aus dem Staub machen oder auf dem sichersten und schnellsten Weg Hilfe holen wollte, bleibt ebenso ungeklärt wie der Verdacht, er beabsichtigte, sich mit den im Nachlaß gefundenen Gütern zu bereichern.

Die beiden Rubens-Schätze haben die BATAVIA-Geschichte überdauert. Ihr mysteriöser Verbleib ist geklärt. Die antike Riesengemme ist die Hauptattraktion des Numismatics Museum in Leiden, Holland, und die herrliche Rubens-Vase tauchte nach 200 Jahren wieder auf. Sie ist in der Walters Kunstgalerie in Baltimore, USA, zu bewundern.

Der Abrolhos-Archipel drei Jahrhunderte später: Längst sind die Schreie der Geschundenen verhallt, das Blut Ermordeter ist versiegt, die Gebeine der Toten sind zerfallen. Der Ozean rollt an den weißen Strand, die Sonne bleicht Korallenkalk. Über den Inseln kreisen große Möwen, klagend kreischen sie gegen den ewigen Wind. So, als sei nichts geschehen, nie etwas vorgefallen. Selbst die Inseln haben sich kaum verändert, sieht man von den Anlegestegen einmal ab, die Hummerfischer über die Korallenbänke bis ins tiefe Wasser geschlagen haben. Aus der Luft wirkt Beacon Island wie eine Spinne mit langen Beinen.

Und immer noch hütet der Indische Ozean ein großes Geheimnis: das Wrack der BATAVIA. Viele Taucher haben danach gesucht. Ergebnislos. Seit Ende der 50er Jahre haben es sich zwei Männer zur Lebensaufgabe gemacht, dieses Wrack zu finden, beide passionierte und erfahrene Taucher, beide aus West-Australien, die sich aufs Wracksuchen spezialisiert haben: Hugh Edwards, Ende 30, Journalist aus Perth, und Max Cramer, Ende 40, Unternehmer aus Geraldton. Ihre Suchoperationen im Abrolhos-Archipel liefen unabhängig voneinander. Jeder wollte der erste sein. Man scheute weder Geld noch Gefahr. Die Suche nach der BATAVIA entwickelte sich zu einem Wettkampf, den nur einer gewinnen konnte…

2. Wracksuche

Um es vorwegzunehmen: Die Suche dauerte fünf Jahre. Fünf Jahre intensiver Wracksuche, die bestimmt war von Zufällen, Verwirrspielen, akribischer Quellenforschung und eklatanten Fehlangaben. Und das Kuriose bei der Jagd nach den Resten der BATAVIA: Gefunden wurden sie von einem ahnungslosen, einfachen Langustenfischer!

Doch der Reihe nach. Die Küste West-Australiens ist ein gewaltiger Schiffsfriedhof, auf dem rund 800 Wracks ruhen sollen. Das älteste – und aufgrund der makabren Historie wegen interessanteste – ist das der BATAVIA. Aber auch der holländische Großsegler ZEEWYLE erkannte die Brandung der Abrolhos zu spät und strandete 1727, wie viele andere Schiffe vor und nach ihm.

Neue Mächte beherrschten die Weltmeere. England nahm im 19. Jahrhundert eine führende Rolle ein und vermaß mit der neuen Technik von Theodoliten, Sextanten und Chronometern Inseln, Küsten, unbekannte Abschnitte der Ozeane. Um 1840 erschien die HMS BEAGLE vor Australiens Westküste. Jenes Schiff, auf dem der berühmte Naturkundler Charles Darwin Erkenntnisse zur Evolutionstheorie gewann.

Kapitän John Wickham der BEAGLE hatte die Aufgabe, den Houtman-Abrolhos-Archipel zu vermessen. (Darwin war auf dieser Reise nicht mehr an Bord.)

Wenngleich der Archipel über 200 Jahre lang Abrolhos hieß, erfanden die Briten den irreführenden Namen »Houtman Rocks«. Das war nicht die einzige Konfusion. Im südlichen Abschnitt des Archipels kartographierten sie Namen wie »Pelsaerts Gruppe«, »Wrack-Spitze« und »BATAVIA-Weg«. John Wickham und sein Leutnant Crawford Pascoe waren überzeugt, daß sich die BATAVIA-Tragödie in diesem Südabschnitt zugetragen haben mußte. Unglücklicherweise fanden die Briten Relikte, die sie dem historischen Retourschiff zuordneten.

Leutnant Pascoe erklärte die Namensfestlegung: »… Nahe unseres

Ankerplatzes wurden andere Fragmente gefunden, die höchstwahrscheinlich Teile desselben Schiffes waren. Doch das bemerkenswerteste Fundstück war eine Kupfermünze der Niederländischen Ostindien Compagnie. Eine Gravur trug das Datum 1620, ein sicheres Anzeichen, daß es sich um Spuren des Kommandeurs Pelsaert der BATAVIA handeln mußte. Somit nannten wir unseren Ankerplatz ›BATAVIA Roads‹ und die Inseln ›Pelsaert's Group‹…«

Die BEAGLE kehrte mit neuem, verbessertem und überarbeitetem Kartenmaterial nach London zurück. Die Daten wurden übertragen und vervielfältigt, hielten Einzug in Seeämtern, Archiven und Universitäten. Kein Wunder, daß die geographisch falsche Einschätzung zu den BATAVIA-Ereignissen die Nachwelt 123 Jahre lang zu narren vermochte.

Um 1890 wurde auf den Abrolhos Guano abgebaut. Familie Broadhurst beherrschte das lukrative Geschäft und holte chinesische Kulis auf die Inseln, um den Dünger in großen Mengen profitabel verkaufen zu können. Ihre eifrigen Schaufeln legten allerlei interessante Gegenstände im Süden des Archipels frei: Flaschen, Tabakdosen mit holländischer Inschrift und menschliche Knochen. Die Funde konzentrierten sich auf die Pelsaert's Group, an der 1727 die ZEEWYK gestrandet war. F. C. Broadhurst war nicht nur Unternehmer, sondern auch Geistlicher, obendrein geschichtlich interessiert und bewandert. Er wog die Funde in den Händen, betrachtete sie von allen Seiten, dann sagte er: »Ich glaube, die Relikte stammen von der BATAVIA.« Broadhurst war stolz auf seine Ausgrabungsstücke und beschloß, dem Kapitel australisch-holländischer Vergangenheit auf den Grund zu gehen. Er schrieb an niederländische Bibliotheken, um alte Veröffentlichungen zu studieren. So gelangte er an das Buch »Ongeluckige Voyagie van't Schips BATAVIA« (Die unglückliche Reise des Schiffs BATAVIA) von Joost Hartgers, 1648 unter Verwendung originaler Quellen herausgebracht. Er ließ sich den altholländischen Text ins Englische übersetzen. Allmählich rundete sich sein Bild von der BATAVIA-Tragödie ab. Und er besaß Exponate zu jenen Ereignissen! Artikelserien in der »Western Mail« zementierten 1897 den Irrtum der BEAGLE-Vermessung zur Lage des BATAVIA-Wracks. Es gab niemanden, der die »richtige« Position jetzt noch in Zweifel zog.

Bis 1956, als eine gewisse Henrietta Drake-Brockman ihre Nachforschungen unter dem Titel: »Das Wrack der BATAVIA« im »Walkabout Magazine«, Melbourne, veröffentlichte. Drake-Brockman war damals schon eine gern gelesene Autorin aus Perth, die für genaue Recherchen bekannt war.

Wie kam es nun, daß ausgerechnet eine Schriftstellerin Zweifel anmeldete? Henrietta war mit den Broadhursts bekannt und von der BATAVIA-Story fasziniert. Sie beschloß, einen Roman zu schreiben, der sich mit dem Thema befaßte. Was lag näher, als das Nationalarchiv in Den Haag anzuschreiben, um eine Kopie von Francisco Pelsaerts Journal zu erbitten. Merkwürdigerweise hatte dies vor ihr noch niemand getan. Nach dem Studium der alten handschriftlichen Aufzeichnungen des Kommandanten stellte sie zur Empörung von Historikern, Geographen, Kartographen fest: »Das Schiff schlug nicht im Süden, sondern im Norden der Abrolhos leck!«

»Lächerlich, nichts als vage Vermutungen!« höhnten die Kritiker.

Tatsächlich war es in erster Linie eine starke Inspiration, die Henrietta zu ihrer Annahme bewog. Ihre Theorie basierte aber auch auf zwei Tatsachen: Pelsaert erwähnte springende Katzen, die sich später als Zwergkänguruhs, also Wallabies, herausstellten. Und eben diese Wallabies leben nur auf Inseln der nördlichen Abrolhos. Zum anderen gab es auf den südlichen Inseln, die von den BEAGLE-Vermessern für »BATAVIAS Friedhof« gehalten wurden, Trinkwasser nur auf kleinen Felsinseln, jedoch keines auf den größeren Eilanden. Überliefert ist, daß Wiebbe Hayes ausdrücklich vermerkte: »Wasser, gut wie Milch«, und das konnte sich nur auf die höheren und größeren Inseln, Ost- und West-Wallabi im nördlichen Abschnitt, 30 Kilometer entfernt, beziehen.

Und die Funde?

»Es handelt sich um Gegenstände aus späteren Wracks«, sagte die Autorin unbekümmert. Wenn es überhaupt noch erkennbare Fragmente der BATAVIA gab, so hätten Taucher oder Fischer diese dort unten längst geborgen. Ein zusätzliches Argument gegen die südliche Positionierung.

»Im Norden sind doch bislang keine Spuren entdeckt worden«, meinten die Kritiker.

»Dann sucht die Gegend gefälligst genauer ab!« konterte die resolute Drake-Brockman.

Irrtümer und Rätselraten wären gar nicht entstanden, hätte Francisco Pelsaert die Lage des Wracks in seinem Journal exakt festgehalten. Doch das konnte er nicht. Den ersten Fehler machte bereits der Skipper Ariaen Jacobsz, kurz bevor sich die Schaluppe nach Java begab. Eine Fehlmessung, die die SARDAM einen Monat kostete. So lange suchte Pelsaert seine gestrandete BATAVIA im Archipel. Eine zweite Bestimmung, durch Offiziere der SARDAM vorgenommen, lautete: 28 Grad 37 oder 40 Minuten. Auch diese war falsch und ungenau. Nun muß man wissen, daß die damalige Navigation mit Astrolabium und einfachem Kompaß keine genaueren Angaben zuließ.

Auf der Suche nach der BATAVIA hatte Hugh Edwards bereits ergebnislose Tauchgänge hinter sich. Die australische Westküste kannte er wie kein Zweiter. 1960 startete er nun zu einer neuen aufwendigen Unterwasserexpedition. Das verwunschene Schiff mußte doch zu finden sein! Oder jagte er einer fixen Idee nach, die der ruhelose Ozean längst in unauffindbare Einzelteile zerrieben hatte? Edwards steckte seine ganzen Ersparnisse in das Unternehmen BATAVIA. Er mußte Erfolg haben! Sorgfältig studierte er nochmals alle verfügbaren Quellen: Seekarten, Literatur, Aufzeichnungen der BEAGLE-Offiziere. Dann besuchte er Henrietta, um sie über sein Vorhaben zu unterrichten, auch wollte er sich von ihrer Theorie anregen lassen.

Immerhin beabsichtigte Edwards, mit großem technischen und finanziellen Einsatz den Ozean in den nördlichen Abrolhos abzusuchen. Das Gespräch fand im Apartment der alten Dame in Perth bei einer Tasse Tee statt.

»Natürlich liegt die BATAVIA in den Wallabies. Wo sollte sie sonst sein?« beharrte die Dame.

»Aber die Vermessung Wickhams von der BEAGLE?«

»Die haben sich 1840 geirrt, glauben Sie mir.«

Henrietta Drake-Brockmans letzte Worte an diesem Nachmittag: »Wenn du sie findest, mußt du mir sofort Bescheid sagen. Wage es nicht, es jemand anderem zuerst zu erzählen, alter Junge.«*

Edwards machte sich mit seiner Crew auf und erkundete die Un-

---

* Edwards, Hugh: »Island of angry Ghosts«, Hodder & Stoughton Ltd., London 1966, S. 103

terwasserwelt zwischen Beacon Island, Seals Island und den Wallabies. Zum Team gehörte auch Maurie Hammond, ein talentierter und
bekannter Unterwasserfotograf. Sie fanden die 1877 gestrandete Bark
HADDA und ein Guano-Schiff. Aber keine Spur von der BATAVIA. Enttäuscht wurde die Suche nach 14 Tagen abgebrochen. Professionelles
Wracktauchen ist ein teures Geschäft. Die Kasse war leer. Vom Festland aus wurde weiter zur mutmaßlichen Lage theoretisiert und phi-
losophiert. Vielleicht müßte etwas südlicher oder westlicher gesucht
werden. Eventuell müßte das Morning Reef genauer inspiziert werden?

Was die Taucher nicht wußten, war, daß dem Langustenfischer
Johnny Gliddon am Morning Reef bereits 1957 etwas Sonderbares
aufgefallen war. Von seinem Boot aus entdeckte er in vielleicht zehn
Meter Tiefe merkwürdige Steinquader. Die waren eindeutig von
Menschen behauen worden. Gliddon wunderte sich zwar, behielt die
Sache aber für sich. Von einem Wrack BATAVIA hatte er noch nie etwas
gehört, folglich konnte er sich auch keinen Reim auf den Fund ma-
chen.

Drei Jahre später grub die Schaufel des Fischers Pop Marten auf
Beacon Island (»BATAVIAS Friedhof«) ein menschliches Skelett aus.
Die Angelegenheit wurde der Polizei gemeldet. Nach recht lässigen
Untersuchungen und etwas Rätselraten hieß die offizielle Verlautba-
rung, es handele sich um einen anonymen Fischer, der vor einigen
Jahren auf der Insel gestorben sei. In Wirklichkeit aber war das Skelett
331 Jahre alt und hing mit dem Schicksal der BATAVIA zusammen.

Etwa zur selben Zeit tuckerte Langustenfischer Dave Johnson mit
seinem Boot in Richtung Südwesten. Auch er lebte auf Beacon Island
und wollte seine Fangkörbe einmal am südlichen Zipfel des Morning
Reef auslegen, dabei machte er auf dem Meeresgrund einen Anker
und Kanonen aus. Johnson berichtete später, daß er gleich fühlte,
etwas Besonderes entdeckt zu haben. Da er weder schwimmen noch
tauchen konnte, auch nicht sonderlich neugierig war, obendrein ver-
schlossen, wie es eben die Langustenfischer der Abrolhos sind, habe
er sich lediglich gedacht, irgendwann wird schon ein Experte kommen, um diesen Fund zu bergen. Über die historische Tragweite der
Gegenstände in greifbarer Nähe da unten war er sich natürlich nicht
im klaren.

14 *Das moderne Jakarta: Blick vom Monas auf das Häusermeer der 12-Millionen-Stadt.*

15 *Schauerleute beladen einen Schoner der Bugi im alten Batavia-Hafen »Sunda Kelapa«.*

15

16

17

18

16 und 17 *Sulawesi (Celebes):
Insel der Geheimnisse, des
Zaubers und der Totenfeste,
das Land der Toraja, deren
Hausdächer wie umgestülpte
Bootskörper aussehen.*

18 und 19 *Die Inselschöne spielt
Prinzessin Sita...
...eine Tanz-Szene aus dem
Ramayana-Ballett.*

20 *Java: die kolossale Hindu-
Tempelanlage »Prambanan«.*

19

20

21

21 *Der kleine, aber herrlich gelegene Tempel Pura Ulun am Bratan-See auf Bali.*

22 *»Lucky Buddha« auf dem buddhistischen Tempelkomplex »Borobudur« (Java).*

23 *Am Kraterrand des Vulkans Bromo (Java).*

Im April 1963 bot Max Cramer aus Geraldton seine Taucherfahrung einer 16köpfigen Expedition an, der auch Hugh Edwards angehörte. Die Gruppe hatte gerade mit Erfolg die Suche nach dem ZEEWYK-Wrack abgeschlossen und wollte, bevor sie sich der BATAVIA widmete, einen Naturfilm über Wale drehen.

Max Cramer hatte nur die BATAVIA im Kopf und glaubte, in Zusammenarbeit mit dem Team Kosten sparen zu können und rascher an sein Ziel zu gelangen. Zuvor hatte er sich auch mit Henrietta Drake-Brockman kurzgeschlossen, um deren Meinung zum Wrack zu hören. Er war wie sie überzeugt, daß Beacon Island bei der Suche eine Schlüsselrolle spielte.

Die »Rivalen« Max und Hugh trafen sich eines Nachts am Strand von Geraldton und tauschten beim Bier ihre Kenntnisse zur BATAVIA aus. Mit Handschlag verabredete man eine gemeinsame Vorgehensweise. Wobei Edwards klar war, daß Cramer aus Geraldton, in unmittelbarer Nähe der vorgelagerten Abrolhos, im Vorteil war. Hugh wohnte im 315 Meilen südlicheren Perth und widmete sich zur Zeit den Walen. Aber wer sagte denn, daß Cramer im Alleingang fündig werden würde?

Mit großer Sorgfalt durchkämmte Max Cramer mit seinem Bruder Graham die Wallabi-Gruppe. Sie fühlten instinktiv, daß sie auf der richtigen Spur waren. Dennoch blieb der Erfolg aus.

»Eigentlich sollte die Suchaktion nur drei Tage dauern«, erzählte Max, »doch das Wetter schlug um, und wir mußten zwölf Tage auf Beacon Island bleiben. Während dieser Zeit trafen wir Dave Johnson, den einheimischen Lobsterfischer. Er kam den Strand entlang geschlendert. Vom letzten Fang her hatte er noch seine weiße, schwere Plastikschürze umgebunden. Er gesellte sich zu uns und erkundigte sich beiläufig nach unseren Aktivitäten. Das war am Morgen des 4. Juni 1963. Diesen Tag und Johnsons naive Frage werde ich nie vergessen.«

»Wonach sucht ihr eigentlich?« fragte Johnson.

»Nach dem BATAVIA-Wrack, wonach sonst!« sagte Max.

»Dann kommt mal mit, ich zeig' euch, wo es liegt.«*

---

* Godard, Philippe: »The first and the last voyage of the BATAVIA«, Abrolhos Publishing, Perth 1993, S. 227

Max und Graham schauten sich entgeistert an, folgten ihm jedoch kopfschüttelnd zu seinem Boot. Im alten Langustenkutter tuckerten die drei an eine Stelle am südlichen Ende des Morning Reef. Dave drosselte plötzlich den Motor und zeigte nach unten.

»Hier liegt sie, schätze 15 Meter tief«, sagte er trocken.

Die See war vom Sturm der letzten Tage aufgewühlt. Max konnte vom Boot aus nichts erkennen. Er zögerte einen Moment, ehe er ins Wasser sprang. Auf den Abrolhos würde man sich kranklachen, wenn der alte Dave Johnson den Tauchern einen Bären aufgebunden hatte. Es erschien Max alles so unwirklich einfach. Dann sprang er doch, gefolgt von seinem Bruder Graham.

»Kaum einige Meter abgetaucht, hämmerte mein Puls vor Erregung«, berichtete Max. »Ich sah große Kanonen auf dem Meeresboden herumliegen – ›Das ist die BATAVIA. Ich hab' sie gefunden!‹ jubelte ich innerlich.«

In der Tat war Max auf Kanonen getroffen, die damals im Morgengrauen auf Befehl des Skippers Jacobsz über Bord geworfen worden waren, um den Segler zu leichtern und wieder flott zu werden.

Etwas abseits entdeckten die Taucher einen der Stockanker des Retourschiffs. Alles war dick mit Korallen, Muscheln und Seepocken ummantelt, doch in den Konturen klar erkennbar. Max schwamm über dem Fund einige Kreise, dann tauchte er auf. An Bord lagen sich die drei in den Armen. Das Geheimnis um das BATAVIA-Wrack war gelüftet – eine Jahrhundert-Entdeckung!

Hugh Edwards saß zusammen mit seinen Freunden im Tauchclub von Perth. Man besprach die nächsten Aktionen und tauschte Erfahrungen aus. Im Hintergrund spielte Radiomusik, dann kamen die Abendnachrichten. Hugh war auf einmal wie elektrisiert. Der Sprecher sagte: »Max Cramer aus Geraldton entdeckte heute morgen am Südzipfel des Morning Reef das 334 Jahre alte Wrack BATAVIA der Holländischen Ostindischen Compagnie…«

›Er hat es geschafft, er hat sie tatsächlich gefunden!‹ ging es Hugh durch den Kopf. Dann sprang er auf, stürzte zum Telefon, sprach mit Max. Die nächste Maschine brachte Hugh zu seinem »Rivalen« nach Geraldton.

Welch ein Pech, welch ein Zufall! 1960 war Hugh Edwards kaum

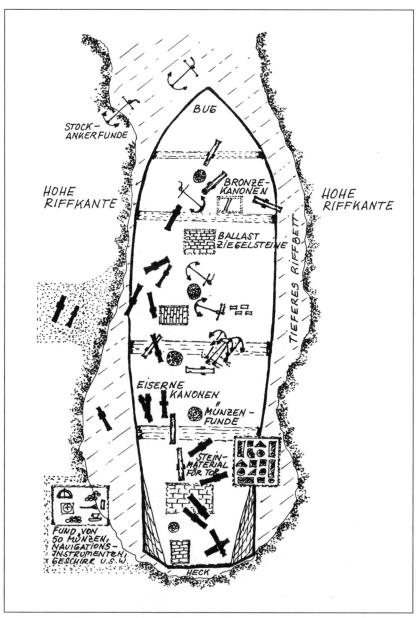

Lage des BATAVIA-*Wracks im Morning Reef bei der Entdeckung*

100 Meter neben der Stelle getaucht, an der Max das Wrack fand, und auf den Tag genau vor 334 Jahren war die BATAVIA im Morgengrauen leckgeschlagen. Und morgens, am 4. Juni 1963, hatte Max Cramer ihre Überreste entdeckt.

Am nächsten Tag kehrte eine um Hugh und andere Taucher verstärkte Mannschaft an den Fundort zurück. Damit begann das Abenteuer der Bergung, das Taucher, Unterwasserarchäologen, Ärzte, Historiker, Journalisten, ja auch Institute, Museen und Ministerien in Australien und Holland über Jahre hindurch beschäftigen sollte.

Schweres Bergungsgerät mußte organisiert werden, und das bedeutete die Bereitstellung vieler Dollars.

Aus der Luft sehen die nördlichen Abrolhos-Inseln wie riesige Insekten aus. An ihren »Beinen« legen heute moderne Langustenfangschiffe an, oder es befinden sich dort Fischerhütten.

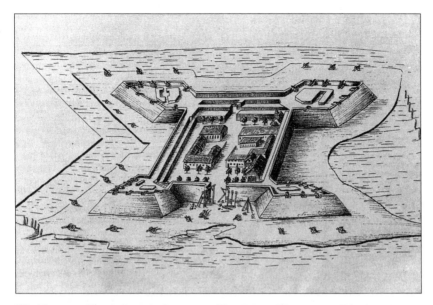

Die Festung Batavia mit dem unvollendeten Wassertor. Die Sandstein-
quader bilden nun ein eindrucksvolles Portal im maritimen Museum
von Fremantle.

Inzwischen war die Kunde über den Fund um den Globus gelangt.
Fernab, auf der anderen Seite der Erde, in Holland, hörte ein Schiffszimmermann die Nachricht. Neugierde, dann Begeisterung packten
den Mann. Aus einer spontanen Idee wurde ein Lebenstraum, und
aus dem Traum wuchs allmählich eine großartige reale Aufgabe, ein
Unternehmen, das »BATAVIA-Werft« hieß...

Am Ort des Geschehens wurde erst einmal eine Kanone geborgen. Sie trug das Siegel der V.O.C. und den Buchstaben »A« für Amsterdamer Handelskammer. Damit mußten auch die letzten Zweif-
ler zugeben, daß es sich bei dem Wrack tatsächlich um die BATAVIA
handelte.

Wie ein Mosaik fügte sich Steinchen an Steinchen: Beacon Island
war die Schreckensinsel »BATAVIAS Friedhof« aus Pelsaerts Journal
und der kleine Landtupfer im Norden des unteren Riffbogens die
»Verräter-Insel«.

Von Beruf war Max Cramer Bauunternehmer. So kam es, daß er

117

sich besonders für die vielen großen, behauenen Steinquader interessierte. Die Steine wurden im Juli geborgen und erst einmal auf Beacon Island deponiert. Eine merkwürdige Fracht, dachte er. Ballaststeine konnten es nicht sein. Das waren mehrere Lagen Klinker. Auch die wurden gefunden und geborgen. Die Quader bestanden aus Sandstein, wogen im Durchschnitt 40 kg, einige waren rechteckig, andere quadratisch, wieder andere rund oder konisch und ornamental behauen.

Warum nur wollte die BATAVIA über 100 Steine dieser Art nach Indonesien transportieren?

Es wurden alte Karten und Skizzen des Batavia-Forts durchgesehen. Dr. Jeremy Green, Kurator des Maritimen Museums in Fremantle, nahm Kontakt mit holländischen Museen auf. Er flog selbst nach Amsterdam und studierte alte Archive. Das Journal von Pieter van den Broeke, 1634 mit zeitgenössischen Holzstichen versehen, lüftete das Geheimnis: Einer der Stiche von Adriaen J. Matham aus Haarlem zeigte Batavia im frühen 17. Jahrhundert. Und darauf fiel auf, daß die seeseitige Öffnung der Fortmauer unvollendet war. Anstelle eines Tors befand sich ein Baugerüst. Richtig! Gouverneur Coen hatte eigens aus Holland Sandsteinquader bestellt, um ein repräsentatives Tor, die sogenannte »Waterpoort« (Wasserpforte), bauen zu können. Die Steine auf dem Meeresgrund verhinderten die Fertigstellung.

Van den Broeke hatte am 19. Juni 1629 Batavia erreicht. Mitte Dezember desselben Jahres verließ er den Ort wieder und hielt in seinem Tagebuch die Ankunft Pelsaerts samt Überlebenden fest, ebenso die spätere Abreise auf der SARDAM. Damit war die Zuordnung der mysteriösen Quader durch Wort und Bild gesichert.

Das Tauchteam »Batavia« förderte die Steine nach und nach alle zu Tage. Am Ende wurden 137 Stück mit insgesamt 31 Tonnen Gewicht zu einem monumentalen Tor zusammengefügt, das heute in der BATAVIA-Halle des Western Australian Museum zu bestaunen ist. Das Museum steht in Fremantle, der Hafenstadt von Perth, und birgt weitere interessante Exponate jener Zeit.

Gewichte und Gewichtsverteilung beeinflussen die Trimmung und damit die Segeleigenschaften eines Schiffes. Ballast, also schwere Güter, mußten in ausreichender Menge mitgeführt werden, um den hochbordigen Segelschiffen Stabilität zu verleihen. Mit dem geringsten Aufwand erreichte man die Stabilität, wenn Ballast im Zentrum des Schiffsschwerpunktes gelagert werden konnte. Graue Theorie! Die damaligen Großsegler schleppten im Laderaum gewaltige Tonnagen mit, die technisch notwendig waren, aber kommerziellen Verlust bedeuteten. Die V.O.C. hatte das Problem erkannt und ließ die Retourschiffe mit verkaufbarem Ballast befrachten. So gerieten die 137 Sandsteinblöcke für das Stadttor in den Rumpf der BATAVIA. Der Sandstein stammte übrigens aus einem Bruch unweit von Bentheim in Niedersachsen. Außerdem fanden die Taucher rund 8000 holländische Ziegelsteine in verschiedenen Farben – Ballast und begehrtes Baumaterial für die neuen Häuser gehobener Beamter in Batavia. Im Laufe der Jahre expedierte die V.O.C. viele 100000 Klinker nach Südostasien.

Die als erste geborgene, 1,5 Tonnen schwere Kanone stellt das Geraldton Maritime Museum aus. Ein Schnitt durch das Geschützrohr legte eine technische Sensation im Kanonenbau offen: Es handelte sich um eine Kompositebauweise aus Kupfer und Stahl. Den damaligen Waffentechnikern ging es darum, Rohre zu testen, die bei rascher Schußfolge die enorme Hitze unbeschadet vertrugen und Wärme gut leiteten. In anhaltenden Seegefechten wurden die Kanonenrohre nicht selten rotglühend geschossen.

Die Bergung der BATAVIA-Fragmente wuchs rasch zu einem Unternehmen überregionalen Ausmaßes mit internationaler Bedeutung. Das Tauchteam, aus Experten der Westküste Australiens rekrutiert, wurde mit Spezialisten des Heeres und der Marine ergänzt. Zusätzlich half das australische Militär mit geeigneten Bergungsschiffen aus, die die Arbeiten am Riff erleichterten.

Kurz bevor die aufwendige Expedition ihre Arbeit unter Wasser aufnahm, bewaffneten sich Dr. Naoom Haimson, George Brenzi, Hugh Edwards mit Schaufeln und Hacken. Man suchte nach Zeugen aus der BATAVIA-Zeit an Land. Pop Marten hatte auf Beacon Island zufällig Menschenknochen gefunden, die einem unbekannten Fischer zugeordnet wurden. Jetzt, drei Jahre später, stand außer Frage, daß Pop auf einen Ermordeten des Retourschiffes gestoßen war. Das Massaker jener Zeit ließ weitere Spuren auf Beacon Island vermuten.

Es dauerte auch nicht lange, bis George, Hugh und Naoom die richtige Stelle entdeckten, dort gruben und in 40 Zentimeter Tiefe auf das komplett erhaltene Skelett eines jungen Mannes stießen.

»Der ist ermordet worden!« stellte Dr. Haimson mit Kennerblick fest und die anderen schauten beklommen in die Grube.

Den Männern schauderte, denn sie spürten: Auf Beacon Island war der Tod allgegenwärtig.

Nicht ohne Stolz präsentierte Dr. Haimson dann im August 1963 das vollständige Gerippe der Öffentlichkeit. Deutlich sichtbar war der Hieb mit dem Schwert, der ein Stück Knochen aus dem Kopf gebrochen hatte. Andere typische Verletzungen und das Alter des Toten bestärkten die Vermutung, daß es sich um den Mörder Andries de Vries handelte. Der Buchhalter war bei Cornelisz in Ungnade gefallen, dann selbst auf der Flucht erschlagen worden. Auch de Vries ist im Museum von Fremantle zu besichtigen. In einer nachempfundenen Grube liegt er da, so wie er gefunden wurde, den Rachen weit aufgerissen, als wolle er einen Schrei der Verzweiflung in die Halle brüllen.

Am Riff liefen die Tauchgänge an. Untiefen, Brandung und Riffnähe, Haie, kabbelige See und widrige Winde machten die Arbeiten unter Wasser, aber auch auf den Arbeitsbooten zu einem gefährlichen Unternehmen. Es wurden Kanonenkugeln, Pulverkartuschen, Behältnisse aller Art und ausgezeichnet erhaltene Bronzekanonen geborgen. Insgesamt fanden die Taucher 25 Geschütze, fünf bestanden aus Bronze, deren Oberflächen kunstvolle Gravuren aufwiesen. Sie trugen das Siegel der Admiralität von Rotterdam und die Prägung »1603« als Gußdatum. Großes Interesse erweckten auch Krüge, Geschirr, Kerzenhalter, Silberbestecke, dann ein Astrolabium, mehrere Anker und die Schiffsglocke der Batavia.

Über das Astrolabium ist die Stadtverwaltung Geraldtons besonders froh. Dabei ist der halbrunde Kupfergegenstand nicht sonderlich attraktiv. Er mißt 35 Zentimeter im Durchmesser und erinnert an einen großen Winkelmesser. Nicht das Äußere ist von so außergewöhnlicher Bedeutung, es sind der ideelle und der Seltenheitswert. Nur wenige Exemplare gibt es in den Museen der Welt, und noch weniger sind so gut erhalten wie das Astrolabium der Batavia. Skipper Ariaen Jacobsz hat damit den Kurs bestimmt. Hat dieses Gerät ins

Labyrinth der Abrolhos geführt und das Schiff nicht mehr hinausgelassen? Wir wissen es nicht.

Mit Sicherheit hatte der Kapitän zwei oder drei dieser Geräte an Bord gehabt. Im Grunde ließ sich der Kurs mit einem solchen Navigationsmittel nur grob bestimmen. Dennoch war es auf großer Fahrt unentbehrlich. Und die Funktion des Astrolabiums (griechisch »Sternerfasser«)? In das Gehäuse wurden ein oder mehrere Scheiben (Tympanone) mit der stereographischen Projektion der Himmelskreise des äquatorialen und horizontalen Koordinatensystems für je eine geographische Breite eingeschoben. Darüber befand sich ein drehbares Netz, das in gleicher Projektion den Tierkreis darstellte und durch Zacken die Positionen wichtiger Fixsterne markierte. Eine Drehung des Netzes, bis die Zacken, die die beobachteten Sternpositionen auf der Einlegescheibe einnahmen, erlaubte, auf einer Skala am Gehäuserand die jeweilige Nachtzeit abzulesen. Umgekehrt konnten für eine beliebig gewählte Zeit Positionen, Auf- und Untergänge von Gestirnen abgelesen werden. Eine Visiereinrichtung diente der Höhenbestimmung von Gestirnen.

In der Seefahrt war das Astrolabium der Vorläufer des Davisquadranten. Der wiederum wurde vom Sextanten abgelöst. Der Navigator bestimmte mit einfachen Astrolabien, die einem Winkelmesser glichen, den Winkel der Sonne oder eines Sterns zum Horizont, um so näherungsweise die geographische Breite zu ermitteln.

Bei allen Wracktauchern schwingt der Wunsch mit, im Bauch untergegangener Schiffe auf Tresore oder Truhen voller Schätze zu stoßen. Warum sollte es beim BATAVIA-Tauchteam anders sein? Jeder wußte von einer Schatzkiste mit 8000 Silbertalern, die Pelsaert zurücklassen mußte, da sie vermutlich von schweren Eisenteilen eingeklemmt worden war.

Seine Taucher, zwei Holländer und vier eingeborene Perlentaucher, waren nicht in der Lage, derart schwere Gegenstände zu bewegen. Hugh Edwards und seine Kollegen suchten jede Korallennische ab, schauten unter schwere Wrackteile, konnten jedoch nichts entdecken, was auf eine Schatztruhe oder Talerkiste hinwies.

»In Sachen Münzen sollten wir nicht zu optimistisch sein«, bemerkte Hugh, »wahrscheinlich ist die Kiste längst geborsten und der Inhalt im Sand verschwunden.«

Doch um 8000 Silberstücke zu finden war es der Mühe wert, Pelsaerts Aufzeichnungen Wort für Wort durchzugehen:

»12.Oktober. Kurz vor Mittag war das Wetter etwas ruhiger und die See im Begriff sich zu mäßigen. Ich bin mit den Tauchern zum Riff zurückgekehrt. Sie bargen 75 Reales in einzelnen Münzen, die aus einer Truhe gefallen waren. Schließlich fanden sie noch eine andere Talerkiste, auf der jedoch ein Kanonenteil lag. Plötzlich aufkommender Wind und dazu die kabbelige See machten es notwendig, daß wir das Wrack schweren Herzens verließen.«

Der Kommandeur hatte beabsichtigt, die Truhe im Laufe der nächsten Tage zu heben, doch die Taucher konnten sie nicht mehr orten. Hinzu kam, daß Skipper Jacob Jacobsz samt Seeleuten und der größeren Schaluppe in einer Böe auf Nimmerwiedersehen verlorengingen.

In Batavia vergaß man jedoch den Silberschatz nicht so rasch. Als Pelsaerts Widersacher Antonio van Diemen General-Gouverneur wurde, entsandte er Abel Tasman mit drei Schiffen auf eine zweite See-Expedition an Australiens Küste. Tasman entdeckte 1642 Neuseeland und Vandiemensland (Tasmanien). Tasmans Marschbefehl lautete auch: »Bleiben Sie weiter auf Kurs um die Küste von d'Eendrachts Land (Australien), bis die Houtman's Abrolhos erreicht werden. Dort ankern Sie an einem ruhigen Platz und unternehmen alle Anstrengungen, eine Truhe mit 8000 Silberstücken zu bergen, die 1629 mit der BATAVIA verlorenging...«

Der berühmte Seefahrer hatte die Abrolhos nie zu Gesicht bekommen. Also mußte das Silber immer noch am Riff ruhen. So war es auch. Auf den nächsten Tauchgängen wurden eine Menge Taler geborgen. Keine Schatzkiste, aber immerhin spürte man allein Hunderte der Münzen unter vier Kanonen im Zentrum des Wracks auf. Insgesamt kam die Ausbeute auf über 9000 unterschiedlich wertvolle Stücke. Die Sammlung gilt als bedeutend, weil sie einen Ausschnitt des in Europa kursierenden Geldes widerspiegelt: Taler aus Bayern, Österreich und vielen deutschen Städten, holländische Dukaten, spanische Silberlinge, englische Schillinge... um nur einige Sorten zu nennen.

Dr. Green und sein Team koordinierten die Verteilung der wertvollen Exponate. In den Vitrinen der Museen von Fremantle und Geraldton sind die meisten Münzen untergebracht. Max Cramer wurde für seine Verdienste ebenfalls eine kleine Kollektion bewilligt. Die Marine erhielt Münzen und eine gut erhaltene Bronzekanone für ihren Leeuwin-Parade-Park.

Es war schon eine Überraschung, als ich in Geraldton das kleine Museum in der Chapman Road besuchte und dort Taler mit dem Abbild der Hammaburg entdeckte. Beim näheren Hinsehen handelte es sich tatsächlich um Silberstücke Hamburgs von 1620. Auf einer Münze las ich: »Moneta Nova Civitatis Hamburgensis« (Neues Geld der Stadt Hamburg). Es war also auch Geld der Hanseaten an der BATAVIA-Mission beteiligt.

Es dauerte nicht lange, da meldete sich Henrietta Drake-Brockman. Hugh mußte sein Versprechen, »der betagten Dame das Wrack auf dem Meeresgrund zeigen«, wahrmachen. Sie hatte sich am intensivsten mit der BATAVIA beschäftigt, hatte den Tauchern die richtige Fährte gewiesen und damit Anspruch darauf, vor Ort zu sein. Einwände wegen ihres Alters oder der fehlenden Tauchkenntnisse halfen nichts. Sie bestand darauf, das Thema ihres Schaffens als Autorin persönlich in Augenschein zu nehmen. Tauchte ab – und wohlbehalten und hochzufrieden wieder auf. Ihr zu Ehren wurden ein Arbeitsboot und einer der BATAVIA-Anker »Henrietta« getauft. Frau Drake-Brockman starb 1973 in Perth. An der Bergung »ihrer« BATAVIA hatte sie bis zu ihrem Tod regen Anteil.

Die Spurensuche zu Land und die Aktionen zu Wasser dauerten bis 1973. Fast 55 Millionen australische Dollar mußten aufgewendet werden. Auf »BATAVIAS Friedhof« wurden fünf Skelette exhumiert, und auf West-Wallabi vermaß man Steinwälle, Unterstände und aus Korallenblöcken geschaffene Behausungen, die Wiebbe Hayes zur Verteidigung gegen Cornelisz Mordgesindel hatte bauen lassen.

Max, Hugh und Naoom vermaßen auf Beacon Island Reste einer Steinbehausung. Es handelte sich um die Zelle, in der Cornelisz, an Armen und Beinen in Eisen gelegt, die letzten Stunden seines verpfuschten Lebens verbracht hatte. Aus diesem Inselkerker schickte er seine Flüche und Verwünschungen oder winselte um Gnade in der Hoffnung, einen Aufschub des Todesurteils zu erreichen.

Neben der Errichtung des vollständigen Sandsteintors verschlangen die Hebung des Heckspiegels und eines Rumpfteils der BATAVIA den Löwenanteil des Bergungsbudgets. Unter Wasser mußten die Eichenholzspanten vorsichtig von Korallen befreit, dann von Tauchern mit Hilfe von wasserdichten Kettensägen in transportable Stücke zerlegt, numeriert und gehoben werden. Es grenzt an ein Wunder, daß ein ziemlich großes Heck- und Rumpfteil unversehrt blieben. Die BATAVIA war von Korallenstöcken leckgeschlagen worden und dann allmählich in tiefere Regionen abgeglitten. Der vorbildlich gestaute Ballast aus Sandsteinquadern und Ziegeln hatte dazu beigetragen, daß Spiegel und Rumpfpartie trotz zerrender und stoßender Grundseen wie angenagelt liegenblieben. Das Meer vermochte die BATAVIA auch in mehr als 300 Jahren nicht zu zermalmen.

An Land wurden die Spantenteile zwischengelagert, um sie dann 472 km nach Süden, nach Fremantle, zu verfrachten. Dort setzte die mühevolle Arbeit des Konservierens ein. Trocknet über viele Jahre hindurch in Salzwasser lagerndes Holz aus, so reißt und bricht es; es kann sogar in kleine Späne zerfallen. Austretendes Wasser muß durch eine andere Substanz ersetzt werden, um das Gefüge des Eichenholzes zu erhalten. Restaurateure verwenden dafür Polyethylenglykol, eine Art wasserlösliches Wachs. Der Stoffaustausch zieht sich über Jahre hin und findet in eigens hergestellten Tanks statt. Bei konstanter Temperatur können die so präparierten Segmente endlich originalgetreu zusammengesetzt werden. Ein aufwendiges Puzzle, bei dem Edelstahlbolzen durch die vorhandenen Bohrungen getrieben wurden. Um die Bauart im Ursprung zu erhalten, durfte kein zusätzliches Loch gebohrt werden.

BATAVIA-Rumpfteil und Säulentor (Waterpoort) bilden echte Besonderheiten des maritimen Museums. Andächtig verweilt der Besucher im BATAVIA-Saal. Zwischen Vitrinen, angefüllt mit Tonwaren, Porzellan, Silbermünzen, und vis-à-vis beim Anblick von schweren Kanonen, einem fein ausgearbeiteten BATAVIA-Schiffsmodell und der mächtigen Bordwand des Originals vermag man die Kosten und die Mühe abzuschätzen, die eine solche Bergung mit sich brachte. Selbst der mit dem BATAVIA-Schicksal weniger Vertraute spürt die mystisch-morbide Atmosphäre, die die BATAVIA allzeit umgab. Spätestens, wenn der Betrachter das Skelett des jungen Andries de Vries entdeckt hat und sich über die Knochen beugt, um festzustellen, wie heftig das Schwert seines Mörders den Schädel verletzte, spätestens dann fühlt er den bösen Geist des Jeronimus Cornelisz. Von schauriger Intensität ist der abgewinkelte Totenkopf mit dem klaffenden Kiefer, noch heute scheint er »Mörder, Mörder!« in den Saal zu brüllen.

Von Gänsehaut befallen, wandte ich mich bei meinem Besuch ab, begab mich an die Stirnseite des Batavia-Saals, stand vor dem mächtigen Säulenportal, klein, staunend, wie ein Mikromane. Über zehn Meter hoch erhebt sich das Doppeltor. Genickstarre bekommt, wer den satteldachförmigen Abschluß des Portals länger betrachten möchte.

Welch schicksalhaftes Ereignis: General-Gouverneur Jan Pieterszoon Coen, »der Furchtlose«, hatte die Lieferung der Quader bei den hohen »Herren XVII« der V.O.C. durchgesetzt. Er hatte für die Zitadelle Batavias einen repräsentativen Eingang verlangt. Was er niemals zu Gesicht bekam, kann nun die Nachwelt in einem anderen Erdteil bewundern. Kommandeur Francisco Pelsaert machte es unfreiwillig möglich – sich zum Kummer, uns zur Erbauung…

Nachdenklich verließ ich den kühlen, konstant klimatisierten Saal, der so viel holländisch-ostindische Seegeschichte barg. Die Taucher hatten vor der Küste hervorragende Arbeit geleistet. Ohne den Entdeckerwillen von Max und Hugh und ihrem unerschütterlichen Glauben an den Erfolg, ohne ihren wagemutigen Einsatz in Riff und Brandung wäre die Batavia der See nicht entrissen worden. Aber auch Henrietta Drake-Brockman darf nicht vergessen werden. Wäre sie nicht so hartnäckig gewesen, vielleicht würden wir die Batavia immer noch in den südlichen Abrolhos vermuten, und sie wäre weiter unentdeckt geblieben.

Es entspricht der Bescheidenheit von Tauchern, die ihr Können und ihre Erfahrung der Allgemeinheit zur Verfügung stellen, wenn Hugh Edwards nach getaner Arbeit schrieb: »An Land besteht jetzt die Aufgabe, ein maritimes Museum einzurichten, um den Menschen die Schätze des Schiffes zu zeigen, um sie teilhaben zu lassen an unserem Tauchabenteuer Batavia, ohne daß sie nasse Füße bekommen oder von Haien gefressen werden. Für uns wird es ein neues Wrack an einem anderen Riff geben… irgendwo sicherlich.«

3. Ans Herz
der BATAVIA-Küste

Sauber, ruhig, ordentlich, etwas langweilig, so war mein erster Eindruck von Perth mit seiner Hafenstadt Fremantle, am Swan River gelegen. Ich war auf der Durchreise, hatte gerade im Western Australian Maritime Museum seehistorische Luft inhaliert, um nun vor Ort die Spuren der BATAVIA-Story aufzunehmen. Der Besuch des Gebäudes von 1850, einst als Lagerhaus konzipiert, dann viele Jahre später zum Museum umgebaut, sollte als Ausgangspunkt für mein Seeabenteuer gelten. Die BATAVIA-Exponate des Hauses in der Marine Terrace wirkten wie ein Magnet und beflügelten den Geist.

Ich schlenderte hinüber zum Success Harbour, betrachtete die vielen wie an einer Perlenschnur aufgereihten Segelboote und schmukken Jachten. Der Wind ließ die Rümpfe tänzeln, die Wimpel knattern. Alles hatte seinen Platz und seine Ordnung im Fremantle Sailing Club. Während ich die Ruhe, die Sonne, die würzige Seeluft genoß, verfiel ich ins Träumen: Westaustralien, einsame Strände, rauschende Brandung, karges, dünn besiedeltes Hinterland. Unerschrockene Seefahrer kamen mir in den Sinn. Kapitäne, die ihr Leben aufs Spiel setzten, um bekannte Horizonte zu durchstoßen, neue aufzutun. Ich mußte an Schiffsfriedhöfe draußen vor dieser Küste denken. An all das Leid und die Hoffnung, die der Ozean verursachte und zerstörte. Ich dachte an einsame, angstvolle Nächte auf See, dann an das flimmernde Kreuz des Südens.

Unruhe ergriff von mir Besitz. Ich wollte die kostbare Zeit nutzen, die mir für mein Vorhaben zur Verfügung stand. Die Küste hinauf sollte es gehen, bis Geraldton. Dann auf dem Seeweg zu den Abrolhos, von dort ein Stück durch den Indischen Ozean nach Java. Ich wollte dem Törn Francisco Pelsaerts folgen, bis in den alten Hafen von Jakarta hinein, und erleben, ob es noch Zeugen aus der Zeit BATAVIAS im modernen Jakarta gab. Ich wollte den Aufbruch und Un-

Unweit vom heutigen Kalbarri setzte Kommandeur Pelsaert 1629 zwei Häftlinge aus. Sie zählen zu den ersten Europäern in Australien. Ein Gedenkstein erinnert an die Begebenheit.

tergang der Compagnie einfangen, mir Sultane im Freiheitskampf gegen die Holländer vorstellen können. Die großen Kulturstätten Prambanan und Borobudur erleben, ich wollte…

»Entschuldigen Sie, Sir«, sprach mich ein Unbekannter plötzlich von der Seite an und riß mich aus meinen Gedanken, »hab' Sie im BATAVIA-Saal beobachtet.«

»Ja, und?«

»Na, so wie Sie sich die Dinge besahen! Beschäftigen Sie sich mit der Geschichte?«

»Kann man sagen«, bestätigte ich bereitwillig.

»Jim O'Byrne«, stellte sich der Mann vor, mit Vollbart, Wuschelkopf und runder Brille. Typ zerstreuter College-Professor, um die Fünfzig.

»Ich gehöre zum Mitarbeiterstab des Museums, war damals bei der Bergung am Riff dabei. Dachte, ich könnt' Ihnen vielleicht die eine oder andere Information geben – oder selbst etwas aus Übersee erfahren. Sind Sie Holländer?«

Ich bedauerte. Sagte, daß ich an Informationen von Beteiligten interessiert und für die BATAVIA-Story eigens aus Deutschland gekommen sei.

»In Europa hat die Geschichte keinen großen Stellenwert«, sagte Jim, »hab' in Amsterdam Kollegen gesprochen, die kannten sie kaum. Und Pelsaert scheinen die Historiker zu verdrängen.«

Jim machte eine Pause und erklärte: »Für uns Australier an der Westküste ist das BATAVIA-Schicksal bedeutend wie ein griechisches Heldenepos. Jedes Kind hat davon gehört.«

»Das Interesse ist gestiegen«, sagte ich, »das hängt mit der Initiative eines gewissen Vos zusammen.«

»Willem Vos, natürlich, der hatte mit uns Kontakt. Ein starker Typ. Hab' gehört, daß der Nachbau fertig ist. Sollte uns mal auf eigenem Kiel besuchen.«

»Würde vieles geben, auf den Planken zu stehen und mitzusegeln. Doch das wird noch einige Zeit dauern.«

»Zur 200-Jahrfeier schenkten uns die Holländer einen Nachbau der BATAVIA-Schaluppe, mit der Pelsaert nach Java segelte. Davon gehört?«

»Ja, das Boot wurde in Lelystad gebaut, wo auch die BATAVIA auf Kiel gelegt wurde.«

»Wir segelten über den Swan River dem offenen Meer zu. Ein herrliches Bild, wie das Langboot vor der Silhouette von Perth dahinglitt... und ein erhebendes Gefühl. 1970 hatten wir gerade wichtige Teile der BATAVIA geborgen und konnten sie behalten.«

»Was heißt behalten?« fragte ich nach.

»Nun, dazu bedurfte es einer Zustimmung. 1963 übertrug die niederländische Regierung der hiesigen alle Rechte über holländische Wracks in australischen Gewässern. Damit machte das Bergen richtig Spaß.« Jim hatte einen verklärten Gesichtsausdruck, als erinnerte er sich an eine verflossene Liebe.

»Aus welcher Ecke Deutschlands kommen Sie?« fragte er.

Ich sagte es ihm.

»Wenn's Ihre Zeit erlaubt, kommen Sie mit auf mein Boot. Ich zeige Ihnen etwas.«

Wir schritten über den Hauptsteg und bogen am Ende rechts ab auf einen Seitenschwimmer.

Nun sprang er auf einen der nächsten Gaffelkutter. Ein Oldtimer, liebevoll gepflegt.

»My home is my ship«, sagte er und bat mich nachzuspringen.

Im geräumigen Bootskörper kam ich aus dem Staunen nicht heraus. In Nischen, an den Wänden, von der Decke hängend, überall Relikte von alten Schiffen. Wrackbeute? Diebesgut? Ich erkannte Gefäße, eine Schiffsglocke, einen pausbackigen Engel als Kerzendekoration, Besteck, Teller und Vasen. In einer Ecke hing ein Astrolabium.

»Von der BATAVIA?« fragte ich.

»Alles aus meinem Lieblingswrack«, sagte Jim und grinste breit, »natürlich nur Repliken.«

Er führte mich an einen mit herrlichen Münzen bestückten Gläserschrank, griff hinein und fand zielsicher einen bestimmten Taler, den er mir in die Hand drückte.

»Nehmen Sie den als Erinnerung von BATAVIA-Fan zu BATAVIA-Fan.«

Ich war gerührt und mochte das Geschenk nicht annehmen. Er winkte ab.

»Keine Ursache, er sieht wertvoller aus, als er es ist.«

In meiner Hand lag die Replik des Talers der Stadt Hamburg von 1620 aus dem Wrack der BATAVIA. Jim O'Byrne bemerkte meine Freude. Wir gingen zusammen essen. Dann mußte ich aufbrechen. Es sollte mit dem Wagen auf dem Great Northern Highway die Küste hinaufgehen – der Taler verpflichtete.

Ich verließ die alte Hafenstraße, gesäumt von holländischen Giebeln und Arkaden im gotischen Stil. Viele Häuser der 1829 gegründeten Siedlung Fremantle wurden von Sträflingen gebaut. Sträflinge, die im Fremantle Gaol einsaßen, dessen trutzige Mauern sie selbst aus Kalksteinquadern errichten mußten. Noch heute befindet sich hinter dem düsteren Tor ein Gefängnis und gleich daneben eine Ausstellung, in der sich die Freigänger informieren können, wie ungleich härter es ihre Kollegen doch im 19. Jahrhundert traf.

Noch ein letzter Blick über den Hafen. Träge floß der Swan River am Victoria Quay vorbei, umspülte den Stahlleib der KRUZENSHTERN. Die Russen übernahmen die einstige PADUA nach dem Krieg und schickten sie als Schulschiff unter neuem Namen auf die Weltmeere.

Die Viermastbark stattete Fremantle gerade einen kurzen Besuch ab. Der Blaue Peter flatterte schon am Mast. Auf dem Goodwill-Programm zum 300sten Geburtstag der russischen Marine standen noch andere Hafenstädte.

Perth umfuhr ich östlich in einem weiten Bogen. Von der Hauptstadt des größten Bundesstaates West-Australiens sah ich nur die Silhouette der bizarren Hochhäuser aus Stahl und Spiegelglas. Die 1,2 Millionen Einwohner hatten sich eine futuristische Skyline gebaut – und mittlerweile die fünftgrößte Stadt Australiens.

»In der Ruhe liegt die Kraft«, das traf für Perth und seinen Hafen Fremantle im besonderen Maße zu. Nach dem Zweiten Weltkrieg, als in den Hamersley und Darling Ranges Eisenerz und Bauxit gefunden wurden, entwickelte sich der Ort zur modernen Großstadt. Der Trend hält an. Perth expandiert von allen Städten des Kontinents am stärksten. Und wie träge hatte alles begonnen!

Willem de Vlamingh, ein Holländer, kam 1696 als erster Europäer an den Swan River. Er nannte ihn der vielen schwarzen Schwäne wegen so. Dem unwirtlichen Küstenstreifen konnte er nichts abgewinnen und verließ ihn rasch wieder. Erst über 100 Jahre später zeigten die Briten an der Westküste Neu-Hollands Interesse, nachdem Kapitän James Stirling in einem vielversprechenden Report über fruchtbaren Boden und geschützte Ankerplätze am Schwanen-Fluß berichtet hatte.

Plötzlich war Eile geboten. Gerüchten nach waren die Franzosen am westlichen Teil Australiens interessiert. London mußte dem Konkurrenten zuvorkommen und entsandte im Mai 1829 Kapitän Charles Fremantle, der das Land für die britische Krone in Besitz nahm. An der Flußmündung wurde zwei Jahre später der Ort Heirisson gegründet, den James Stirling als erster Gouverneur verwaltete. Stirling störten jedoch die umherschweifenden Ureinwohner. Er war der Ansicht, daß sie die Entwicklung der Region hemmten, ihr gar schadeten. Kurzerhand ließ er mehrere Sippen im heutigen Vorort Pinjarra umbringen. Doch die Säuberungsaktion brachte keinen Aufschwung. Heirisson vegetierte bis Ende des 19. Jahrhunderts bedeutungslos dahin.

Bei den Aborigines war der Vorfall aber nie in Vergessenheit geraten. Im Gegenteil. Zusammen mit vielen anderen Missetaten an ihrem Volk hatte er eine tiefe Abneigung gegen die weißen Eindringlinge hervorgerufen.

An den Ufern des Swan Rivers erstreckte sich das Gebiet des Whadjuk-Stammes. Archäologen fanden deren Siedlungsspuren und Werkzeuge, die über 10000 Jahre alt sind. Die Geschichte der Whadjuk wird auf mindestens 20000 Jahre geschätzt.

Heirisson, inzwischen in »Perth«, nach einer kleinen Stadt in Schottland umbenannt worden, erhielt nun Siedlerkontingente aus dem Mutterland, doch den wirklichen Aufschwung brachte erst der Goldrausch von Coolgardie und Kalgoorlie...

Schließlich entzogen sich die höchsten Hochhäuser, dann auch der Tower des internationalen Flughafens meinem Blick. Mich umgaben sanfte Hügel, bewachsen mit hartem, sonnenverbranntem Gras. Schafe und Rinderherden standen unschlüssig in der Mittagshitze. Einige Tiere hatten sich abgesondert und unter schattenspendenden Eukalyptus begeben. Sie glotzten wiederkäuend den wenigen Autos nach, die auf dem Highway an ihnen vorbeibrausten. Ich beschleunigte das Tempo. Mein Ziel, das »Herz der BATAVIA-Küste« mit Geraldton und Kalbarri, lag rund 450 Kilometer weiter nördlich.

Die Küste des Indischen Ozeans verläuft westlich der Überlandstraße. Eine Stichstraße führt zum Fischerort Cervantes im Nambung Nationalpark, der wegen seiner »Pinnacle Wüste« berühmt ist. Auf roten, weißen und gelben Sanddünen wandert der Besucher zwischen Hunderten von windgeschliffenen Kalksandsteinspitzen, die die Form von bizarren Säulen, Obelisken oder monumentalen Termitenhügeln haben. Es gibt eine Erklärung für das einzigartige Landschaftsbild: Im Regenwasser enthaltene Chemikalien drangen in tote Wurzelkanäle ein. So entstand ein kristallines Röhrenwerk aus Kalkstein, das sich allmählich verdickte und wuchs, ähnlich der Entstehung von Stalagmiten. Die Feile sandschwangerer Winde legte die jetzigen Gebilde im Laufe von 30000 Jahren frei. In Urzeiten stand hier ein Wald, dessen Bäume zu steinernen Ruinen wurden, die an den Zerfall einer antiken Stadt erinnern.

Über eine andere Straße ist Leeman zu erreichen. Den Namen verdankt der Ort einem holländischen Seemann dieses Namens. Er wurde 1656 ausgeschickt, Überlebende des Wracks VERGULDE DRAECK zu retten, die es an die Küste verschlagen hatte. Aus mysteriösen Gründen wurde Leeman selbst an der Küste ausgesetzt. In einem offenen Boot kämpfte er sich allein nach Indonesien durch.

Vor der Küste dehnt sich der Schiffsfriedhof aus, je weiter ich mich der Stadt Geraldton nähere. Das hängt mit dem vorgelagerten Houtman-Abrolhos-Archipel zusammen. Er beginnt mit der Pelsaert-Gruppe etwas nördlich von Dongara und erstreckt sich rund 100 Kilometer hinauf bis zur Nord-Insel. Das tückische Seegebiet hat eine Tiefe von 30 Kilometern – was Gefahr für 3000 km^2 bedeutet.

In der heißen Jahreszeit droht Gefahr auch von Land her. Große Tafeln weisen auf die Buschbrandgefahr hin, verbieten offenes Feuer, das Autofahren abseits der befestigten Straßen, das Wegwerfen von Kippen. Der Zeiger einer Gefahrenskala zeigte auf Rot. Vor dem östlichen Horizont stand eine tiefschwarze Rauchwolke.

In der Abenddämmerung tauchte Geraldton auf. Erst sah ich die riesigen Öl-Tank-Batterien von BP, dann monströse Weizensilos, Fishermans Wharf mit seinen PS-starken Langusten-Fangschiffen, schließlich folgte der Jachthafen. Ich gelangte in die Marine Terrace, die von weißen Gebäuden der Gründerzeit flankiert wurde. Der Ort, eine Mischung aus alt und neu, Wirtschaft und Freizeit, entstand 1849. Wäre da nicht der seegeschichtliche Hintergrund, wer würde sich nach Geraldton verirren außer Fels-Hummer-Fischern, Getreide- und Viehzuchtfarmern? Die Stadt bemüht sich um Touristen und nennt sich »Sun City«. Doch mangels besonderer Sehenswürdigkeiten kommen sie nur spärlich. Jenseits des Chapman Rivers wird eine Feriensiedlung zaghaft erweitert. Sie reicht an eine mächtige Wanderdüne heran. Einige Bungalows haben direkten Zugang zum tangverfilzten Strand des Indischen Ozeans.

Kapitän Phillip Parker King war der erste Besucher dieses trostlosen Küstenabschnitts. 1839 kenterte das Schiff Leutnant Greys mit 12 Männern in der Gantheaume Bay. Den 450 km langen Weg nach Perth mußten sie zu Fuß bewältigen. Ein Jahr später wurde die Gegend von Offizieren der *H. M. S.* BEAGLE vermessen. Die Bezeichnung einiger Abrolhos-Inseln führte bis 1963 zu Verwirrungen.

Die Stadt war entstanden, weil die Bleimine »Geraldine« am Murchison River einen Exporthafen brauchte. Später bildete sich hier ein Eisenbahnknotenpunkt, der Züge zwischen Northampton – Geraldton, sowie Midland und Walkaway verkehren ließ. Das alte Bahnhofsgebäude ist heute ein Heimatmuseum. Es berichtet über die Pflanzen- und Tierwelt der Region und die Geschichte seiner Bewohner und Eingeborenen. Man erfährt etwas über die frühen Siedler: irische Bauern, Bergleute aus Cornwall, afghanische Kameltreiber und chinesische Händler.

Langsam ließ ich meinen Wagen am Bahnhof vorbeirollen. Mit Scheinwerfern illuminiert, wirkte das filigrane Gebäude fast märchenhaft, wie über und über mit Zuckerguß geweißt. Ich wollte weiter, an die Wurzeln europäischer Geschichte in Australien – nach Kalbarri.

Bald hatte mich wieder die Einsamkeit des nächtlichen Highways aufgenommen. Jetzt hieß es aufgepaßt: Augenpaare leuchteten wie glühende Kohlen im Scheinwerferlicht, dann machten geblendete Känguruhs mächtige Sätze über die Straße. Döst der Fahrer auf der schnurgeraden verkehrsarmen Straße, kommt es zu häßlichen Unfällen.

Je einsamer die Straßen, desto stärker muß auf ungewöhnliche Verkehrsteilnehmer geachtet werden. Neben Känguruhs zeigen sich bisweilen Wüstenschiffe. Viele Australier wissen nicht, daß in ihrem Land 120000 Dromedare leben. Und die kamen auf seltsame Weise in den fünften Erdteil: 1861 kaufte ein irischer Kavallerieoffizier einem Wanderzirkus einige Tiere ab. Er wollte mit den genügsamen Vierbeinern das wüstenhafte Landesinnere erkunden. Die Menschen der Expedition verdursteten, doch die Dromedare bewährten sich. Sie überlebten, vermehrten sich sogar beachtlich. Afghanische Händler brachten weitere Wüstenschiffe nach Australien. Als das Auto die Tiere ersetzte, jagten die Besitzer sie im wahrsten Sinne des Wortes in die Wüste, wo sie prächtig gediehen: in wildlebenden Herden, als Reittiere für Touristen und als Laufdromedare für regelmäßig stattfindende Wettrennen.

120 Kilometer nördlich von Geraldton bog ich ab in Richtung Küste. Die Seitenstraße führte quer durch den Kalbarri-Nationalpark, der von den wildromantischen Schluchten des Murchison Flusses bestimmt wurde. Ich schlief im Wagen, um gleich bei Sonnenaufgang Landschaft, Natur- und Pflanzenwelt genießen zu können.

Der Murchison entspringt nahe Peak Hill, 80 Kilometer nördlich von Meekatharra. Auf seinem Weg zum Ozean frißt er sich mäandernd durch mächtige Sandsteinformationen, die die Erdkruste dieser Region vor zwei Millionen Jahren hochgeschoben hat. Von Menschen verschonte Cañons und Hochebenen beherbergen Känguruhs, Felswallabies, den Emu und manch andere endemische Tierarten. Auch die Flora ist von großer Vielfalt: Känguruhpfote, Grevilleas, Zypressen, Eukalypten und Akazien. Kurz vor Kalbarri öffnet sich die Schlucht, der Fluß gräbt sich jetzt durch offenes Sumpfland, bildet Sandbänke, beschreibt ein Knie, um sich an Kalbarri vorbei cremefarben dem Meer zu ergießen.

Kalbarri ist eines der beliebtesten Ferienörtchen West-Australiens. Schwimmen, segeln, fischen, wandern, klettern sind nur einige Aktivitäten.

Kaum hat man den Ort in Richtung Süden verlassen, führt der weiße Strand an eine Buntsandsteinverwerfung, die eine grandiose Steilküste bildet. An ihr bricht sich 30 Meter tiefer der tintenblaue Ozean und schleudert donnernd weiße Gischt himmelwärts. Red Bluff, Eagle Gorge, Island Rock, Natural Bridge, das sind Aussichtspunkte, an denen man der Schöpfung nahe ist.

Ich war nicht nur der Naturschönheiten wegen nach Kalbarri gekommen. Wollte vielmehr die Stelle finden, an der Francisco Pelsaert den Soldaten Wouter Loos und Kabinensteward Jan Pelgrom de Bye im November 1629 ausgesetzt hatte. Zwei Todeskandidaten, denen der Kommandeur eine Chance gab, als erste Europäer* diesen Teil Australiens zu erkunden.

Kurz bevor die Steilküste beginnt, befindet sich eine kleine, sandige, von dornigem Buschwerk umsäumte Bucht, das Wittecarra Inlet. Dort mündet auch ein Flüßchen. An dieser Stelle erinnert ein Steinhaufen mit eingelassener Messingtafel an die historische Begebenheit.

---

* Es mehren sich Zweifel, daß die Ausgesetzten tatsächlich die ersten Europäer waren, die australischen Boden für einige Zeit betraten. Der Holländer Dirk Hartog soll bereits 1616 an der heutigen Shark Bay angelandet sein. Und bereits 1606 ankerte Willem Jansz, ebenfalls ein holländischer Seefahrer, im Golf von Carpenteria, im Norden des heutigen Queensland. Ob Spanier und Portugiesen, denen die Küste »Terra Australis Incognita« auch nicht unbekannt war, jemals im 16. Jahrhundert an Land gingen, ist allerdings ungewiß.

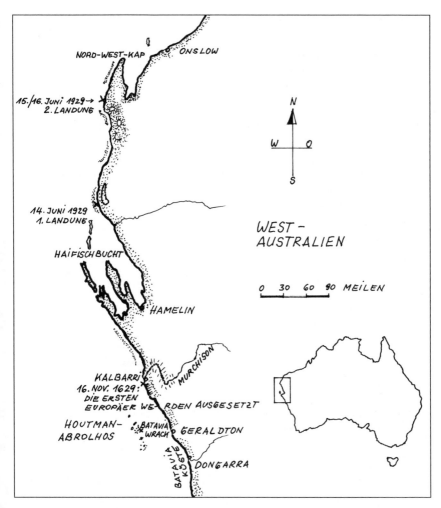

Küstenabschnitt, an dem Pelsaert zwischen Juni und November 1629 segelte

Ich erreichte den Ort kurz vor Sonnenuntergang. Pelsaert hatte die beiden Holländer an einem Vormittag hier ausgesetzt. Die geschützte Bucht ließ sich zu jener Tageszeit mit dem flachen Beiboot der SARDAM ohne Schwierigkeiten ansteuern.

Die Szene konnte ich mir gut vorstellen: Das Boot gleitet durch seichtes Wasser dem Ufer zu. Zwei Matrosen springen über Bord und ziehen es auf den Strand, so daß der Kommandeur trockenen Fußes australischen Boden betreten kann. Zaghaft, mit ernsten Mienen, betreten Wouter und Jan das Festland. Glücklich, an Land zu sein, doch voller Furcht vor der ungewissen Zukunft in unwirtlicher Umgebung, unter wilden Menschen, womöglich kriegerischen Kannibalen? Nach wohlgemeinten Worten vom Kommandeur und der Überlassung eines Notproviants stößt das Boot wieder ab. Kein Winken, kein Lebewohl. Sie sind Verbrecher und wissen es. Hatten einem Dämon namens Jeronimus Cornelisz gedient, damit gegen die Gesetze der Compagnie verstoßen. Einsamkeit in der Verbannung war die Strafe. Vielleicht wäre der Tod am Galgen erträglicher gewesen? An der Küste dieses unerforschten Landes mochten 1000 Todesarten auf sie lauern.

Als die Sonne im Indischen Ozean versank, stand ich auf der Klippe Red Bluff und genoß das alltägliche und doch immer wieder ergreifende Drama eines scheidenden Tages. Hier, an dieser Stelle müssen sie gestanden haben, waren wie ich ergriffen von soviel Schönheit und Wildheit. Hatten übers Meer nach Westen in den Feuerball der Sonne geschaut, mit blutendem Herzen an die Heimat gedacht, die sie nie wiedersahen. Falls sie sich kein Boot bauten, um der Küste zu entfliehen. Falls sie nicht mit friedlichen Eingeborenen davonzogen. Wouter Loos und Jan Pelgrom hätten allabendlich an dieser Klippe gesessen, von Sehnsucht und Einsamkeit zermürbt und im Bewußtsein, daß ein Ort zum Sterben nicht schöner kann sein…

Wir wissen es nicht. Die beiden blieben für immer verschollen.

Die Kalbarri-Küste hütet noch andere Geheimnisse: Der holländische Steuermann Willem de Vlaming suchte verzweifelt nach Süßwasser. Näheres ist nicht bekannt. 1712 zerschellte die ZUYTDROPS der V.O.C. Das Schicksal der Reisenden liegt im dunkeln.

Mißglücktes Abenteuer

Er sah aus wie ein Goldgräber aus Pioneer Village am Rande der Gibson-Wüste: obligater Mattenbart, schwarzer Filzhut. Das bißchen Gesicht sonnengegerbt. Gekleidet in ein großkariertes Flanellhemd, das er lässig in seine Jeans gestopft hatte. An den Füßen befanden sich hochhackige Stiefeletten, niemand wünscht sich, damit getreten zu werden. Weit ausschreitend kam er durch die Tür vom »The Freo«, steuerte auf meinen Tisch zu, zog sich einen Stuhl unter den Hintern.

»Hey!«

»Hey, Jim – alles geregelt?«

»Wie man's nimmt. Das Ruder macht mir Sorgen.«

Jim Leask ist kein Digger, sondern Segler, Taucher, Abenteurer. Vor ein paar Monaten erwarb er in Geraldton eine Lizenz, um angeln und fischen zu können. Damals segelte er am liebsten zu den Abrolhos hinüber, um Langusten zu ernten. Ich lernte Jim vor zwei Jahren auf der anderen Seite, in Port Douglas, kennen. Wir machten schöne Tauchfahrten ans nahe Riff und entdeckten viele Gemeinsamkeiten. Zum Beispiel: die Freude daran, historische Seeabenteuer nachzuempfinden.

Wir verabredeten uns für Juni 1996 an der Westküste, in Geraldton, um dann mit seiner Schaluppe im Kielwasser von Francisco Pelsaerts Langboot von »BATAVIAS Friedhof« zu den Wallabis, die australische Küste hinauf bis zum North West Cape zu segeln. Vom Cape aus sollte es gut 900 Seemeilen durch den Indischen Ozean bis nach Java gehen. Die Insel wollten wir westlich umschiffen und drei Wochen später den alten Hafen von Jakarta erreichen. Ein zünftiger Törn. In drei Tagen war der Start geplant, und es sah aus, als würde das Vorhaben klappen. Hätte es nicht zwei Probleme gegeben: Jim war auf eigenem Kiel südlich um Australien gesegelt. Kaum hatte er die Große Australische Bucht passiert, war er in einen Sturm geraten, der seiner NEPTUN den Mast knickte und das Ruder demolierte. Beide Reparaturen schlugen ein Leck in seinen Geldbeutel, das immer noch nicht abgedichtet werden konnte. Der Defekt am Ruder hatte sich zu einer ernsten Angelegenheit entwickelt.

Für den Abend hatten wir uns im »The Freo« verabredet, um die letzten Vorbereitungen zu besprechen. Das »The Freo« in der Chapman Road war genau die richtige Bar für Planungen von Törns der Art, wie wir ihn unternehmen wollten. Am schier endlosen Mahagonitresen saßen verwegen anmutende Hochseefischer, die sich nicht unterhielten, sondern gestikulierend anbrüllten, um ihre Qualitäten als Fischer und Geschichtenerzähler ins rechte Licht zu rücken. Vor der Bar befanden sich Sitzgruppen. Im Rattangestühl rekelten sich Farmer aus dem Outback. Mit dem grauen Staub auf Gesicht und Kleidung wirkten sie wie Buschklepper, die seit Monaten kein Wasser gesehen haben. Dafür um so mehr Emu Draft, und das schütteten sie eimerweise in sich hinein – zur inneren Spülung.

Wir saßen etwas abseits an einem runden Tisch, der von Zimmerpalmen umrahmt war. Einige leere Flaschen Fremantle Bitter hatten sich bereits angesammelt. »The Freo« besaß Pionieratmosphäre. Hier saßen Leute, die etwas entdecken oder urbar machen wollten, ferne Horizonte ansteuern – zumindest kam man sich so vor. Für den Mut zu den Vorhaben, geplant oder erträumt, sorgte das australische Bier.

»Wie gefällt dir Geraldton?« fragte Jim nach einer Weile.

»Urig, eine Mischung aus Spießbürgertum und Abenteuerflair.«

»Irgendwie fühlt man Outback und Seeatmosphäre. Der Ort hat von beidem etwas, das macht ihn interessant.«

»Vergiß die Geschäftstüchtigkeit nicht. Hab' gehört, daß die Trawles 4000 Tonnen Lobster pro Saison umsetzen. Außerdem eine Menge Thunfisch.«

»Die Fischindustrie hält die Touristen von den Abrolhos fern, das soll was heißen. Will doch die Stadtverwaltung Geraldton zum Urlaubsort entwickeln. Der Archipel mit seinen Wracks und dem BATAVIA-Nimbus bietet ein attraktives Umfeld.«

Jim schob die Bierflaschen zur Seite, griff in die Brusttasche, zog eine Seekarte hervor, die er auf dem Tisch ausbreitete.

»In drei Tagen lege ich hier an.« Dabei zeigte er auf einen der vielen Stege einer fast dreieckigen Insel. Ich schaute näher hin und erkannte, daß es sich um die Ostseite von Beacon Island handelte.

»Okay, so war es abgemacht. Ich werde mir morgen die Inseln aus der Luft ansehen und dann mit einem Kutter ›BATAVIAS Friedhof‹ anlaufen.«

Jims Finger fuhr an Untiefen, Korallenbänken und Seals Island vorbei nach Nordwesten, zur Insel West-Wallabi.

»Da schauen wir uns die Reste von Wiebbe Hayes Uferbefestigung an, machen einen Inselrundgang, segeln nach Norden und werden Dirk Hartog vor der Shark Bay erreichen. Wie Pelsaert werden wir bei Point Cloates australisches Festland betreten, dann geht's über offenen Ozean bis Java.«

»An die Kambangan-Halbinsel und durch die Sunda-Straße bis Jakarta.«

»Genau. Vorsichtshalber werden wir Proviant und Wasser für acht Wochen aufnehmen.«

»Wie wird der Törn? Rauh?«

»Der Wind müßte meist aus Südwest kommen, das bringt uns gut voran. Wenn wir Pech haben, erleben wir einen Hurrikan. Die suchen bis Juni das Dreieck Java – Timor – Nordwest-Kap heim.«

Wir tranken noch zwei Brandys, besprachen Details zur Verpflegung. Schließlich malten wir uns die Zukunft in Indonesien in herrlichen Farben aus. Jim wollte etwa drei Monate in der Gegend von Jakarta bleiben, dann der Nordküste Javas ostwärts bis Bali folgen. Dort einige Monate verweilen und irgendwann im nächsten Jahr, an Neuguinea vorbei, durch die Torres-Straße zurück nach Port Douglas segeln. Damit hätte er Australien umrundet.

Ich hatte andere Pläne. Auf den Spuren der Holländer sollte es kreuz und quer durch Indonesien gehen. Sumatra, Java, Celebes, Bali… meine Zeit war bemessen. Im September mußte ich wieder in Deutschland sein.

Gegen eins brachen wir auf. Ich schob Jim ein Bündel australische Dollar zu, meinen Anteil für Reise und Verpflegung. Auf der Straße trennten wir uns. Jim marschierte zum Hafen hinunter, wo seine Schaluppe zur Überholung in einer kleinen Werft lag. Ich ging in Richtung Apex Pioneer Memorial Park. Dort hatte ich mich in einer Backpacker Lodge einquartiert. Der Rest der Nacht war unruhig. In Gedanken ritt ich wilde Seen ab, surfte haarscharf an Korallenriffen vorbei, wurde vom Hurrikan über den Ozean gepeitscht – der Törn im Kielwasser von Pelsaerts Schaluppe war ein Alptraum.

*

Chris Shine hatte den Motor seiner Piper angelassen. Die Maschine dröhnte und schüttelte vehement, der Pilot plärrte die letzten Instruktionen durch die Kopfhörer, dann fegten wir über die Piste von Geraldton, den Wolken zu. Shine Aviation Services bietet interessante Tagesausflüge entlang der Westküste. Um mir einen Überblick von der »BATAVIA«-Küste und den Landgängen Pelsaerts zu verschaffen, mußte ich tief ins Portemonnaie greifen. Das Informationsbüro für Touristik vermittelte zum Glück vier weitere Interessenten, damit war die Sportmaschine ausgelastet.

Chris flog die Küste hinauf nach Norden. Imposant wuchs die zerklüftete Abbruchkante vor Kalbarri aus dem Meer, um dann nach 20 Kilometern vor dem Ort auf flaches Strandniveau zu schrumpfen. Der Murchison-Cañon tauchte auf. Eine Gruppe Emus trabte im Stechschritt davon. Landseitig flogen wir Shark Bay entgegen und landeten zwei Stunden später bei Monkey Mia.

Von einem kleinen Motorboot aus wurde uns die einzigartige Meeresfauna vorgeführt. Da erschienen Delphine im knietiefen Wasser, ließen sich füttern und streicheln. Wilde Delphine! Sie kommen seit vielen Jahren nur hier so nah ans Ufer. Augenscheinlich genießen sie die Anwesenheit der Menschen. Nin Watts fütterte 1964 erstmals ein Pack neugieriger Delphine bei Hopless Reach. Sie dankten es und erschienen immer wieder. So entwickelte sich eine vertrauensvolle Gesellilgkeit von Mensch und Tier. Wir zogen mit gedrosseltem Motor etwas weiter aus der Bucht und konnten Wale, Mantas, Seeschildkröten, ja sogar Seekühe beobachten. Natürlich auch Haie, besonders den imposanten Hammerhai. Der Einschnitt ist ein bevorzugtes Revier der Meeresräuber, was zu dem Namen der Bucht führte: Shark Bay.

»Zwischen August und Oktober erlebt die Küste die große Wal-Migration – eindrucksvoll, wenn überall die Fontänen steigen«, erzählte Chris.

Wir fühlten uns wie Lebewesen in einem riesigen Aquarium, in dem ein friedliches Miteinander herrscht. Eine naive Vorstellung angesichts mahnender Dreiecksflossen, die das Wasser durchschnitten und anzeigten, daß die Haie stetig auf Beute lauerten. Dennoch habe ich diese Vertrautheit von Mensch und großen Wassertieren kaum anderswo so unmittelbar erleben können.

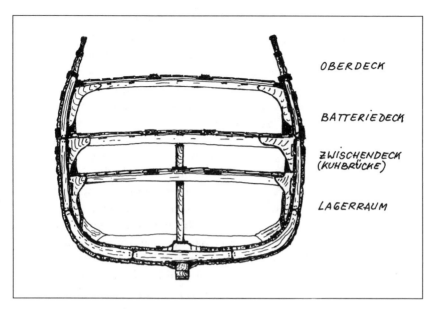

OBERDECK

BATTERIEDECK

ZWISCHENDECK
(KUHBRÜCKE)

LAGERRAUM

Querschnitt durch den Schiffsleib der BATAVIA.

Kommandeur Pelsaert war in der Schaluppe am 12. Juni 1629 an der Haifisch Bucht vorbeigesegelt und zwei Tage später bei Point Charles, dann nochmal am Point Cloates an Land gegangen.

Aus seinem Journal ist zu erfahren, daß ihn die Wildheit der Natur und die Fremdheit der schwarzen Bewohner beeindruckte. Er beschrieb das Andersartige, nicht die Vertrautheit, mit der sich die Tiere dem Menschen näherten, so wie wir es erleben konnten. Aber wir waren beschauliche Besucher – Pelsaert und seine Leute waren Schiffbrüchige, die ums Überleben kämpften. Ihnen mußte die fremde Umwelt zu Wasser und Land als mächtige Bedrohung erscheinen. In solchen Situationen erkennt man keine Vertrautheiten, sondern nutzt die eigene Stärke zum Vorteil aus und fängt und schlachtet unvorsichtige Tiere, um sie zu essen.

Pelsaert zum letzten Landgang auf australischem Boden nördlich von Shark Bay:

»Leider war alles trocken, sogar die tiefen Felslöcher. Wir fanden keine Wasserspuren. Das Land ringsum war flach und öde, gras- und

baumlos. Alles, was wir sahen, waren Termitenhügel, die meisten so
groß wie Indianerzelte. In der ganzen Gegend wimmelte es von Fliegen, und wir hatten Schwierigkeiten, uns ihrer zu erwehren. In
Reichweite unserer Musketen bemerkten wir acht Wilde. Jeder von
ihnen hielt einen Stock in der Hand. Als wir uns näherten, rannten sie
weg. Wir befanden uns an einem Punkt 28° 17' südlicher Breite... Ich
entschied daher, nach Batavia weiterzusegeln.«

Uns bot sich an der Küste von Shark Bay ein Stück heile Natur, in
der sich Tier und Mensch außerhalb eines Naturparks arrangiert
hatten. Gleichermaßen beeindruckt und zufrieden stiegen wir wieder auf, überflogen den Mt. Augustus, er ist der größte monolithische
Felsblock der Erde (größer als der berühmtere Ayers Rock) und
landeten zu seinen Füßen. Uns empfingen keine furchterregend-
nackten Wilden, etwas distanziert wurden wir von Aborigines vom
Stamm der Mowanjum begrüßt. Die Stimmung war nicht unfreund-
lich, doch kühl und gedrückt. Wir spürten, daß dem Volk von den
Weißen viel Leid angetan worden war. Leid, erwachsen aus Unver-
ständnis und Mißtrauen. In Australien prallten Gesellschaftssysteme
aufeinander, wie sie unterschiedlicher nicht sein können: Hütend,
bewahrend das eine, auf Veränderung, Expansion und Mehrung aus-
gelegt das andere. Die Hüter der Erde haben die Auseinandersetzung
verloren. Am Mt. Augustus versuchen sie als darstellende Künstler
oder Kunsthandwerker zu überleben. Ihre Rindenmalerei, die Bemalung von Emueiern und Flaschenbaumfrüchten hat ihnen zu Anerkennung und etwas Geld verholfen. Doch sie sind nicht glücklich in
der Welt der Weißen, die ihren Glauben und ihre Werte zerstörten.

Chris begrüßte einen älteren Mann mit tiefliegenden, melancho-
lischen Augen. Der Eingeborene saß im rotbraunen Sand unter einer
Akazie. Er schaute gedankenverloren auf, murmelte etwas und widmete sich weiter seiner Malarbeit.

»Kath Talker sitzt zwar hier, doch in Gedanken ist er bei seinen
Ahnen und schreitet auf imaginären Songlines. Er lebt in der Traum-
zeit, in der alles seinen Anfang nahm und das Leben für die Aborigines noch verständlich war und in geordneten Bahnen lief.«

Wir betrachteten die Kunstwerke Kaths. Fragten nach dem Preis.
Er nannte ihn. Der erschien uns zu hoch. Kath Talker handelte nicht.
Wir zahlten. Er strich das Geld ein, ohne Regung, ohne Dank, als

1	BLINDE	A	BUGSPRIET
2	OBERBLINDE	B	FOCKMAST
3	FOCK	C	GROßMAST
4	VORMARSSEGEL	D	BESANMAST
5	VORBRAMSEGEL	E	BLINDERAH
6	GROßSEGEL	F	FOCKRAH
7	GROßMARSSEGEL	G	VORMARSRAH
8	GROßBRAMSEGEL	H	GROßRAH
9	BESANSEGEL	i	GROßMARSRAH
10	KREUZSEGEL	J	BESANRUTE

Takelung der BATAVIA

wollte er sagen: Für das Leid an unserem Volk ein viel zu geringer Preis.

»Manchmal, wenn Kath besonders traurig ist, legt er die Flaschenbaumfrucht zur Seite, greift zum Didgeridoo und bläst eine tragische Weise«, erklärte Chris.

Wir verließen den Ort, an dem wir geduldet, aber nicht willkommen waren. Chris legte die Maschine in eine steile Kurve und hielt Kurs aufs offene Meer. Knapp zwei Stunden später tauchten im Ozean blaugrüne Tupfer auf, wie Smaragde, die stetig wuchsen, einen braunen Kern bekamen und von weißen Ringen umgeben wurden. Der Houtman-Abrolhos-Archipel befand sich unter uns. Aus der Luft erschien er mir wie eine Ansammlung farbenprächtiger Steine. Das lag an den Korallenbänken, die die Inseln im unterschiedlichsten Kolorit umgaben. Aus Beacon Island und Seals Island erwuchsen jetzt Insekten mit langen Beinen. Lange, gerade, auch abgewinkelte Anlegestege, die über Korallenbänke bis in die Fahrrinne ragten, verliehen den Inseln das merkwürdige Aussehen.

Wir näherten uns von Süden her zwei größeren, mit allerlei Buschwerk bewachsenen Eilanden. Chris drückte die Piper aufs Wasser und steuerte eine erschreckend kurze Piste auf dem östlichen Fleckchen Land an. Dann landeten wir sicher auf East-Wallabi.

Auf dem Weg zur anderen Seite der Insel führte Chris unsere kleine Gruppe an. Der Korallensand knirschte, vom Wind geschliffenes Geröll klang hohl, die Dornen des Gestrüpps erschwerten das Gehen. An einer Bucht hielt Chris und wies vor sich.

»An dieser Stelle erfuhr Pelsaert von den Greueltaten, die sich während seiner Abwesenheit ereignet hatten.«

Damit wurde dieser nichtssagende Strandabschnitt zu geschichtlichem Boden: Wiebbe Hayes, der edle Soldat, tauchte auf, die Überwältigung der Meuterer nahm Gestalt an, der verschlagene Anführer Jeronimus Cornelisz erschien in Ketten gefesselt.

Ich schaute mich um. Kein Wunder, daß es Pelsaert während seines ersten Besuchs mit der Schaluppe verwehrt war, Trinkwasser zu finden. Überall mit dürrem Gestrüpp und Steinen durchsetzte Sandfelder. Trockenes, ausgebranntes Land, in dem nur Sukkulenten überleben können.

Zum Greifen nah lag West-Wallabi oder Cats Island vor uns. Ein Ruderboot brachte uns auf die Insel der Verteidiger des Guten. Wir sprangen an dem Inselabschnitt über Bord, von dem aus die Meuterer Hayes und seine Männer überwältigen wollten. Und auf einmal wurde klar, warum die Versuche immer wieder fehlschlugen. Der schlüpfrige Ufermorast ließ keinen Sturmangriff zu. Die Spießgesellen standen voll im Schlamm, während ihnen Steine als Wurfgeschosse um die Ohren flogen.

Nachdenklich standen wir an den Wällen aus aufgeschichteten

Steinen. Runde und rechteckige Hausmauerreste, langgestreckte Verteidigungswälle. Wirklich die erste kulturelle Hinterlassenschaft der Europäer vor Australien? Oder Steinmauern jüngeren Datums, von Fischern errichtet? Niemand kann es mit Bestimmtheit sagen. Auf jeden Fall muten die Wälle an, aus der Zeit der BATAVIA zu stammen, und sie erzeugen Emotionen, die sich nicht verheimlichen lassen.

Chris mahnte zum Aufbruch. Kündigte uns noch einen Tiefflug über Beacon Island an und über die Stelle, an der Max Cramer das Wrack gefunden hatte. Wieder in der Luft, schwebten wir südöstlich über Seals Island und Goss Passage der charakteristischen dreieckigen Insel Beacon zu. Langustenfangdampfer lagen an den Pieren und umschwirrten die Insel wie Schmeißfliegen das Aas. Da unten war Hochbetrieb, die Saison kurz und 4000 Tonnen Lobster wollen eingebracht werden. Chris drehte zwei Schleifen, so tief, daß wir die Fischer winken sahen.

»Der blasse Saum da vorn ist das Morning Reef«, krächzte Chris Stimme durch den Kopfhörer. »Die BATAVIA stieß, von Süden kommend, frontal an das Riffende. Ich gehe jetzt noch tiefer. Vor der Brandung könnt ihr eine hellblaue Stelle ausmachen. Eine Korallenplattform. Genau an dieser Stelle schlug die BATAVIA leck.«

Tatsächlich, trotz weißer Brandungswogen war die trapezförmige Korallenfläche zu erkennen. Von diesem Unterwasserplateau aus war der Rumpf des Retourschiffes allmählich in tieferes Wasser abgerutscht und entschwunden. Erst als Dave Johnson, Fischer und verschwiegener Geheimnisträger, auf Max Cramer gestoßen war, lüftete sich das Geheimnis um das BATAVIA-Wrack.

Am nächsten Tag begab ich mich in aller Frühe zum Fischereihafen, um mit dem Schiff »BATAVIAS Friedhof« zu erreichen. Das hatte ich mir leichter vorgestellt, als es sich gestaltete. Warren Bagley, Radiomann und Koordinator für die Schiffsbewegungen, hatte tausend Ausflüchte, um mich davon abzuhalten. Endlich siegte meine Hartnäckigkeit. Skipper Colin Sucking befuhr seine Fanggründe und nahm mich an Bord seiner IRIS auf.

Da war ich nun, auf dieser Insel menschlichen Leids und eines großen Seeabenteuers. Von der Hektik industriemäßigen Langustenfangs einerseits fasziniert, andererseits schockiert, mit welchem technischen Apparat, mit welcher Perfektion den Schalentieren nachgestellt wird, blieb mir nichts anderes übrig, als den umtriebigen Lärm erst einmal auf mich wirken zu lassen. Ich war gekommen, um in die Geschichte der Insel vor über 300 Jahren zu tauchen, hatte lauschige Inselidylle erwartet. Was ich vorfand, waren kreischende Winden, heulende Motoren, rotierende Kräne, geschäftstüchtige Menschen. Kais und Piers waren nicht der Ort für historisches Sinnieren.

Langsam befreite ich mich aus den Fängen des Industrielärms. Schlenderte an dem letzten Pier, am letzten Wellblechschuppen vorbei, dem südöstlichen Zipfel der Insel zu. Hier wurde Andries de Vries gehetzt und erschlagen, hier wurden seine Gebeine entdeckt, und hier wurden kreisförmig Steine und Korallenblöcke aufgeschichtet. Die Mauerreste heißen »Cornelisz' Gefängnis«.

Der Seewind heulte, das Meer rauschte, Möwen klagten. Ich ging an den Strand, überschritt Schutthalden tauben Gesteins, das beim Betreten wie spröde, verwitterte Knochen klang. Knochen ermordeter Seeleute und Passagiere. Es wurden nicht alle Toten von Beacon Island ausgegraben. Jeder Spatenstich könnte neue Skelette freilegen. Ich ließ mich auf weißem, körnigen Korallensand nieder und blickte über den blauen, ewig schwappenden Ozean…

So muß ich eine sehr lange Zeit gesessen sein. Habe wie im Zeitraffer die Jahrhunderte übersprungen. Bin eingetaucht in eine Geschichte des Grauens, die sich auf dem Meer und auf den Inseln ereignet hat. Mir ist, als hörte ich heute noch immer den Hilferuf der schönen Lucretia.

Dann hat die Gegenwart mich wieder. Meine Glieder sind steif geworden, und die Abendkühle kriecht in die Knochen. Die Vorstellung, daß ich womöglich auf Gebeinen Erschlagener sitze, verleiht dem Platz etwas Mystisch-Skurriles. Auf der Insel gibt es kein Hotel und kein Gästezimmer. Die Fischer haben nur ihre Lobster im Kopf; Seegeschichten vergangener Zeiten interessieren sie nicht. Wenn die Sonne untergeht, werfen sie sich todmüde in die Kojen ihrer Fangschiffe oder legen sich auf Pritschen in spartanisch eingerichteten Blechhütten.

Ich beschließe zu bleiben, wo ich bin, und rolle meinen Schlafsack neben der Gefängnismauer des Inseldespoten Cornelisz aus.

Die Sonne geht unter und mit ihr kriecht Nebel, Feuchtigkeit und Kühle über die Insel. Ich horche in die Dunkelheit. Mir ist als tanzen über 100 gemarterte Seelen in den Nebelschleiern.

Endlich schlafe ich auf dem »Friedhof« ein, im Ohr Cornelisz Fluch: »Es gibt weder Teufel noch Hölle. Alles, was ich tat, Gutes oder Böses: Gott beschützt mich!« Unter mir Steine und Korallen, wer weiß wie viele Gebeine?

Wie ein antikes Epos ist das BATAVIA-Drama vor meinem geistigen Auge auf der Insel des Schreckens abgelaufen. Die Gestalten sind erwacht, agieren die ganze Nacht und wollen nicht mehr zur Ruhe kommen. Doch ich will sie abberufen, um ausgeruht zu sein, wenn Jim kommt und die große Fahrt beginnt.

Am übernächsten Tag ist es soweit. Ich sitze auf meinem Bündel am Pier und warte. Es wird Mittag, ich werde ungeduldig.

Gegen eins erscheint Colin Sucking und sagt: »Soll dir bestellen, daß Jim Leask nicht kommt, er liegt im Krankenhaus.«

Ich bin wie vom Donner gerührt. »Wie bitte – Krankenhaus?«

»Vor zehn Minuten kam die Mitteilung, Radiomann Warren Bagley hat mich informiert.«

Ich kann es nicht fassen.

»Ich leg' in einer Stunde ab, für den Fall, daß du zurück willst.«

Natürlich will ich.

Jim finde ich im Regional Hospital. Er liegt ziemlich apathisch in einem weißen Bett und macht sich Vorwürfe. Sein Schädel ist mit einem dicken Verband umwickelt, das rechte Bein eingegipst.

»Mein Gott, Jim, wie siehst du denn aus!«

Er grinst süßsauer und flüstert: »Bin von der NEPTUN gefallen. Und das Tollste: Sie stand noch an Land. Gehirnerschütterung, Platzwunde am Kopf und Knöchelbruch, angeblich kompliziert – verdammter Mist!«

»Hauptsache, du kommst rasch auf die Beine«, tröste ich.

»Nicht vor vier Wochen«, jammert er.

Damit können wir unsere Seereise abschreiben. Ich bleibe noch zwei Tage. Erledige einige Besorgungen für Jim, regele Formalitäten

mit der NEPTUN. Dann treffe ich meine eigenen Dispositionen. Fahre
nach Perth, wo ich mich nach einer Verbindung nach Jakarta erkun-
dige.

Auf dem Flug nach Java habe ich eine Idee. Zugegebenermaßen,
sie ist verrückt, und ich möchte sie gleich wieder verwerfen, doch sie
nistet hartnäckig in meinem Hirn… Auf jeden Fall will ich der BATA-
VIA auf der Spur bleiben.

Jakarta alias Batavia, der Moloch unter den Großstädten

»Sie werden Jakarta lieben und hassen in einem Atemzug«, ver-
spricht Hitu Maphat, ein Angestellter aus der City, »so geht es allen
Europäern und uns auch.«

Maphat arbeitet für eine Hotelgesellschaft und kämpft sich morgens und abends durch den Verkehr: zäh wie Melasse, laut wie Sire-
nen und stinkend wie Fäkalien. Er tut es gelassen und heiter, und er
hat recht. Jakarta packt, rüttelt, schockiert – ein Karzinom, dessen
Metastasen unaufhaltsam wuchern. Fast 12 Millionen Menschen
konzentrieren sich hier in der feuchtheißen Niederung der Bay. In
zehn Jahren werden es 30 Millionen sein! Jakarta zeigt Symptome,
die größte Stadt der Erde zu werden. Ein Moloch vor dem Ökokollaps
und Verkehrsinfarkt. Dem Stadtplaner Ken D'Angelo kann Jakarta
nicht groß genug sein: »Großstädte sind das Saatbett für Innovation
und Wachstum, sie sind ein Reichtum der Nation.«

Hitu Maphat und seine arbeitslosen Bekannten können mit solchen
Statements nichts anfangen. In der Hoffnung auf ein besseres Leben
flüchteten sie von den Reisfeldern Javas in die Hauptstadt, die die
meisten arm und krank machte. Bettelnde Slumbewohner die einen,
buckelnde Kulis die anderen. Wem Angestelltenglück beschieden ist,
der muß mehrere Sippen durchfüttern.

Maphat hat für seine Frau, drei Kinder und sich ein Wohnloch von 15
Quadratmetern. Hat er sich nach einem Zehn-Stunden-Tag plus zwei
Stunden Busfahrt zurück ins Armenviertel Ostjarkatas geschlagen,

Im alten Batavia-Hafen Sunda Kelapa herrscht Betriebsamkeit. Emsige »Kulis« beladen die Schoner der Bugis.

huscht er durch den Türspalt seiner Kammer und verklebt die Ritzen. Der faulige Gestank des Sunter-Flüßchens raubt ihm den Atem. 15 Flüsse und Bäche durchziehen die Stadt wie Schokoladensoße, doch leider ist es nur Kloake.

Entlädt sich ein Tropengewitter, wird die Stadt zum dampfenden Treibhaus. In den Vororten dringt bestialischer Gestank wie Faulgas aus dem Boden. Gigantische Bauwerke schmücken Zentraljakarta: World Trade Centre, Monas National Monument, Istana Negara, Freedom Memorial, was weiß ich noch alles. Steingewordene Prestige- und Repräsentationsmanien. Hitu Maphat steht in seinem Viertel auf den eigenen Exkrementen, und bei Regen schwimmt er darauf, weil

149

es keine Kanalisation gibt. Das, die kleinen Straßengauner, der Dauerstau machen Jakarta zum Haßobjekt.

Das Gegenteil ist individueller Natur: Ich zum Beispiel liebe die Freundlichkeit und Hilfsbereitschaft der Menschen, das Frühstück auf dem Dachgarten des Grand Hyatt (auch, wenn ich es mir eigentlich nicht leisten kann). Ich liebe den Weg die Thamrin Straße hinauf zum Hard Rock Café, um der Musik zu lauschen und ein deftiges Abendessen einzunehmen, um dann in der Altstadt unterwegs zu sein, das Treiben am Kai der Pinisi-Schoner zu verfolgen und zum Abschluß eines Nachtbummels ein Bier im Batavia-Café zu genießen. Der originellste Platz im Café ist im ersten Stock am Mahagonitresen mit dem schwarzen Barkeeper, seinen weißen Handschuhen und einem Lachen, als wolle der aufgerissene Mund dich verschlucken.

Hitu Maphats Arbeitgeber ist das Indonesia-Hotel. Ich bin dort untergekommen, habe mich mit Hitu etwas angefreundet. Er ist ein aufmerksamer, immer freundlicher Kellner. Was mich von Anfang an erstaunt, sind sein Interesse an Europa, seine Kenntnis von geschichtlichen Zusammenhängen, die politische Bildung – ungewöhnlich für seinen Beruf. Trotz seines fortgeschrittenen Alters wirkt Hitu jugendlich. Das liegt an seinem Gesicht und den flinken, klugen Augen, die einfach alle Gäste im Blick haben.

An einem Nachmittag verrät er mir im Tabernakel, unter dem Monas, etwas aus seinem Leben. Er hatte am Samstag und Sonntag gearbeitet, folglich hat er am Montag frei.

»Um Indonesiens Entwicklung kennenzulernen mußt du dir die geschichtlichen Stationen unter unserem Wahrzeichen ansehen«, sagte er und führt mich in die halbdunkle Gruft, eine Art Staatsheiligtum, dessen Wände von Schlachtenszenen und Nachbildungen von Ereignissen im indonesischen Archipel nur so strotzen. Vor einem Ereignis aus dem Jahr 1968 bleibt er stehen. Unter dem Schaukasten lese ich: »Sukarno ist entmachtet, General Suharto der neue Staatspräsident.«

»Das war für mich das Ende meiner Karriere«, sagt Hitu.

Ich schaue ihn fragend an.

»Ich war zu dieser Zeit ein junger Lehrer in Bekasi und Sprachrohr Sukarnos kommunistischer Ideen. Nach dem Putsch inszenierte Suharto eine Hetzjagd auf Kommunisten. Mir blieb nur, abzutauchen und als Kellner wieder aufzutauchen. Bis 1975 wurden 600 000 meiner Gesinnungsgenossen liquidiert.«

Hitu macht eine Pause und meint: »Aber die Zeitgeschichte interessiert dich ja nicht. Batavia im 16. Jahrhundert wird dort drüben links dargestellt.«

»Sag das nicht, Zeitgeschichte entwickelt sich aus der Geschichte, das eine entsteht aus dem anderen, beides ist voneinander abhängig.«

»Da pflichte ich dir bei. Unser gestörtes Verhältnis zu den Holländern hat seinen Ursprung in der Vergangenheit.«

»Und deine Einstellung zum Kommunismus?« fragte ich.

»Im Grunde bin ich noch Kommunist. Volkreiche Staaten mit unserer ethnischen, religiösen und kulturellen Vielfalt brauchen eine Ideologie, ein übergeordnetes Ziel. Wachstum und persönliche Besitzmehrung sind keine Lebensinhalte. Alle auf Kapital gegründeten Gesellschaften sind irgendwann zusammengebrochen. Schau dir die V.O.C. an.«

»Der Kommunismus ist auch zusammengebrochen!«

»Nicht überall. Versagt haben die Funktionäre und die Erziehungsmethoden. Indonesien zählt 200 Millionen Einwohner. Zwei Drittel davon lebt auf Java, das nur sieben Prozent der Landesfläche Indonesiens ausmacht. Und jährlich wächst die Bevölkerung um über zwei Prozent. Es gibt Gebiete, da leben 2000 Menschen pro Quadratkilometer.«

»In Kalimantan und Irian Jaya ist Platz«, sage ich.

»Transmigrasi, unser Umsiedlungsprogramm, hat sich noch nicht bewährt. Es birgt enorme religiöse und kulturelle Probleme. Unsere Bevölkerung setzt sich aus 360 verschiedenen Völkern zusammen. Hier sind alle Weltreligionen vertreten. Indonesien ist der größte islamische Staat. Nein, wenn dieses Land der Raffgier des Individuums freien Lauf läßt, zerstört es sich. Sieh dir die sogenannte Drei-Parteien-Demokratie an. Nichts geschieht ohne Suhartos Segen. Im Grunde ist er Diktator einer Vetternwirtschaft, in der Sohn Hutomo immer fetter wird.

Sukarnos Tochter baut eine aggressive Opposition auf und macht dem Alten die Hölle heiß. Ich glaube, Indonesien ist nur durch eine kommunistisch geprägte Oligarchie zu regieren. In der Moslems,

Buddhisten, Hindus und Christen übergeordneten Idealen dienen. Anderenfalls wird der Inselstaat auseinanderbrechen«, sagt Hitu Maphat mit dem Brustton der Überzeugung.

Ich habe meine Zweifel. Doch eines ist sicher: Der schlafende Riese Indonesien rekelt sich in einer fast 30jährigen, von Erstarrung geprägten Suharto-Herrschaft. Jakarta wird von regierungsfeindlichen Demonstrationen heimgesucht. Bisher örtlich und zeitlich begrenzt noch, vom Militär leicht niederzuknüppeln. Doch deren Führerin, Megawati Sukarnopurni, ist zäh und legt die Hand erbarmungslos in Wunden sozialer Disparitäten. Wird Sukarnos Tochter die Herausforderin des Präsidenten bei den Wahlen 1997? Falls ja, werden sich die Indonesier auf einen heißen Wahlkampf einstellen müssen.

»Das ist die Moderne«, sagt Maphat nach einer Weile. »Wie rasch Geschichte das Heute einholt, zeigt der Besuch von Königin Beatrix der Niederlande.«

Wir stehen vor Szenen aus den Guerilla-Kriegen der Indonesier gegen die Holländer von 1921 bis 1945. Im August 1995 wurde der königliche Besuch von der kolonialen Vergangenheit überschattet. Die Königin befand sich auf einer elftägigen Goodwill-Reise durch Indonesien. Hatte mit großem Gefolge die Tempelanlagen Borobodur und Prambanan besucht, beides unweit von Yogjakarta, dem Sitz Sultan Hamengku Buwonos X. Der Sultan bat die Königin zu sich, mehr aus Anstand, denn aus Herzlichkeit. Fanfaren und Gamelanklänge begrüßten Beatrix, ihren Gatten Prinz Claus und Kronprinz Willem-Alexander.

Der Besuch war von kurzer Dauer, obwohl das Protokoll ein Mittagessen mit dem Sultan vorsah. Zur Überraschung der Niederländer fiel das gemeinsame Essen aus. Das war bereits die zweite Brüskierung auf höchster Ebene. Offensichtlich hatte sie einen politischen Hintergrund: kleine, aber schmerzhafte Nadelstiche ins Fell der einstigen Kolonialherren.

Schon zum Auftakt der Visite hatte Präsident Suharto ein Essen mit der Königin ohne Angabe von Gründen abgesagt, sich jedoch an diesem Tag lange Zeit mit dem Privatmann Richard von Weizsäcker unterhalten. Während einer Ansprache erinnerte Suharto die Königin dann an den Freiheitskampf der Indonesier gegen die niederländische Kolonialarmee. Beatrix von Holland wußte, daß die Visite in der

Im südlichen Teil Zentraljavas befindet sich die buddhistische Tempelanlage Borobudur – gern das achte Weltwunder genannt.

Ex-Kolonie äußerst heikel war. Zu groß waren die Wunden, die den Indonesiern im Laufe von 300 Jahren geschlagen wurden.

»In den Kommentaren hieß es, die Königin war erleichtert, als nach einer Woche der touristische Teil ihrer Reise begann, bei dem Absagen unwahrscheinlich waren«, sagt Hitu etwas ironisch. »Du mußt wissen, daß Yogya (kurz für Yogyakarta) der kulturelle Mittelpunkt Zentraljavas ist und lange Zeit für ganz Java war. Von 1946 bis 1950 war Yogya die erste Hauptstadt des unabhängigen Indonesiens. Hier lebte einer unserer bedeutendsten Freiheitshelden, Prinz Diponegoro. Eine Legende im Kampf gegen die Holländer. Das Sultanat von Yogyakarta gehört zu den wenigen noch heute existierenden Sultanaten. Regent Hamengku Buwano IX. war als Vizepräsident der Republik eine einflußreiche Persönlichkeit. Er starb 1988. Heute ist sein Sohn Hamengku Buwano X. Sultan.«

Bei unserem Rundgang durch das Tabernakel sahen wir Darstellungen aus dem 16. Jahrhundert.

»Sieg und Niedergang unserer Vorfahren läutete die Schlacht von

Sunda Kelapa ein«, sagt Hitu und bleibt vor Kampfszenen vom 22. Juni 1527 stehen.

»Sunda Kelapa heißt ›Insel der Kokosnüsse‹, es ist der Name des alten Batavia-Hafens. Das Gebiet beherrschte König Pajajaran mit seinem Hindureich aus Westjava. Er räumte den Portugiesen das Recht ein, in der Java Bay Gewürzhandel zu treiben. Um den Einfluß der Europäer nicht zu stark werden zu lassen, entsandte Sultan Trenggono seinen Heerführer Fatahillah mit einer Streitmacht. Fatahillah besetzte die Niederung von Sunda Kelapa. Die Portugiesen versuchten gewaltsam, ein Fort zu errichten, und zogen ihre fernöstliche Flotte zusammen. Zu einer Invasion kam es nicht. Fatahillah schlug die Europäer am 22. Juni in die Flucht. Seit dieser Zeit wurde Sunda Kelapa in Jayakarta, was ›Stadt des Sieges‹ heißt, umbenannt.«

»Der erste und letzte Sieg über die Europäer für 400 Jahre«, sage ich.

»Als die Holländer kamen, wurde unser Volk gedemütigt, massakriert und die Insel ausgebeutet. Die Kolonie Indonesien, hieß es, war das Fettauge, auf dem Holland trieb. Wir haben Handels- und Königshäuser reich gemacht, selbst sind wir dabei verblutet. Jeder dritte Gulden der Staatskasse stammte im 19. Jahrhundert aus Java.«

»Das Los vieler Länder außerhalb Europas«, versuche ich Hitu zu beruhigen.

Er scheint sich zu ereifern. »Nein, nein, Engländer oder Franzosen haben ihre Kolonien nicht so ausgequetscht. Das war einmalig, und es ist der Grund für die ausgebliebene Versöhnung.«

»Sie haben doch eine Infrastruktur geschaffen, ausgebildet, Verwaltung und Organisation verbessert.«

»Sie haben ein Volk mit ihrer Hochkultur erniedrigt und bis aufs Mark ausgesaugt!«

Er regt sich ernstlich auf. Sein gutes Englisch überschlägt sich förmlich und ist mit Worten des Bahasa Indonesia, seiner Sprache, gespickt. Ich schlage vor, das schummrige Tabernakel zu verlassen, um die Emotionen nicht noch höher schlagen zu lassen.

Draußen trifft mich die Hitze wie ein Vorschlaghammer. Das grelle Sonnenlicht schmerzt in den Augen. Wir gehen die Gajah Mada hinauf in Richtung des alten Hafens. Im Rücken steht der Monas, das Symbol indonesischer Stärke und Männlichkeit. Es ist 132 Meter

154

hoch. Ein Lift kann Touristen hinauf zur Plattform befördern. Die symbolische Flamme darüber ist mit Blattgold belegt worden. Das Ganze ist ein kolossaler Obelisk, im Volksmund »Sukarnos letzte Erektion« genannt.

Die Straße führt an verschlammten, mit Abfall angefüllten Kanälen vorbei. Reste von Wasserwegen nach dem Vorbild Amsterdamer Grachten. Einst gefürchtete Keimzellen, von denen aus Batavia von Malaria, dem tödlichen Sumpffieber, heimgesucht wurde.

1771 hatte James Cook Batavia angesteuert. Die schwer ramponierte ENDEAVOUR mußte auf der Werft in einer Zeit repariert werden, in der Malaria grassierte. Das kostete den auf die Gesundheit seiner Mannschaft bedachten Kapitän ein Drittel der Crew.*

Wir durchqueren Jakartas Altstadt, vorbei an Häusern alter Handelskontore, schön weiß restaurierten Fassaden im holländischen Kolonialstil. Neben dem Batavia-Café, einem ehemaligen Verwaltungsgebäude steht eine mächtige portugiesische Kanone. Sie gilt als Fruchtbarkeitssymbol. Auf ihr reiten verheiratete Frauen, denen Kindersegen verwehrt blieb.

Der Verkehr hat sich wieder einmal hoffnungslos festgefahren. Selbst die zweirädrigen Karren der Wasserverkäufer kommen nicht mehr voran. Pro Fuhre transportieren sie 40 blaue 50-Liter-Fässer und versorgen die Hausbewohner der Altstadt mit Trinkwasser. Wer keine Kanalisation besitzt, der hat auch keinen Anspruch auf eine Wasserleitung mit Wasserhahn. Die Rikschafahrer zerren ihre Wasserkarren durch Abfallhalden, über rudimentäre Bürgersteige.

An vielen Stellen müssen ehrwürdige Bauten den Hochstraßen weichen. Wahrscheinlich sehen Gemüter wie Hitu Maphat diese Entwicklung ganz gern, da sie so nicht immer wieder an die verhaßte Kolonialzeit erinnert werden.

Dann stehen wir dort, wo die abenteuerliche Geschichte ihren Anfang nahm. Am Kai des Handelshafens Sunda Kelapa. Hier riecht Jakarta nach Geschichte, hier schlägt der Puls von Alt-Batavia. An den Pollern liegen 23 Pinisi-Schoner. Ihre Steven sind bunt bemalt und weisen in gewagtem Schwung himmelwärts. Die Schiffe gehören zu

---

* Siehe auch: Cropp, W.-U.: »Gletscher und Glut – Auf Cooks Spuren durch den Pazifik«, Delius Klasing Verlag, Bielefeld 1995

einer Armada von 4000 Schonern, der größten Segelschiffflotte der Welt. Ihre Aufgabe ist es, die Inseln des Archipels mit Nahrungsmitteln zu versorgen. In Alt-Jakarta entladen sie Edelhölzer: Marandi, Kampfer, Teak. Gebaut werden die Schoner, mit einer Tragfähigkeit von je 300 Tonnen, an der Küste von Süd-Sulawesi von dem alten Seefahrervolk der Bugis, ohne Baupläne, ohne Stahl und Eisen.

Legen die Schiffe im Morgengrauen an, warten schon Hunderte von Schauerleuten auf betuchte Reeder, die die Arbeitssklaven für ein paar Rupiah im Tagelohn anheuern. Sie dürfen dann schwere Kanthölzer aus den Laderäumen und Reissäcke in die Schiffsleiber schleppen – solange ihre Knochen es ertragen –, 12 bis 14 Stunden für rund 20 000 Rupiah am Tag, das entspricht 15 Mark. Die Schauerleute sehen krank und ausgemergelt aus. Sie schuften, um zu überleben.

Wir dürfen uns auf einem der Schoner umsehen. Die Bugis sind ein verschlossenes Seevolk. Selbst in den Häfen verlassen sie nur selten ihre Schiffe. In kastellähnlichen Heckaufbauten lebt die Besatzung mit ihren Familien. Am liebsten sind sie auf dem Meer, das Wasser und den fernen Horizont vor Augen. Es sind die letzten Seenomaden und Transportmonopolisten auf innerindonesischen Wasserstraßen. In der großen Kajüte stehen das Rad, ein Kompaß und ein Kartentisch. Die Decke ist so niedrig, daß man nur sitzen oder kriechen kann. Der Steuermann blickt aus einem winzigen Fenster über Deck, Bug und die See. Den Kurs hält er nach Gefühl und Intuition.

Als ich über den schmalen Steg an Land balanciere, kommen mir die holländischen Seefahrer in den Sinn. Allen voran Jan Huyghen van Linschoten. Ihm hat Indonesien die Unterwerfung durch die Niederländer zu verdanken. Linschoten war Seefahrer und Forschungsreisender. 1595 sichtete er als erster Holländer die westaustralische Küste. Durch seine Berichte wurde er zum geistigen Wegbereiter niederländischer Aktivitäten in Südostasien. Seine Angaben zum Seeweg nach Indien, zum Reichtum der fernöstlichen Länder, seine Gedanken zu den Handelsmöglichkeiten gehörten zu den Voraussetzungen, die Jahre später, nämlich 1602, zur Gründung der »Vereenigden Oost-Indische Compagnie«, V.O.C., führte.

Unterstützt wurde van Linschotens fernöstliche Botschaft durch die abenteuerliche Seefahrt Kapitän Cornelius de Houtman. 1596 gelang es ihm, sein angeschlagenes Schiff mit Mühe und Not in den westjavanischen Hafen Banten zu schleppen. Ein strapaziöser Törn lag hinter Houtman. Die Hälfte seiner Mannschaft war von Skorbut und Erschöpfung dahingerafft worden. Daß er Java überhaupt fand, war eine echte Entdeckerleistung. Die Lage der Insel, ja, das ganze südostasiatische Revier war ein Arkanum der Portugiesen. Sie waren die ersten und damals einzigen Europäer, die den Weg zu den sagenhaften Gewürzinseln kannten. Ihre Karten und Routen waren Staatsgeheimnisse. Verrat wurde mit dem Tod am Rad geahndet. Houtman hatte das Geheimnis für Holland gelüftet und kehrte mit Pfeffer und Gewürznelken beladen heim. Er staunte nicht schlecht, als er merkte, welche Gewinne mit den unscheinbaren Samen und Kernen zu erzielen waren.

Houtmans Nachfolger kamen auf leisen Sohlen durch die Hintertür. Anfangs waren sie nur am friedlichen Handel, nicht an territorialen Eroberungen interessiert. Mit ihren Schiffsladungen um 1596 machten sie trotz des Risikos an Bruch, Verlust und der Sterblichkeit von Seeleuten Gewinne von 1000 Prozent. In Amsterdam wuchs das Interesse am Handel mit den fernöstlichen Inseln. Vorausschauende Kaufleute ersannen einen Weg, die Konkurrenz auszuschalten, um damit die Gewinne noch höher zu fahren. Eine vertraglich geregelte Zusammenarbeit, das war die Lösung. Es wurde die V.O.C. mit einer Kapitalausstattung von sieben Millionen Gulden (Florins) gegründet. Die erste und mächtigste Kapitalgesellschaft der damaligen Zeit. Das Parlament ermächtigte die Compagnie eigenverantwortlich Verträge auszuhandeln, eine Armee zu rekrutieren und zu unterhalten, Festungen zu bauen, Kriege zu führen, die Bevölkerung zu missionieren, Münzen zu prägen und in eigenem Namen Recht zu sprechen. Mit diesen wahrhaft königlichen Vollmachten war die Compagnie ein Staat im niederländischen Staate. Nun bedurfte es nur noch der Köpfe, die aus den außergewöhnlichen Vollmachten außergewöhnliche Erfolge schufen.

Ziel der V.O.C. war die absolute Monopolherrschaft. In Europa wogen die Fugger Gewürze, vor allem Muskat, Pfeffer, Zimt, Nelken, Vanille, mit Gold auf. Traditionell lag dieser Handel in den Händen der Moslems und der Mittelmeerstaaten: Spanien und Portugal. Die alleinige Kontrolle über den ostindischen Gewürzhandel zu erlangen, das war die Intension der erlauchten »Herren XVII«. Die große Herausforderung für clevere Kaufleute! Siebzehn hohe Herren bildeten das Direktorium und oberste Entscheidungsorgan der V. O. C. Entsandt wurden sie von den Kammern der Handelshäuser Amsterdam, Rotterdam, Delft, Hoorn, Enkhuizen und Middelburg. Je nach Bedeutung und Kapitaleinlage verfügten die Kammern über eine entsprechende Anzahl von Repräsentanten im Management der V. O. C., Amsterdam nahm den Löwenanteil von acht Sitzen ein, gefolgt von Middelburg mit vier, während die übrigen Kammern jeweils einen Sitz in der Compagnie innehatten. In der Summe sind dies 16 Repräsentanten. Der siebzehnte war der sogenannte »bewindhebber«, ein Verwaltungsdirektor für besondere Aufgaben. Seine Stimme erhielt bei Beschluß- und Abstimmungsprozeduren Bedeutung.

Zwölf Jahre lang dümpelte die Compagnie mit spärlichem Erfolg dahin. Es fehlte an einem »Macher« in Übersee. Der erschien 1614. Die Vaterstadt Hoorn gedachte seiner mit einer lebensgroßen Bronzestatue. Ein Pizarro des Welthandels war er. Sein Wahlspruch lautete: »Dispereert niet! – Verzweifle nie!«

Hitu und ich bleiben an der Kaimauer stehen und werfen einen letzten Blick auf die Lastenträger von Sunda Kelapa. Bienenfleißig entleeren sie die Leiber der Schiffe. Zäher Holzstaub hat ihre Haut gegerbt, Mund, Nase, Augen und Ohren verstopft. Feuchte Hitze lähmt ihre Schritte, zentnerschwere Last staucht ihre zierlichen Körper. Geschickt schreiten sie ihre Bahn ab: Schoner, Steg, Kai, Lkw, regelmäßig wie ein Uhrwerk, einen Schweißlappen auf dem Schädel, den Blick auf den Boden geheftet.

»Der Arbeitspfad der Ausgebeuteten«, kommt es mir über die Lippen.

»Besser als Nichtstun«, bemerkt Hitu.

»Der Patron, der sie morgens anheuert, kommt im 300er Daimler«, sage ich.

»Kapitalismus in reiner Form, der Westen hat ihn weltweit eingeführt.«

Ich schaue Hitu in seine lebendigen schwarzen Augen und sage: »Coen, sagt dir der Name Jan Pieterszoon Coen etwas?«

Diese freundlichen Augen blitzen plötzlich böse auf und werden noch schmaler.

Eine holländische Flotte wird von bantamesischen Kriegsbooten bedrängt.

»Ein Verbrecher, ein Menschenschinder, ein geldgieriges Subjekt.«

»Aus der Sicht der Indonesier vielleicht, aber entschuldige, ich wollte dich nicht provozieren, ich denke gerade an die Anfänge der V.O.C.«

»Von allem Leid hat die V.O.C. uns das größte zugefügt, allen voran dieser Gouverneur Coen«, sagt Hitu.

Um Hitus Gefühle nicht zu strapazieren, bin ich still. Aber ich kann nicht umhin, mir vor Ort die damaligen Geschehnisse vorzustellen: 1614 wurde Coen, ein junger Buchhalter von 27 Jahren aus der Stadt Hoorn, bei den hohen Herrn vorstellig. Er vertrat die Ansicht, daß nur ein entschlossenes, konsequentes Vorgehen die Compagnie profitabel machen würde. Coen überzeugte durch energisches Auftreten und ein klares Konzept. Mit weitreichenden Vollmachten ausgestattet, schiffte er sich für Java ein, wo er sogleich eine Reihe militärischer Scharmützel austrug, quasi als Startschuß einer Politik mit anderen Mitteln, Mitteln der Stärke nämlich. Nahe der pfefferproduzierenden Gebiete Sumatras und an der strategisch wichtigen

Sunda-Wasserstraße bot sich Jayakarta als geeigneter Standort an. Prinz Wijayakrama von Jayakarta räumte ihm die Erlaubnis für den Ausbau des bereits bestehenden Handelspostens ein. Der Posten wurde kurzerhand mit steinernen Barrikaden umgeben, die die Holländer mit Kanonen bestückten.

So hatte sich der Prinz den Ausbau allerdings nicht vorgestellt. Auf seinen Protest antwortete Coen mit der Bombardierung und vollständigen Zerstörung des Prinzenpalastes. Der Prinz, außer sich über soviel Hinterhältigkeit, belagerte das holländische Fort. Dabei wurde er von einer mächtigen bantanesischen Flotte und gerade eingetroffenen britischen Kriegsschiffen unterstützt. Coen befand sich in einer aussichtslosen Situation, gab aber, getreu seinem Motto »Verzweifle nie!«, nicht auf, sondern entwich vorübergehend nach Ambon. Zur im Grunde hoffnungslosen Verteidigung der Gewürzschätze ließ er eine Handvoll Soldaten im Fort zurück. Mit Verstärkung rückte Coen fünf Monate später wieder an. Staunend stellte er fest, daß seine Männer immer noch auf dem Posten waren. Durch geschicktes Verhandeln war es den holländischen Parlamentären gelungen, den englischen Feind gegen den bantanesischen auszuspielen. Auf diese Weise hatten sie sich die erdrückende Übermacht vorerst vom Halse gehalten. Mit einer kleinen Armee von 1000 Mann schlug Coen die Belagerer in die Flucht. Dabei halfen ihm kampferprobte und angsteinflößende Söldner aus Japan.

Jayakarta wurde vollständig zerstört und als niederländische Stadt neu aufgebaut. Eine Kopie von Amsterdam mit Grachten, Zugbrükken, Lagerhäusern, Docks, Kasernen, einem Exerzierplatz, nebst Kirche und Rathaus. Der ganze Komplex wurde mit einer soliden Mauer, Wehrtürmen, einem Wassergraben umfriedet und mit Kanonen und Zinnen praktisch uneinnehmbar gemacht. Die Wehrstadt erhielt den Namen Batavia (nach Batavi, so nannten die Römer die Niederländer, das Volk im Rheindelta).

Pieterszoon Coens zweiter Streich bestand in der Eroberung der fünf kleinen Muskatnüsse anbauenden Bandainseln. Den »Herren XVII« im fernen Mutterland gefiel das energische Durchgreifen ihres Repräsentanten, zumal sich sein Erfolg in satten Gewinnen dokumentierte. Coen, später zum General-Gouverneur avanciert, herrschte im Archipel wie ein Fürst, der nur Gott über sich duldete.

In seinen Geschäftsbedingungen waren die Zehn Gebote allerdings nicht vorgesehen. 1621 ließ er binnen weniger Wochen fast alle 15 000 Bewohner der Molukken-Insel Banda umbringen oder verschleppen, weil sie es gewagt hatten, Muskatnüsse an andere Importeure neben der V.O.C. zu verkaufen.

Das waren die rüden Methoden, mit denen Coen den Gewürzhandel an sich riß. Zwischendurch kehrte er in die Heimat zurück, um die große Linie für die nächsten Jahre abzustimmen. Abgesehen von einer politischen Verstimmung mit England – es ging um Todesurteile, verhängt über neun britische Wirtschaftsspione in Sachen Gewürze – genoß Coen das Vertrauen des Direktoriums. Er warb für holländische Siedler, riet, die Flotte bewaffneter Retourschiffe auszubauen, und bestellte ein repräsentatives Sandsteintor für seine Residenz Batavia. 1628 wurde der Beschluß gefaßt, die Batavia auf Kiel zu legen, das teuerste und modernste Schiff, das jemals von einer Amsterdamer Werft zu Wasser glitt. An Bord befanden sich Passagiere, die aussiedeln wollten; im Rumpf lagen eigens von weither angeschaffte Sandsteinquader für das Stadttor.

Wieder in Batavia, mußte sich Coen mit einem expansionslüsternen Sultan herumschlagen. Agung, der dritte und mächtigste Herrscher des Mataramreichs, hatte gerade Surabaya eingenommen. Damit kontrollierte er Zentral- und Ostjava und drängte in den Norden, um Batavia niederzuringen – was ihm fast geglückt wäre.

Javanische Krieger erklommen die für uneinnehmbar geltenden Stadtmauern und hielten sie besetzt. Die Holländer wichen. Wie ein Damoklesschwert hing die Kapitulation über Batavia. »Verzweifle nie!« Coen ordnete seine Kräfte und warf die Angreifer in einem letzten, erbitterten Gegenstoß zurück. Damit hatten die Javaner nicht gerechnet. Mangels Nachschub zogen sie sich vorerst zurück. Der Herrscher gedachte, im nächsten Jahr mit einem Heer von 10 000 Mann aufs neue anzurücken. Sultan Agung rechnete mit einer längeren Belagerung und stellte sich mit einem riesigen Reisdepot darauf ein. Coens Späher entdeckten das Lager vor dem Eintreffen der feindlichen Truppen. Die Nahrungsmittel wurden kurzerhand vernichtet. Agungs Heer darb, wurde krank, rieb sich vollkommen auf, zu Tausenden starben die Krieger vor den Mauern Batavias. Geschlagen gab der Sultan auf. Von nun an stellte das Mataramreich

Zwischen Indonesiern und Niederländern gab es viele, blutige Ausein-andersetzungen.

niemals mehr eine Bedrohung dar. Das Handelsmonopol der V.O.C. funktionierte perfekt. Ausnahmen wurden nicht geduldet. Selbst bei Landsleuten nicht, die wie Coen aus Hoorn stammten. Kapitän und Kaufmann Willem Cornelisz Schouten wollte am Monopol vorbei an Gewürzen verdienen. Das kam ihn teuer zu stehen.

Im Januar 1616 segelte er mit seiner EENDRACHT auf beschwerlichem Kurs an der Südspitze Amerikas vorbei und entdeckte wie nebenbei auf 50 Grad 48 Minuten südlicher Breite einen umtosten Felsen, wo Atlantik und Pazifik zusammenströmen. (Er hatte sich etwas vermessen, tatsächlich liegt der Felsen auf 55 Grad 58 Minuten.) »Wir nennen dich nach unserer lieben Heimatstadt Hoorn – Kap Hoorn!« soll er gegen Sturm und Gischt gebrüllt haben. Damit hatte die südlichste Insel des chilenischen Feuerlands ihren Namen, und der Niederländer Schouten war der erste selbsternannte Kap Hoornier.

Nun trieb der gewiefte Seemann und Unternehmer Handel auf den Inseln zwischen Pazifik und Indischem Ozean. Im Oktober ankerte Schouten dann auf Reede von Batavia, wurde allerdings nicht als Entdecker gefeiert, sondern von Beamten der allmächtigen Compagnie

162

Eingeborene attackieren einen holländischen Gewürzhändler.

als Schwarzhändler verhaftet. Schiff und Waren wurden konfisziert. Schoutens Kompagnon Isaac Lamaire starb im Gefängnis. Dem Kapitän gelang Monate später die Rückkehr in die Heimat.

Der siegreiche, aber von Tropenkrankheiten gezeichnete Coen wartete vergebens auf das Eintreffen der BATAVIA. Statt dessen erschien der schiffs- und glücklose Kommandeur Francisco Pelsaert als Schiffbrüchiger in der fernöstlichen Hauptstadt. Ohne Aussiedler, ohne Stadttorquader, beladen mit neuen Problemen. Coen war müde, krank und ausgelaugt. Er starb in Batavia am 20. September 1629. Mit hohen militärischen Ehren bedacht, wurde Coen zu Grabe getragen.

In den folgenden Jahren besserte sich das Verhältnis zwischen den Holländern und Javanern unter ihrem Herrscher Amangkurat I. Dies bewirkten ihre gemeinsamen Feinde, das handeltreibende Pasisir-Volk an Javas Nordküste. Aus verworrenen indonesischen Fehden verstanden die Holländer durch diplomatische Winkelzüge Kapital zu schlagen. Bis sie selbst einer verheerenden Fehleinschätzung im Kampf rivalisierender Eingeborener zum Opfer fielen.

Mitte des 17. Jahrhunderts unterwarf die Allianz zwischen dem maduresischen Prinzen Trunajaya und dem Kronprinzen von Mataram die Insel Java. Dann kündigte Trunajaya dem jungen Thronfolger Matarams die Freundschaft und erklärte sich zum König. Der betrogene Kronprinz verbündete sich mit den Holländern und versprach, ihnen alle Auslagen zu ersetzen, sie darüber hinaus für die Hilfe fürstlich zu belohnen.

Die Holländer witterten das große Geschäft und scheuten keinen Aufwand, Trunajaya zu stürzen und gefangenzunehmen. 1680 bestieg der Kronprinz als König Amangkurat II. den Thron. Seine Schatzkammer war leer, und das Reich lag in Schutt und Asche. Die V. O. C. hatte einen Pleitier finanziert und mußte hohe Verluste buchen. Doch es ging wieder aufwärts. Um 1750 hatte die Compagnie alle Fürstentümer Javas unterworfen, zumindest hatte sie diese unter Kontrolle. Die einheimischen »Regenten« von V.O.C.s Gnaden mußten Tribut eintreiben, damit sich die Läger mit kostbaren Gewürzen, Edelhölzern, später auch Tee, Kaffee, Zucker und Diamanten füllten. Die Compagnie zahlte ihren Aktionären fast 200 Jahre lang attraktive Dividende.

Hollands Finanziers trauten ihren Ohren nicht, als sie erfuhren, daß die V.O.C. am 31. Dezember 1799 bankrott war: ruiniert, aber nicht nur durch Korruption und Mißwirtschaft. Die Preise für Gewürze waren gefallen, die militärischen Engagements im indonesischen Archipel dagegen immer teurer geworden. Der große javanische Krieg von 1740–1755 hatte ungeheure Finanzmittel verschlungen. Das Unheil begann mit einem Massaker an chinesischen Gastarbeitern in Batavia und endete nach unzähligen Schlachten, entzweiten Allianzen und Bergen von Gefallenen. Der Friedensvertrag von Giyanti teilte dann das Mataram-Reich in zwei rivalisierende Gebiete mit den Residenzen Yogyakarta und Surakarta. Die V.O.C. ging zwar als stärkste Macht aus dem Krieg hervor, hatte sich jedoch finanziell übernommen.

Der Konkurs traf die Niederlande wie ein Schock. 1800 übernahm die Regierung alle ehemaligen Besitzungen der Compagnie und führte sie als Niederländisch-Indien anfangs nur zögerlich weiter. Für die indonesischen Bürger besserte sich nichts. Sie schuldeten ihren »Regenten« sogenannte »Herrendienste«, und zwischen 1830 und 1870 Kolonialverwaltungsabgaben – beides floß in holländische Kassen. »Schuften unter der Knute des Meesters« hieß das bei dem Landvolk. Mit den Einnahmen aus Java finanzierte das Mutterland daheim den Eisenbahnbau und sanierte den Staatshaushalt. Als sich die Niederlande anschickten, außer Java und den Molukken den übrigen Teil Indonesiens zu unterwerfen, wurde die Kolonie teuer.

Im Norden Sumatras unterwarf sich das Sultanat Aceh erst 1903, nach einem 30jährigen Krieg. Fünf Jahre später bildete dann der indonesische Archipel unter den Kolonialherren eine Einheit. Doch gleichzeitig wuchs der Widerstand gegen die Fremdherrschaft. Nationalisten fanden anfangs in einer islamischen Bewegung, dann in Parteien ihre geistige Heimat. Wortführer wie Sukarno und Mohammed Hatta wanderten zuerst ins Gefängnis, schließlich in die Verbannung. Doch die antikolonialen Parteien wuchsen unaufhaltsam.

Während des Zweiten Weltkrieges überrannten die Japaner den Archipel, verschleppten, internierten oder peinigten auf andere Weise die Niederländer. Sukarno wurde freigelassen. Japan kapitulierte und zog sich von den Inseln zurück. Am 17. August 1945 erklärte Sukarno die Unabhängigkeit Indonesiens. Das ließen sich die

Holländer nicht bieten, sie kamen mit Soldaten zurück und versuchten, die Freiheitskämpfer gewaltsam niederzuschlagen. Die Härte des Kampfes löste Empörung aus. Von den USA bedrängt, von der UNO verurteilt, gab Holland gekränkt auf. Indonesien war frei, und Sukarno wurde der erste Präsident. In der Provinz Aceh (Nordsumatra), in Ost-Timor und Irian Jaya ist jedoch noch immer keine Ruhe eingekehrt. Die Völker dort empfinden die muselmanischen Javaner als Besetzer. Ihre Guerilleros kämpfen gegen die Zentralregierung wie einst Sukarno gegen die Kolonialherren.

Hitu Maphat bleibt auf einmal stehen und sagt, mit dem Blick auf einen der stinkenden, vom Unrat fast verschütteten Kanäle: »Die Compagnie spielte in unserem Geschichtsunterricht immer die Rolle einer bedrohlichen Institution mit seelenlosen Handlangern, von einem entlegenen unbekannten Kontinent ferngesteuert.«

Aus den Gedanken an die Kolonialzeit gerissen, horche ich auf. Merkwürdig. Als ich mich mit der Compagnie beschäftigte, beschlich mich ein ganz ähnliches Gefühl. Wie ungleich stärker mußte die V. O. C. als perfekter, unentrinnbarer Apparat – einem Amboß gleich – auf die Seelen der Menschen hier gedrückt haben? Da schufteten magere, kleine Gestalten in lähmender Sonnenhitze, schweiß-, staub-, blutverschmiert, gehalten, die Scheuern der Compagnie bis an die Decke vollzustopfen. Voll mit Gewürzen der köstlichsten Sorten.

Pfeffersäcke!

Pfeffersäcke, das waren auch Unter-, Oberkaufleute, Hauptbuchhalter. Sie thronten im Schatten, an sauberen hochstehenden Tischen, gekleidet in teures weißes Linnen, ordentlich gestutzt waren ihre Schnurrbärte. Es roch sogar nach Parfüm. In der Hand hielten sie den Federkiel und schrieben und schrieben. Vor ihnen lag eine lange Liste, in die die Anzahl der Säcke eingetragen wurde. Ja, sie jonglierten mit Zahlen und Geld. Keiner konnte das Geld sehen, weil es in schweren Tresoren ruhte. Mitunter erhob man sich, trieb etwas Gymnastik. Nebenher trieb man die Kulis mit einem Stock zu größerer Eile an. Oder man tupfte sich mit einem feingestickten Tüchlein vorsichtig den Schweiß von der Stirn und stöhnte unter dem Ungemach der Tropen.

Warum die dumpfe Gedrücktheit im Land der lachenden, fröhlichen Menschen? Es konnte nur an der asketisch roboterhaften Gestalt des Jan Pieterszoon Coen liegen. Coen war ein Arbeitstier, ein Robespierre, dem Lachen und Fröhlichkeit unangenehm waren. In seiner Anwesenheit schienen Gefühlsregungen dieser Art verboten zu sein. Sein stechender Blick ließ jedes Schmunzeln im Keim erstarren. Wie ein allgegenwärtiger Aufpasser saß er oben im Büro der Festung, das Geschehen vor den Lagerhäusern und Kontoren fest im Blick, den Profit der Compagnie im Kopf. Wer an den Mauern hinaufschaute, schauderte; dort oben saß das Grauen, »die Finsternis im menschlichen Herzen«, wie es Joseph Conrad nannte.

»Ja, Hitu, du wirst es nicht glauben, mir geht es nicht anders. Es ist die Unentrinnbarkeit dieser Entwicklung, vor der man erschrecken muß. Europäer brachten die Zivilisation, indem sie Menschen und Tiere ausrotteten und dabei selber krank wurden. Und die Eingeborenen hatten keine Chance dieser Zivilisation zu entrinnen. Coen war die Inkarnation dieser Zeit. Der Mann hielt die Gedanken der Menschen besetzt, beherrschte deren Gefühle. Er war kein gewöhnlicher Mensch.«

»Er war ein Europäer. Er war das, was wir an euch hassen und bewundern. Er hatte Eigenschaften, mit denen ihr Jahrhunderte die Erde beherrscht habt: Disziplin, Strenge, Konsequenz.«

Wir schweigen. Die Compagnie eine Ausgeburt der Europäer. Und Batavia das Produkt der Compagnie?

In jener Zeit waren viele Deutsche im Dienst der V. O. C., Soldaten aller Ränge, Ärzte, Matrosen, Kaufleute, Handwerker und Pflanzer. Vier General-Gouverneure deutscher Abstammung regierten in Batavia. Gustav Wilhelm Freiherr von Imhoff (1705–1750) war wohl der bedeutendste unter ihnen.

Niederländisch-Indien blieb für Deutschland bis Mitte des 19. Jahrhunderts eine vertraute Region Asiens. Goethe, Lichtenberg, Schiller, Kleist, die von Humboldts, Chamisso und viele andere der deutschen Geisteswelt befaßten sich mit dem heutigen Indonesien. Dichter Goethe erhielt regelmäßig Post aus Batavia. Er korrespondierte mit Georg Carl Reinwardt, der den berühmten botanischen Garten in Bogor, 60 Kilometer nördlich von Batavia, gegründet hat. Und Adelbert von Chamisso war der erste deutsche Schriftsteller, der Sumatra besuchte. Es gab Zeiten, da war die deutsche Sprache in Niederländisch-Indien stärker als die englische verbreitet. Welches waren die Gründe für diese engen Beziehungen? Die Niederlande waren zwar 1648 aus dem Verband des Heiligen Römischen Reiches ausgeschieden, dennoch blieben die politischen und menschlichen Kontakte bis in die Neuzeit hervorragend. Die Menschen fühlten Gemeinsamkeiten in Mentalität und Interesse. Den Bruch bescherte erst die deutsche Besetzung im Zweiten Weltkrieg.

Elias Hesse gehörte zu den wenigen Ostindienfahrern, die uns das Batavia unter Coens Verwaltung beschrieben: »Tags darauf ging der Herr Hauptmann Olitzsch an Land, allwo er im Kastell dem edlen Herrn General Coen und den Räten von Indien seine Arrivierung kund tat. Diese nahmen ihn in seiner Qualität gemäßen Weise auf und räumten ihm in der Nähe des Kastells ein Haus in der Stadt ein... Batavia liegt mit dem Kastell auf der Höhe von 6 Grad 10 Minuten unter dem Südpol auf der Insel Java Majo, zwölf Meilen von Bantam. Sie ist mit einer starken, aus gehauenen Steinen aufgeführten Ringmauer, vielen Bollwerken, breiten Wassergräben, starken Pforten und Fallbrücken sehr wohl befestigt. Mitten in der Stadt, am Fluß, steht eine viereckige starke Redoute (Schanze), von der aus die ganze Stadt und das Kastell beschossen werden können. Man findet in der Stadt auch eine herrliche Kirche, worin die christliche Lehre in der lieblich lautenden malaiischen Sprache gepredigt wird.

Die Stadt hat auch ein ansehnliches Rathaus, item ein Waisen-, Siechen- und Spinnhaus. Im letzteren sitzen die batavischen bösen Weiber, die von ihren Männern für untreu befunden wurden. Die Stadt ist ziemlich groß und sehr volkreich. Man findet kostbare steinerne Gebäude, breite Straßen, bewohnte Grachten, lustige Burggräben, steinerne Brücken und Basars, welche zuweilen von den Niederländern, Mohren, Sinesen, Javanern, Malaiern, Macassaren und anderen indianischen Völkern gleichsam angefüllt sind. Die Stadt und das Kastell werden durch einen großen Platz und ein breites Wasser voneinander abgesondert. Das Kastell liegt am Meer und am Strom, auf welchem täglich die Böte, Pframen, Schaluppen, Jachtschiffe und Dschunken ab und zu fahren.

Das Kastell Batavia hat vier starke Bollwerke, nämlich den Diamant, den Rubin, den Saphir und die Perle. Rund um die Stadt die schönsten Spazierwege, längs den Ländern, Baumgärten, Höfen und angenehmen Lusthäusern und Wohnungen, woselbst man sich herr-

26

24 *Reisfelder bei Yogyakarta in Zentraljava.*

25 **und** 26 *Bali, die Insel der Götter und Dämonen. Zeremonie für die Weihung eines neuen Dorftempels in Klungkung.*

27 *Der Tempel Tanahlot ist der Meeresgöttin Dewi Danu geweiht. Im Innern waltet der Priester seines Amtes (Bali).*

28

29

30

28 *Bei den Fischern von Kusumba (Bali). Nach der Fangfahrt werden die Jukongs auf den Strand gezogen.*

29 *Ein anmutiges Mädchen tanzt den »Legong« auf Bali.*

30 *Bali: Szene aus dem spektakulären Kechak- oder Affentanz: Der Affengeneral Hanuman tritt auf.*

31 *Kusamba auf Bali: Die Piroge (Jukong) wird gebaut.*

32 *Fischer in der Abendsonne vor der Küste der Insel Lombok.*

31

32

33

34

33 *Der Indische Ozean von der rauhen*
   Seite: in den Wellenbergen südlich
   Sumbawas.

34 *Nach dem Sturm: Noch läuft die*
   Brandung Sumbas hoch auf... und
   wird zum Verhängnis.

35 *Delphine sind häufige Begleiter.*

35

lich, und sehr in Sicherheit, ergötzen und spazieren kann. Man findet auch außerhalb Batavias, auf eine halbe Meile landwärts Schanzen, Abschnitte, Redouten, Blockhäuser und andere Befestigungswerke mehr, welche die Stadt vor dem Ansturm der Javaner beschirmen. Sie sind mit holländischen Soldaten besetzt. Sie liegen alle schon in fruchtbarem Reisland. Dort wohnen viele hundert Javaner und Sinesen in hocherhabenen Hütten, gleichsam in der Luft, damit sie vor dem Tiger und anderen wilden Tieren sicher sind.«*

Eindrucksvoll beschrieb ein anderer deutscher Zeitzeuge Hesses die Bestrafung aufmüpfiger Arbeitssklaven, die nach »Landesmanier« geprügelt wurden. Dazu mußte sich der Verurteilte aufs Gesicht legen, wurde von vier anderen Sklaven an Armen und Beinen am Boden gehalten. Dann verdroschen ihm zwei Rudersklaven mit einem Tau Hintern und Waden. Es setzte bis 300 Schläge aus voller Kraft. Das überlebte nicht jeder Insulaner.

In Batavia blühte ein hierarchisches Sklavenwesen. Freileute hielten sich in der Regel acht bis zehn Sklaven. Die ausgebildeten oder intelligenten unter ihnen zahlten monatlich eine bestimmte Summe an ihre Herrn und hielten sich ihrerseits Sklaven, die die Arbeit leisten und das Geld für ihren Obersklaven aufbringen mußten. General-Gouverneur Coen beispielsweise besaß einen Sklaven, der sich 80 Untersklaven als Leibeigene hielt.

Um die Gewürzpreise hochzuhalten, andererseits den Schwarzmarkt oder Diebstahl zu unterbinden, wurden alljährlich Ernteüberschüsse zu großen Haufen zusammengetragen und verbrannt. Aufmerksam schirmten Stadtwachen die brennenden Gewürzhaufen vor den verständnislosen und aufgebrachten Javanern ab. In Zeiten des Überschusses war der Himmel über Batavia tagelang von den Rauchschwaden verkohlender Güter getrübt.

Vor den Kriegszügen, und Coen unternahm derer viele, vereidigte er sein Vielvölkerheer aus Deutschen, Holländern, Portugiesen, Macassaren und Malaien. Wieder einmal ließ er Kontingente für Sumatra auf dem Exerzierplatz antreten. Knapp, trocken, einsilbig sprach der General-Gouverneur zu den Soldaten: »Die Compagnie wird in

---

* Nareiß, Georg Adolf (Herausgeber): »Von Hinterindien bis Surabaja«, Horst Erdmann Verlag, Tübingen 1977, S. 50f.

Sumatra bedrängt. Zur Schlichtung von Streitigkeiten werden Sie dorthin kommandiert. Tun Sie Ihre Pflicht. Bringen Sie die Rebellen zum Gehorsam zurück!«

Die Offiziere und Unteroffiziere der Macassaren legten zuerst ihren Eid auf die Compagnie ab. Dazu sprangen sie mit entblößtem Haupt und gezogenem Kris wie Gaukler im Kreis herum und brüllten aus Leibeskräften, daß sie der Edlen Compagnie getreu sein und Ehre erstreiten wollten. Hernach wurden Offiziere der deutschen und anderen Abordnungen vor den General-Gouverneur befohlen und vereidigt. Unterdessen schwojten vier Kanonenschiffe vor Batavia an ihren Ankern, klar zum Auslaufen…

Gut hundert Jahre später berichtete ein weiterer Zeitgenosse über die Hauptstadt der edlen Compagnie: Kapitän James Cook.

»… die Gärten sind von übel stinkenden Gräben umgeben, noch widerwärtiger sind die Sümpfe und Moraste in den angrenzenden Feldern. Mehr als 30 Meilen rund um die Stadt ist das Land bis auf zwei Stellen ganz flach, an der einen befindet sich der Sitz des Gouverneurs, an der anderen ein großer Markt, beide liegen jedoch weniger als zehn Meter über der Ebene. Etwa 40 Meilen entfernt von der Stadt beginnen die Hügel, und die Luft wird reiner. Dorthin senden die Ärzte ihre Patienten, wenn alle anderen Heilungsversuche fehlgeschlagen sind, und hier erholen sich die meisten wieder. Sobald sie jedoch in die Stadt zurückkehren, treten die alten Übel wieder auf.«

Batavia hatte sich zum Grab des weißen Mannes entwickelt. In Hitze und Dreck grassierten Malaria und Ruhr. Täglich ratterten die Leichenwagen vor die Stadt. Das Leben im Batavia jener Zeit war angstbesetzt und gefährlich.

Um uns wieder fröhlicher zu stimmen, lade ich Hitu auf ein Bier ins Batavia-Café ein. Das mondäne Ambiente des berühmten Hauses möbelt ihn auf. Man ist von netten Leuten und Persönlichkeiten umgeben. Nett ist auch die Bedienung; freundlich, unaufdringlich interessiert sind die Gäste. Von Wänden, Säulen und Decken lächeln jovial Berühmtheiten aus der ganzen Welt: Ernest Hemingway, Greta Garbo, John F. Kennedy – selbst vor Waschräumen und Toiletten machen deren Konterfeis keinen Halt.

Während wir an dem hochpolierten Tresen sitzen und das kühle Bier genießen, wird allmählich der Staub der Geschichte von der Seele gewaschen. Ich bin unruhig, muß weiter, vor allem meinen verrückten Plan verwirklichen. Doch noch weiß ich nicht wie.

4. Kreuz und quer durch Indonesien[*]

Der sterbende Büffel

»Wo die Luft heiße Tränen weint, wächst Regenwald, selbst in der Wüste«, lautet ein javanisches Sprichwort. Poetischer ist diese Tatsache nicht auszudrücken. Feucht und heiß steht die Luft über dem Tropenwald, immer mit Myriaden winziger Wassertropfen geschwängert. Ich komme aus dem Tiefland Sumatras, in dem morgens die Luftfeuchtigkeit 90 Prozent beträgt, aus dem äquatorialen Monsungürtel, der Mensch und Kreatur auf Meereshöhe wie ein Korsett beklemmt. Ich bin aus dem Orang-Utan-Wald von Bohorok, durch die Heimat von 2000 Orchideenarten, von Frangipani und Bougainvillea, von Lotosblüten, Hibiskus und 100 Palmenspezies bergan gestiegen.

Unter mir liegt das Refugium Pukit Lawang nahe Bohorok. Ein Rehabilitationszentrum für die Menschenaffen im rotbraunen Rock. Seit es verboten ist, Orang-Utans als Haustiere zu halten, werden die kulleräugigen Riesen dorthin gebracht, wo sie in kleinen Schritten die Rückkehr in den Dschungel lernen sollen. Aus ihren Gehegen schauen sie ungläubig-ängstlich in Richtung Dschungel. Noch ist Wildnis den zahmen Urwaldtieren suspekt.

Mein Weg führt an Batak-Siedlungen vorbei. Charakteristische Mehrfamilienbauten auf Pfählen. Sie sind groß, geräumig und wirken wie stolze Schiffe auf der Fahrt durch den Regenwald. Im Norden

---

[*] Der Name ist eine europäische Wortschöpfung. G. W. Earl und J. R. Logan, zwei britische Ethnologen, entwickelten diese aus den griechischen Begriffen für Indien (Indos) und Inseln (Nesoi). Verbreitet wurde die Bezeichnung dann 1884 durch das Werk »Indonesien oder die Inseln des Malaiischen Archipels« des deutschen Völkerkundlers Adolph Bastian. Die Indonesier sagen in ihrer Sprache »Tanah-Air-Kita« – »Unser Land und Wasser«.

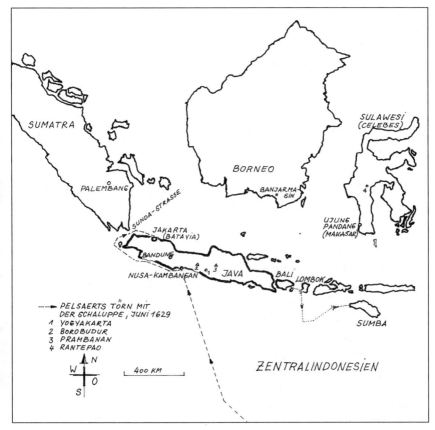

Ein Teil des riesigen Land-Wasser-Staates Indonesien. Bis heute bildet Java mit der Hauptstadt Jakarta den Mittelpunkt der Inselgemeinschaft.

leben die Toba-Batak. Ich bin auf dem Weg zu ihrem Zentrum, dem Toba-See. Er ist größer als das Tote Meer und doppelt so groß wie der Bodensee. In herrlicher, wildromantischer Landschaft liegt er eingebettet, 900 Meter hoch, das bedeutet erquickende Kühle.

Die Batak glaubten an Geister, Magie, Ahnen, an Tondi, die Kraft der Übertragbarkeit alles Lebendigen. Aus der Macht Tondis erwuchs der Kannibalismus. Batak stehen zu den Gelüsten ihrer Vorfahren. Doch ihr Hunger auf Menschenfleisch sei nicht wahl- und zügellos gewesen. Gegessen wurden nur Feinde, Eindringlinge, Bösewichte. Missionare der protestantischen Rheinischen Mission stießen um 1860 auf die Ureinwohner Sumatras und versuchten, sie von ihrem Irrglauben zu befreien. Das war sehr mühevoll – ein wenig zaubergläubig sind die Batak auf dem Land bis heute noch.

Die Holländer unterwarfen das Volk nach einer Schlacht, in der der letzte gottähnliche Priester-König, ein direkter Nachkomme des mythischen Stammvaters Si Raja Batak, den Tod fand, das war 1907 im Sisingamangaraja-Krieg.

Nachmittags erreiche ich das Ufer des Sees. Die Kühle tut gut. In Prabat begebe ich mich an Bord eines Fährdampfers, um die Insel Samosir zu erreichen. Der Toba-See ist stellenweise 600 Meter tief. Er gehört zu den tiefsten des Globus, umgeben ist er von teils tätigen Vulkanen und wird der Lago Maggiore Asiens genannt. Das ist keine Übertreibung!

Wetterleuchten. Irgendwo im Süden des Sees braut sich ein Unwetter zusammen. Der Himmel nimmt eine morbide, schwefelgiftige Färbung an. Bald werden sich auch über uns die Himmelsschleusen öffnen. Noch ziehen Wasserbüffel in stoischer Ruhe ihre Bahn. Noch bearbeiten Frauen den roten, fetten Boden. Im wadentiefen Schlamm stehen Männer und legen Reisterrassen an. Reis ist das Brot der Indonesier. Reis bestimmt das Leben nicht nur auf Sumatra. Man ißt ihn morgens, mittags und abends. Essen heißt »Reis«, den Darm entleeren heißt »Reis wegwerfen«. Aber die indonesische Reistafel haben die Holländer kreiert, und die beste Reistafel wird in Amsterdam serviert.

Meine Fähre heißt SINDBAD. Nach 45 Minuten erreicht sie die Insel und legt am Steg der Hotelanlage »Toledo« an. Madam M. Tobing empfängt mich mit einem Baumtomaten-Drink.

»Für 1500 Rupiah bekommen Sie eine Massage. Sie können die Masseuse aufs Zimmer bestellen«, sagt sie. »Es ist eine medizinische Massage«, ergänzt sie schmunzelnd. Maria Tobing ist eine rundliche Frau, Ende 60, mit verbindlichem Lächeln, dennoch erstaunt ihr sicheres Auftreten. Gegen Abend erlebe ich, wie sie einen Teil ihres Bedienstetenstabes antreten läßt – rund 50 Mädchen, Männer, Frauen – und dann einen nach dem anderen zurechtweist: klar, deutlich, bestimmt. Im Halbkreis steht die Belegschaft vor ihr, fast in Grundstellung, den Blick ängstlich auf den Boden geheftet.

Frau Tobing regiert einen Hotelkomplex mit mehreren Bungalows und Häusern im Stil des Landes. Alle Gebäude haben Seeblick. Ihre Gäste kommen aus der ganzen Welt, meist als Reisegruppen aus Japan, Australien, den USA, Deutschland und anderen Ländern. Ihr Angestelltenstaat zählt über 160 Personen. Rechnet man deren Familien dazu, ist sie für das Wohl und Wehe von mindestens 600 Menschen verantwortlich. Sie ist Chefin eines Unternehmens im heiß umkämpften Hotelmarkt, aber nicht irgendeine Hotelbesitzerin. Maria Tobing ist eine Legende edelsten Geblüts. Doch dazu später.

Ich erhalte den Schlüssel für das Zimmer. Es ist ein Haus im traditionellen Batak-Stil, aus Holz mit einem Palmblattdach. Ungemein eindrucksvoll sind die Gebäude der Batak! Die Bemalung der Holzfassade folgt einem einheitlichen Muster: oben weiß, für den Himmel, in der Mitte rot, für Leben und Blut, unten schwarz, für die Erde. Die Giebel ragen hinten höher in den Himmel als vorn, mit der Bedeutung, die Kinder sollen es besser als die Eltern haben. Der sattelförmige First beruht auf einer Legende: Einst wollte ein Fürst West-Sumatra unterwerfen. Die Batak verlangten ein Gottesurteil, dem sie sich beugen würden. Es ging um den Kampf zwischen einem Kabau, also einem Wasserbüffel, und einem Kälbchen. Der Wasserbüffel symbolisierte die Aggressoren, das Kälbchen die Verteidiger. Verlor das Kalb, war die Unterwerfung vollzogen. Die Batak verpaßten einem nicht entwöhnten Kalb messerscharfe Metallhörner und trieben es dem Büffel zu. Eutersuchend zerschnitt das Kalb den Bauch des Kabau. Der Sieg über den starken Wasserbüffel führte zum Abzug der Eroberer. Seither formen die Batak ihre Dachfirste geschwungen wie ein Büffelhorn.

Ich schaue über den blauschwarzen See. Vor einigen Hanghütten flackern Öllampen. Dann plötzlich zucken Blitze von allen Seiten, es kracht ohrenbetäubend, schwerer Regen prasselt wie ein Wasserfall herab.

Entstanden war das größte Binnenmeer Indonesiens infolge einer Katastrophe vor 75000 Jahren. Die Erde brach auf, Magma schoß in den Himmel, zwischen den Vulkanen Ulu Barat und Sibayak versank der Boden und bildete den fast 600 Meter tiefen Wannengrund des

Am Toba-See Sumatras leben die Batak. Im Dorf Huta Balon wird ein Wasserbüffel geopfert.

Toba-Sees mit seinem klaren Wasser und reichen Fischgründen. Doch das Juwel ist in Gefahr. Unterhalb des Sees entstehen Industrieansiedlungen. Papierfabriken haben einen unstillbaren Hunger auf frisches Holz und klares Wasser. Die Wälder lichten sich, der Seespiegel sinkt, die Reinheit wird getrübt, der Fischbestand dezimiert. Professor Midian Sirait will die Umweltverschmutzung seiner Heimat nicht hinnehmen. Der Batak lebt zur Zeit in Jakarta und kämpft dafür, daß der Toba-See Weltkulturerbe werden soll wie Borobondur oder die chinesische Mauer. Es wurde eine Toba-Heritage-Foundation gegründet, und Prinz Bernhard der Niederlande hat seine Unterstützung zugesagt. Midian Sirait hat in Mainz Pharmazie studiert, in Deutschland wurde sein Bewußtsein für die Umwelt sensibilisiert.

Morgens weckt mich strahlender Sonnenschein. Ich besuche das alte Wehrdorf Huta Balon, das von einem Graben und haushohem Bambus umgeben ist. Das Dorf besitzt nur ein Tor. So ließen sich ungebetene Gäste gut kontrollieren. Die großen Pfahlbauten der

Toba-Batak stehen in Reihe vor einem Dorfplatz. In der Mitte befindet sich »Rumah Bolon«, das Königshaus. Rechts und links davon folgen die Gebäude der Adligen, dann schließen sich die der übrigen Bewohner an. Gegenüber befindet sich eine große Scheune, in der »Sopo«, Reis, gelagert wird. Der Dorfplatz dient Tanzzeremonien zum Gefallen der Götter. In der Mitte des Platzes steht ein Pfahl, der den heiligen Baum Waringin symbolisiert. An den Pfahl werden Wasserbüffel gebunden, die bei Trommelklängen zu rituellen Anlässen geschlachtet werden. Ein solcher Anlaß besteht heute.

In prunkvollen Gewändern nehmen Frauen und Männer vor den Hütten Aufstellung. Aus einer Dachgiebelöffnung klingen monotone Trommelschläge. Eine Frau zieht einen Büffel auf den Dorfplatz und bindet ihn an den mit Blättern geschmückten Pfahl.

»Gondang Lae-Lae«: Zur Trommel fällt ein gemischter Chor ein. Der Büffel soll beruhigt werden. Der Chor beschwört die Götter, sie mögen den Büffel vor der Opferung versöhnlich stimmen. Der Medizinmann kann in dem Verhalten des Tieres gute oder schlechte Botschaften lesen.

»Gondang Mula-Mula«: Ein weiteres Gebet an den Schöpfer von Himmel, Erde und allen Kreaturen. Er möge den am Fest Beteiligten viele Söhne und Töchter, den Familien Wohlstand bescheren. Kranke des Dorfes mögen geheilt werden.

»Gondang Sahata Mangaliat«: Trommeln und Xylophone steigern sich zu einem Fortissimo. Das ganze Dorf tanzt jetzt um den Borotan. Gelassen verfolgt der Büffel das Treiben. So soll es sein. Plötzlich setzt der Medizinmann dem Tier ein Buschmesser an den Hals, sticht zu und säbelt den Hals zu einer klaffenden Wunde auf. Ein dicker Blutstrahl entweicht pulsierend. Auf dem Sand bildet sich eine rote Lache. Dem Büffel wird ein langes, dickes Bambusrohr an den Hals gehalten, um das Blut aufzufangen. Unglaublich ruhig steht das Tier am Pfahl, als wundere es sich, was da an ihm geschehen ist. Allmählich werden die Beine wacklig, knicken um, der massige Körper stürzt herab. Noch hält er den Kopf aufrecht, dann legt sich auch dieser sanft zur Seite, als wolle der Büffel schlafen. Nur die aufgerissenen Augen verraten den nahen Tod. Nach einem bestimmten Ritual wird das Fleisch aus dem Körper getrennt und verteilt.

»Gondang Sidoli«: Es folgt der Tanz junger Männer, die um die

Gunst heiratsfähiger Mädchen werben. Musik rieselt eintönig ans Ohr, ohne Höhen und Tiefen. Ermüdend, wie die Paare tanzen! Mich wundert, daß ein temperamentvolles, ungestümes Volk wie die Batak dermaßen leidenschaftslose Weisen kennen. Eine Ewigkeit lang bewegen sich Mädchen und Jünglinge schlangengleich mit ausdruckslosen Gesichtern…

Ich verlasse den Dorfplatz, begebe mich zu einem von Blattwerk überdeckten, düsteren Hain, in dessen Mitte ein großer Gummibaum steht. Unter ihm wurde einst Recht gesprochen. Bisweilen wurden auch Todesurteile gefällt. Der Granitfels zu Füßen des Baumes galt als Hinrichtungsstein, dessen eingearbeitete Mulde für Kopf und Hals gedacht war. Verurteilte wurden an die Schlachtbank herangeführt, gefesselt und mit bloßem Oberkörper, das Gesicht zur Erde gewendet, über den Stein gelegt. Der Scharfrichter ritzte den Rücken mit dem Messer und goß die Wunden mit Zitronensaft aus. Eine Folter. Der Todeskandidat sollte nicht schmerzlos ins Jenseits befördert werden. Dann wurde der Körper zurückgezogen, so daß der Kopf in die Granitmulde glitt. Ein Schwerthieb trennte den Schädel vom Rumpf. Das Blut wurde in einem Bambusgefäß aufgefangen und dem Häuptling als Trunk gereicht. Noch warme Eingeweide verspeisten die Männer roh – vor rund 100 Jahren keine Seltenheit im Batak-Land.

Ich treffe Maria Tobing am Badesteg vor meinem Batak-Haus. Sie hat ihren Rock etwas geschürzt und sitzt auf den Planken. Ein Fischer ist in seinem Einbaum herangepaddelt und plaudert mit ihr. Ich hocke mich dazu.

»Das ist Simando«, sagt sie, »er versorgt mich mit Karpfen. Doch im Moment sind meine Reusen voll. Die Gäste essen zuviel Fleisch.«

Dabei zeigt sie auf einen feinmaschigen Wasserkäfig unter dem Steg, in ihm wimmelt es von fetten Karpfen.

Der Fischer sticht ab und gleitet am Ufer entlang.

»Waren Sie in Huta Bolon?« fragt Maria.

»Ja, sehr eindrucksvoll.«

Sie lacht und sagt: »Unsere Kultur war eine kraftvolle, robuste. Keine Hochkultur, aber alt und stark, wie die Menschen, die sie schufen. Keine fremde Macht konnte ihr etwas anhaben. Selbst die Ostindische Compagnie unterwarf uns nicht.«

Charakterisierungen der Batak kommen mir in den Sinn: Einer allein sucht sich einen Kumpel, zwei Batak spielen Schach, drei gehen in die Kneipe, vier spielen Karten, fünf singen, sechs machen eine Revolution. Oder: In einem Bus tritt ein Javaner einem Batak auf den Fuß. Der Batak schubst den Javaner weg und brüllt ihn an. In einem anderen Bus tritt ein Batak einem Javaner auf den Fuß. Nach zehn Minuten sagt der Javaner: »Entschuldigen Sie, ich muß aussteigen, könnten Sie bitte von meinem Fuß steigen?«

»Und die Missionare, die holländischen Kolonialtruppen?« frage ich vorsichtig.

»Die Missionare haben uns vom Kannibalismus abgebracht, das war nicht verkehrt. Feinde aufzuessen paßt nicht in unsere Zeit. Meinen Sie nicht auch?«

Ich pflichte bei.

»Aber das Christentum haben wir mit eigenen Elementen angereichert. Das ist gut. Und die Kolonialmacht hat eine Schlacht gewonnen, aber keinen Krieg.«

»Man hat mir erzählt, Sie hätten einen berühmten Ahnen«, sage ich.

»Das stimmt, der letzte mächtige Batak, Fürst Sisingamangaraja XII., war mein Großvater. Er wehrte die Holländer jahrelang erfolgreich ab. Als sie in Tapannuli einfielen, vereinigte Großvater Nachbarvölker von Aceh und Minangkabau und kämpfte gegen die Kanonen und Gewehre der Europäer. Es war ein ungleicher Kampf. Dennoch verteidigte er sich erfolgreich. 1907 fiel er in den Wäldern des südlichen Toba-Sees.«

»Ich habe seine Gedenkstätte Taman Makam gesehen«, sage ich.

Sie zeigt überlebensgroß Roß und Reiter aus weißem Kalkstein. Die Mähne des Pferdes flattert im Angriffssturm, der Reiter reißt den Mund zum Siegesgeheul auf, in der hocherhobenen Faust schwingt er den Kris, als wolle er noch immer die Massen auf einen imaginären Feind hetzen.

»Mein Großvater galt als unverwundbar, solange er kein Blut berührte«, erzählt Maria geheimnisvoll. »Eines Tages rettete er ein verwundetes Mädchen und kam mit ihrem Blut in Berührung. Ab dieser Zeit war er sterblich wie jeder Mensch. Bis zu seinem Tod dauerte es nicht mehr lange. Eine Legende«, fügt Maria hinzu, »aber eine starke, an die sein Volk glaubte. Auch meine Mutter glaubte daran. Sie ist 92 Jahre alt geworden und wurde häufig von Sukarno eingeladen. Der zeigte sich mit ihr in Jakarta. Galt doch ihr Vater als Symbol des Widerstandes gegen die verhaßten Besatzer.«

»Im Tabernakel hat ihr Großvater einen Schrein.«

Sie schmunzelt. »Es ist eine Gedenktafel mit der Rekonstruktion der Gegner vor dem letzten Gefecht.«

Maria Tobing gibt sich einen Ruck und steht auf.

»So, nun muß ich mich meinem Personal und den Gästen widmen.«

»Ich werde einen Karpfen essen«, sage ich.

»Das freut mich!« Damit eilt sie in Richtung Empfangshalle.

Hahnenkämpfe, Totenkult und Nelken

Von tiefen Ozeangräben umgeben liegt Sulawesi im Archipel wie ein Krake mit vier Fangarmen. Wahrscheinlich war diese Insel niemals mit dem asiatischen oder australischen Festland verbunden, mit ein Grund, daß Celebes – so hieß die Insel einst – als Reich der Geheimnisse, der Abenteurer, Kannibalen und Zauberer, aber auch der Piraten und Sklavenjäger galt.

Seefahrende, früher seeräuberische Bugis, halten den Mythos des tollkühnen Fahrensvolkes am Leben. »Flügel des Meeres« wurden sie genannt. Ihr Zentrum war Ujung Pandang. Schwärmten sie in ihren Schiffen aus Teakholz, bestückt mit mächtigen Segeln aus geflochtenen Bananen- oder Ananasblättern aus, dachten die Menschen des Inlands an einen Schwarm Reiher, der elegant und schnell über die See schwebte. Die Bugis befuhren das Südchinesische Meer und schlüpften durch schmale Wasserstraßen hindurch bis Australien, Indien, Ostafrika, Madagaskar. Seehandel verlieh ihren Küstenkönigreichen in Südcelebes Einfluß und Wohlstand.

Holländer kamen und duldeten keine Konkurrenz. Unter Admiral Speelman wurde der strategisch wichtige Handelsplatz Ujung Pandang erobert, die Seekönige von Gowa wurden besiegt. Die Macht der Niederländer demonstrierte das Fort Rotterdam in Makassar, wie sie Ujung Pandang (Ort, wo der Pandanus-Baum wächst) nach der Einnahme nannten. Von nun an beschimpften sich Bugis und Europäer als »Räuber und Gewürzschmuggler«. Recht hatten beide.

Aus Makassar ist wieder Ujung Pandang geworden. Es ist die Hauptstadt Sulawesis. Ein Ort tiefer Tropenprovinz, arm, müde, faltenreich geworden. Doch stets umweht von einem Hauch herber Seeromantik. Da huschen barfüßige, halbnackte Hafenarbeiter durch die Gassen, in den Spelunken zocken Typen, die direkt den Romanen Josef Conrads entsprungen scheinen. Unrasiert, in schmutzigen Leinenanzügen gestrandete Europäer, Abenteurer, Glücksritter.

Ich sitze in einer der vielen Hafenkneipen. Schaue über den Mastenwald von Pinisi-Schonern – Segelschiffe der Bugis. Aus den Seeräubern, Sklavenhändlern, den Schrecken der Meere sind gute Bootsbauer und brave Seeleute geworden.

Von den holländischen Häusern und Speichern bröckelt der Putz, blättert die Farbe. Nur das Fort Rotterdam erstrahlt in renoviertem Glanz. Aus der Festung ist eine Kulturstätte geworden und das Wahrzeichen der Stadt.

Ich liebe das morbide Flair untergegangener Kolonialorte einstiger Küstenreiche. Sie vermitteln Gefühle aus Erzählungen von Sindbad oder Tausendundeiner Nacht – wie ausgeträumte Kinderträume. Die Legende erzählt: »Aus hellem Himmel fuhren Blitze nieder und verzweigten sich wie Äste unendlich vieler Bäume. Dem grellen Licht entstiegen die Vorfahren der Gowa-Könige auf einem Fels vom Himmel zur Erde gekommen.«

Reste des glanzvollen Reichs Gowa sind zehn Kilometer vor Ujung Pandang aufzuspüren: der hölzerne Palast, der Friedhof mit den Krypten der Herrscher, der sagenumwobene Tomanurung-Fels, auf dem alle Herrscher Gowas gekrönt wurden. Zur Blütezeit gehörten Sumba und Sumbawa und auch Flores zum Reich.

Auf dem Friedhof liegt Sultan Hasanuddin, der die Niederländer einmal schlug, aber dennoch den Krieg verlor. Auf Sulawesi wird er als Nationalheld verehrt. In seiner Nähe liegt der verhaßte Widersacher Arung Palakka. Palakka, ein kriegerischer Bugi-Prinz, kam den Holländern zu Hilfe und gilt als Verräter. Im Tod sind Held und Bösewicht fast vereint.

An meinem wackeligen Aluminiumtisch sitzt ein Europäer, trinkt Reisschnaps und raucht. Nach jedem Zug umhüllt ihn eine Dunstglocke aus Nelkenduft. Er zieht an einem Kretek-Glimmstengel, gedreht aus einem Tabak-Nelken-Gemisch. Sulawesi ist die Insel der Nelken. Für Portugiesen und Holländer waren Nelken Objekte der Begierde.

Wir blinzeln in die tiefstehende Sonne. Hinter uns begeben sich Fotografen in Position und warten auf den Sonnenuntergang, der zu den schönsten aller Küsten zählt.

Der Mann raucht und trinkt, von seiner Umgebung nimmt er keine Notiz. Plötzlich fragt er, ohne aufzuschauen: »Schon lange hier?«

»Nein, seit gestern. Und Sie?«

Er seufzt. »Ich weiß es nicht. 50, 51 Jahre? Spielt auch keine Rolle. In den Tropen ist das Leben monoton und zeitlos.«

Er schaut mich an. Ich sehe ein blasses, eingefallenes Gesicht von vielleicht 60 Jahren. Seine Augen sind wässrig und trüb. Am rechten Mundwinkel zuckt unkontrolliert ein Muskel. Er spricht Englisch mit Akzent.

»Was treibt Sie nach Pandang? Suchen Sie etwas oder laufen Sie vor etwas weg?«

Ich sage: »Der Wind – Ereignisse. Bin auf den Spuren der Holländer und ihrem Wirken in Indonesien.«

Er lacht trocken. »Keine schöne Geschichte.«

Dann ruft er müde einen Kellner. Der eilt heran und baut sich beflissen neben ihm auf.

»Jonas, bring dem Gast einen Arak und mir noch einen.«

»Ya, tuan (Ja, Chef)«, sagt der Sulawesianer.

Ich mustere den Mann ungläubig von der Seite. Sein schäbiges Äußeres, seine verschlissene Hose.

»Ist das Ihr Restaurant?«

Der Kellner kommt mit dem Schnaps. »Silakan (bitte)«, sagt er und schiebt mir den Becher zu.

»Terima karih (danke sehr)«, antworte ich.

»Baik (gut)«, freut sich Jonas und reibt seinen Bauch.

Das Zeug schmeckt wie starker Korn.

»Restaurant?« sagt der Weiße. »Das ist eine Kaschemme mit ›ner Absteige‹. Der Laden heißt, was er ist: ›Nyamuk‹ (die Stechmücke).«

Wir schweigen. Nach einer Weile stellt sich der Mann als Pieter Bastiaensz vor.

»Bastiaensz?« frage ich nach. »Gijsbert Bastiaensz hießen der Prediger und sein Sohn, ein Buchhalter, auf der BATAVIA!«

»Ich weiß. Wir Bastiaensz sind unter der V. O. C. ausgewandert. Waren über viele Generationen im Archipel. Nicht ausgeschlossen, daß wir von der Sippe der Missionare abstammen.«

Pieter wird gesprächiger, und ich erfahre etwas aus dem Leben holländischer Kolonialisten. Er selbst wurde in Bandung auf Java geboren. Sein Vater diente 35 Jahre als Beamter in den »De Nederlandse Koloniën«. Als die Japaner einmarschierten, steckten die neuen Besatzer ihn erst ins Lager, dann wurde er hingerichtet. Auch Mutter Bastiaensz und Sohn Pieter mußten in Lagern darben. Die Mutter wurde krank und starb.

»Die Indonesier haben sich über die Japaner an uns gerächt«, sagt Pieter mit bitterem Unterton. »Ein Onkel nahm mich auf, mit ihm verbrachte ich einige Jahre in Rotterdam. Aber die Tropen haben mich verdorben. Ich kam wieder, weil ich nirgends sonst leben kann.«

Pieter Bastiaensz versuchte sich im Hotelgewerbe. In Denpasar auf Bali und Bandar Lampung, im Süden Sumatras, machte er pleite.

»Nach Sulawesi bin ich geflüchtet«, erzählt Pieter. »Wenn's mit dem Laden so weitergeht, ist der auch bald pleite.«

Ich schaue auf sein Glas.

»Nicht nur der Alkohol. Ich hab' Malaria. Es ist die Hitze. Mich haben die Tropen kaputt gemacht.«

Er sieht unendlich leidend und krank aus. Tiefe Falten durchfurchen sein Gesicht wie Narben.

»Sie sind auf den Spuren der Holländer«, ruft er aus und kippt den Rest aus seinem Glas in die Kehle. »Schauen Sie mich an und meinen Laden, beides ist symptomatisch. In Südostasien haben wir uns verbraucht.«

Gedankenverloren starren wir ins letzte Sonnenlicht.

»Wo bleiben Sie heute nacht?« fragt Pieter.

»Noch nichts disponiert«, sage ich.

»Wenn Sie Mut haben, bleiben Sie im Nyamuk. Ich garantiere für Wanzen und Kakerlaken.«

»Abgemacht!«

Wir stehen auf und gehen durch das einfache Restaurant bis kurz vor die dampfende, nach allen Gerüchen des Ostens duftende Küche. In einem Séparée nehmen wir auf verschlissenen Rattanstühlen Platz. Eine ausnehmend hübsche, schlank gewachsene Indonesierin setzt sich neben Pieter.

»Meine Frau, Daya«, sagt der Holländer.

Daya lächelt charmant und streicht sich ihre langen, pechschwarzen Haare aus dem Gesicht. Pieter bespricht mit ihr das Abendessen. Als sie in der Küche verschwunden ist, sagt Bastiaensz grinsend: »Meine dritte Frau.«

»Sie ist sehr hübsch.«

»Sie sind alle sehr hübsch und lieb. Aber sie verblühen so schnell.«

Daya ißt mit uns. Wir starten mit einer Hühnersuppe mit Reis. Dann folgt Nasi Campur, Reis mit gemischten Zutaten, das sind Gemüse, Huhn, Rind, Ei. Die Zutaten werden in vielen einzelnen Schüsseln serviert, jeweils in verschieden scharfen Soßen angerichtet. Nun folgen auf Holzkohle gegrillte Fleischspieße mit Erdnußsoße. Ich staune, was in das Bäuchlein der zierlichen Daya hineingeht. Sie lächelt. Ich bin von ihren anmutigen Bewegungen, ihrem Lächeln, ihren Mandelaugen und ihrem Teint, der an frische Aprikosen erinnert, angetan. Pieter hat es wohl bemerkt und sagt ihr etwas auf Indonesisch. Daya kichert verlegen und widmet sich dem nächsten Gang: Ikan Mas (gebackener Goldfisch). Zum Nachtisch wird eine übervolle Obstschale hereingereicht. Ich lasse mir die Früchte erklären: Guaven, Mangos, Litschis, Rambutan, Salak, Ananas. Ich koste von allem.

Das Lokal ist bis auf drei Gäste leer. Einheimische des Hafenviertels können sich nicht leisten, was wir uns auffahren lassen, den Touristen ist das Nyamuk zu schäbig.

Pieter reckt die Arme und erhebt sich mit einem befreiten Rülpser.

»Ich brauche Bewegung. Kommen Sie mit, ich zeige Ihnen etwas typisch Indonesisches, einen…«

»Nein, bitte Pieter, nicht schon wieder«, wirft Daya ein.

Pieter hört nicht auf sie. Wir verlassen das Lokal, schlängeln uns durch Gäßchen in ein noch dunkleres Viertel. Meine Neugierde wächst.

184

Nach einer Viertelstunde frage ich: »Wo führen Sie mich hin, Pieter?«

Er hält an und flüstert mir zu: »Hahnenkämpfe.«

»Ich denke, die sind verboten?«

»Sind sie auch. Aber an versteckten Orten finden sie trotzdem statt.«

Wir eilen weiter.

»Hahnenkämpfe sind mein Untergang«, sagt Pieter. »Sie sind der Ruin für viele Indonesier, weil manchmal Hab und Gut verwettet werden.«

»Ich dachte, sie sind grausam und deshalb verboten worden.«

»Quatsch!« sagt Pieter.

Zwischen halb zerfallenen Gemäuern tut sich ein großer Platz auf. Fahrräder und Mopeds liegen und stehen in großen Pulks herum. Auf dem schummrigen Platz: Menschen, Staub und Hähne. Aus anderen Vierteln sind sie gekommen, um ihre Hähne kämpfen zu lassen, um zuzuschauen, um Wetten abzuschließen, um einfach dabeizusein, weil es die Tradition fordert. Erstaunlich viele alte Männer sind dabei.

Kaum länger als eine Minute dauert ein Hahnenkampf. Ist ein Kampf ausgetragen worden, verstreicht geraume Zeit, bis die Zuschauer den nächsten zu sehen bekommen. Zwei neue Partner mit etwa gleich starken Hähnen müssen sich finden. Hähne werden begutachtet, ausgetauscht, zum Kauf angeboten. Es geht sehr fachmännisch, sehr ruhig zu. Eine Geste, kurzes Gemurmel der Ablehnung, der Kampfhahn wird weitergetragen. Ein neuer Gegner, ein anderer Interessent wird gesucht.

Kleine Köcher mit rasiermesserscharfen Klingen werden geöffnet, die Klingen vorsichtig herausgenommen und mit einem roten Bindfaden fest an das linke Hahnenbein gebunden, dann verknotet. Die vier Zentimeter langen Rasiermesser stehen im rechten Winkel zum Körper, ein Mordinstrument an den Füßen der Hähne.

Plötzlich entsteht in einer Ecke des Platzes Unruhe. Es kommt Bewegung, Lärm, Gedränge in die Menschenmenge. Ein neuer Kampf steht bevor. Zwei Kontrahenten haben sich gefunden. Die Mitte des Platzes wird geräumt. Die Besitzer erscheinen mit ihren Kampfmaschinen. Es bildet sich eine Arena, in der sich zwei Männer gegenüberhocken. Noch haben sie ihre Hähne fest im Griff, lassen sie aber schon einige Male aufeinander einhacken. Das soll sie reizen.

Jetzt werden Wetten abgeschlossen, Geldbündel aus Taschen, Hemden oder Hosen gekramt, wechseln in Windeseile den Besitzer. Behende flitzen junge Männer hin und her, kassieren und notieren. Ein, zwei Monatsgehälter werden eingesetzt. Sieg oder Niederlage entscheidet über Wohl und Wehe des Spielers samt seiner Sippe. Pieter wirft ein Scheinbündel in die Mitte.

»Der Rechte mit dem zernarbten Gesicht, den schwarzen Federn, der macht's. Ein kampferprobter Veteran. Der Bunte ist zu jung.«

»Chac, chac, chac!« ist der Schlachtruf der Zuschauer.

Die Spannung gleicht einem Pulverfaß. Es wird gedrängt und gestoßen. Beide Hähne winden sich in den Händen der Männer. Wollen kämpfen. Ihre Krallen kratzen wütend im Sand.

Rien ne va plus. Die Hähne werden losgelassen. Sie schießen aufeinander zu. Das Gemetzel beginnt. Sie setzen Schnäbel, Krallen und die mörderischen Klingen ein, flattern auf, hacken im Flug, stürzen nieder. Schlagen mit den Flügeln. Der schwarze Hahn meist über dem bunten. Wild tobt das Vogelknäuel. Das Auge kann kaum folgen. Blut spritzt. Kleine, runde, widerlich rote Augen starren auf den Gegner, wollen seinen Tod. Das Publikum verharrt in stumpfer Erregung. Auf den Schwarzen haben die meisten gesetzt. Er will die Entscheidung. Sein linker Fuß wischt über den Kopf des Bunten. Der Kamm wird abrasiert, zuckt im Sand. Ohne Kopfputz, aber mit dem Mut der Verzweiflung wird der schwarze Hahn angerannt. Der Bunte trachtet ihm den Schädel mit einem Hieb zu spalten. Es knistert vor Spannung. Man fürchtet um sein Geld, hofft auf die Chance.

»Gleich siegt der Schwarze – drei, vier Sekunden noch«, flüstert Pieter.

Der Hieb geht daneben. Die Chance erkennend, fliegt der Schwarze an den Hals des Gegners, macht eine kaum wahrgenommene, tödliche Drehung. Wie vom Blitz getroffen, sackt der bunte Hahn auf seinen Brustkasten, dann endgültig zur Seite, wo er noch ein paarmal im eigenen Blut zuckt. Der offene Schnabel zeigt, daß er tot ist. Die Klinge hat ihm fast den Kopf vom Rumpf getrennt. Geld gewonnen, Geld verloren. Pieter ist zufrieden.

»Gestern habe ich 300000 Rupiah verloren. Daya war sehr böse«, sagt Pieter.

Die Besitzer haben ihre Hähne wieder an sich genommen. Der Sieger wird auf Verletzungen untersucht und in seinen Reisigkäfig gesperrt. An diesem Abend kämpft er nicht mehr.

Dem Verlierer wird ein Bein abgehackt, schließlich landet er auf dem Haufen ruhmloser, toter Kameraden.

An einem Abend werden bis zu zehn Kämpfe ausgetragen. Ein brutales Hühnerschlachten, unausrottbar wie der Stierkampf in Spanien. Pieter will noch zweimal wetten. Also schaue ich mir noch zwei Kämpfe an. Allein würde ich mich ohnehin verlaufen. Wir sind die beiden einzigen Europäer. Frauen wohnen den Kämpfen nicht bei. Rituelle Hahnenkampf-Veranstaltungen können zwei volle Tage in Anspruch nehmen, werden allerdings nur noch selten abgehalten.

Die beiden nächsten Kämpfe an diesem Abend sind von kurzer Dauer. Beim zweiten sacken auf einmal beide Hähne verletzt zusammen. Ein Unentschieden ist nicht vorgesehen. Die Besitzer ergreifen ihre Hähne, pusten mit dem Mund Luft durch die Schnäbel in die Lungen. Das hilft tatsächlich. Die Hähne kommen wieder auf die Beine, gehen sich aufs neue an. Bis es nach zwei Sekunden einen weißen Gockel endgültig erwischt hat. Pieter streicht eine zweite Siegprämie ein.

Beim dritten Kampf fällt ein schlanker, schöner Hahn nur einen Augenaufschlag später als sein Gegner. Das schlanke Federtier ist Sieger. Nicht wer länger atmet, hat gewonnen, sondern wer sich am längsten auf den Beinen hält. Pieter verliert, obgleich sein Hahn noch lebt, der schlanke jedoch eine Zehntelsekunde später tot umfällt. Eine makabre Tierquälerei! Pieter brachte sie an diesem Abend 100000 Rupiah ein.

Wie angekündigt, teile ich das Zimmer mit allerlei Insekten. Wanzen werden gesehen, Kakerlaken gehört. Irgendwann ist jede Nacht zu Ende, so auch diese. Pieter amüsiert sich, als ich ihm beim Frühstück von meinen Erlebnissen erzähle.

»Das stählt, das läutert Sie und macht fit fürs Hinterland, für den Dschungel.«

Für den Dschungel?

Wenn über dem Regenwald die Sonne aufgeht, dann bebt das Geäst unter den hektischen Sprüngen der Affen, der Vögel, der gesamten Fauna. Alles vibriert im Diskant der Stimmen. Gierig schmatzendes Leben, umarmend, schmarotzend, tötend, zeugend, gebärend. Die Tropen, das ist Kampf auf allen Etagen – aber auch prächtige, verschwenderische Schönheit, Wildheit der Geräusche, Farben und Sinne.

Auf der Fahrt ins Toraja-Land braucht man von Ujung Pandang nach Rantepao, der größten Ortschaft der Toraja, zwölf Stunden. Fünf davon führen durch dichten Dschungel. Ich möchte eine Begräbniszeremonie erleben und sehen, was es mit den Tau-Taus auf sich hat. Pieter hat in Rantepao Geschäfte zu tätigen.

Die Toraja leben für den Tod. Süden bedeutet Tod, Norden ewiges Leben. Legenden berichten, daß die Toraja einst aus Indochina kamen, daher weisen die geschwungenen Dächer der Wohnhäuser mit ihren Eingangsgiebeln nach Norden. Einst waren die Toraja Seefahrer und mit ihren ramponierten Schiffen an Sulawesis Gestaden gestrandet. Auf eilig erbaute Häuser stülpten sie die Schiffe als Dächer. Die merkwürdige Dachform erinnert noch heute an die angebliche Begebenheit vor 3500 Jahren. Unter den Anführern Ambe Arroan, Pong Parrak und Puang Lembang ließen sich die Toraja an der Küste und an Flußmündungen nieder. Im Laufe mehrerer Generationen erschloß sich das Volk die Flußoberläufe und das schwer zugängliche Bergland, als wollten sie die Kontakte mit der Außenwelt abbrechen. Ob freiwillig oder von einwandernden Völkern verdrängt, ist unbekannt. Bis in die Neuzeit lebten die der Aluk Todolo-Religion huldigenden Animisten in Isolation mit ihren Göttern und Geistern.

Der holländischen Kolonialisierung widersetzten sich die Toraja mit langen, erbitterten Kämpfen. Erst 1905 drangen Missionare aus den Niederlanden in ihre, vom Dschungel geschützten Bergdörfer vor, um Bekehrungsarbeit zu leisten. Heute sind die Toraja keine Kopfjäger mehr, sie streifen auch nicht mehr nackt durch den Wald. Dennoch hat sich die Missionierung im Toraja-Land festgefahren: To Minaa, Priester mit Zauber- und Schamanenfunktionen, konkurrieren mit protestantischen Pastoren um das Seelenheil.

188

Der Wald lichtet sich. Eindrucksvoll präsentieren sich die in Nord-Süd-Richtung angeordneten Hausschiffe wie Tempel, die als Symbole des Universums gelten.

Pieter Bastiaensz erzählt, daß die Tongkonan (Clanhäuser) immer nur von den direkten Nachkommen des Erbauers bewohnt werden dürfen. Ihre Dachfirste krümmen sich wie Büffelgehörn. Den sozialen Stand der Hausbewohner erkennt man an der Anzahl der Büffelhörner, dicht an dicht an die Stützpfeiler genagelt. Es sind Relikte von Totenfeiern.

Die Gesellschaft auf Sulawesi prägt ein strenges Kastensystem: Adel, freie Landbesitzer, abhängiges Volk.

In einem kleinen Reisfeldsee suhlen sich Wasserbüffel, die für Zeremonien auserwählt wurden. Sie dürfen ein umsorgtes Leben führen. Die Besitzer verwöhnen die Tiere mit Palmwein und frischen Eiern. Stundenlang werden ihnen voller Hingabe monotone Weisen vorgesungen. Sogenannte »Liebeslieder für Wasserbüffel«, deren Texte die Kinder früh lernen müssen.

Die Toraja züchten für ihre Lebens- und Totenzeremonien eigens heilige Büffel. Im Diesseits wird vor allem Puang Matua, dem Schöpfer der Reisfelder, der Tiere und Menschen, für seine Gnade gehuldigt. Die Rambu Solo-Zeremonie befaßt sich mit dem Jenseits, dorthin wird die Seele des Verstorbenen mit allerlei Gütern »begleitet«. In das Land der Seelen, nach Puya, so glauben die Toraja, darf der Geist der Toten nicht arm gelangen. Büffel sind das Symbol für Reichtum. Möglichst viele ihrer Seelen müssen die Seelen der Verstorbenen auf der langen Reise begleiten. Auf der Wanderung in die unsichtbare Welt durchläuft der Tote eine Metamorphose zur Gottheit, die später alle Geschicke der Nachkommen mitbestimmt. Durch rituelle Opfer lassen sich die neue Gottheit wie auch die vielen bereits bestehenden versöhnlich stimmen.

Aus diesem Götterdienst haben sich bombastische »Schlachtfeste für die Seele« entwickelt, die noch heute stattfinden und weit über die Grenzen Sulawesis bekannt sind.

»Um Totenkulten beizuwohnen rennen Ethnologen durch den Wald, in der Hoffnung, in einem der Dörfer um Rantepao ihr Studienobjekt, ein Begräbnis, zu erleben. Reiseveranstalter durchkämmen versteckte Winkel, um blutgierige Touristen an dem Massensterben von Schweinen und Büffeln teilhaben zu lassen«, sagt Pieter und verzieht verächtlich den Mund.

Bei der Bekehrungsstrategie zeigten die holländischen Missionare Einsicht. Sie ließen den Toraja ihre Götter und Schlachtfeste, diese verhielten sich im Gegenzug politisch ruhig und schworen dem Kopfjägerdasein ab. Zumal das nüchterne, protestantische Zeremoniell ohnehin keinen Anreiz bot, die animistischen Sitten aufzugeben. Mit Kopfjägerschwertern werden nunmehr Büffel enthauptet und Schweine abgestochen.

»Totenfeste sind die besten Termine für die Steuereintreiber«, sagt Pieter. »Die Sippen des Verstorbenen verschleiern den Reichtum nicht, Prestige ist wichtiger. Außerdem kann kassiert werden, ohne ferne Dörfer aufzusuchen. Beim Toten trifft sich der ganze Distrikt.«

Im Toraja-Land ist Sterben ein langer Prozeß. Im Südflügel des Wohnhauses wird der alte oder schwerkranke Mensch mit Essen versorgt, kurz vor dem Tod dann festlich gekleidet und sein Blick nach Westen ausgerichtet. Bricht das Augenlicht, gilt die Person noch lange nicht als tot. Erst, wenn die ersten Opfer des Totenfestes erbracht wurden, beginnt die Seelenwanderung. Erst jetzt weilt der Mensch nicht mehr unter den Lebenden. Die Zeit im Niemandsland kann Monate bis Jahre dauern. Totenfeste sind teuer. Mangelt es an Geld und Gütern, muß gespart oder es müssen große Summen aufgenommen werden. In der Zwischenzeit liegt der Leichnam einbalsamiert, in Linnen gehüllt, im Haus der Familie. Nach der Reisernte, von August bis September, ist die »Saison« für Totenfeste. Große Feiern dauern oft mehrere Tage. Es ist ein Höhepunkt im »Leben« des Toten, die Wartezeit im Niemandsland ist zu Ende.

Dunkle Wolken schieben sich über den Urwaldhimmel. Es regnet. Augenblicklich verwandelt sich die Piste in Morast, der die Räder wie Saugarme umklammert. Der Schauer ist vorüber, wir steigen aus, um zu schaufeln.

»Da, hörst du die Reistrommel?« fragt Pieter.

Ich höre nichts. Ich sehe aber einige Menschen, die festlich gekleidet einen Bergpfad herunterwandern und unseren Weg kreuzen.

»Ein Totenfest! Irgendwo im nächsten Dorf. Kann nicht weit sein.«

Dann höre auch ich den monotonen Trommelschlag. Wir legen die

Schaufeln zur Seite und folgen einer schweigenden Gruppe. An einer Wegkreuzung stoßen wir auf einen bunten Zug. Wasserbüffel stapfen mit; schwarze Schweine, lebend an Bambusstangen gefesselt, werden geschleppt; Hühner, an den Füßen zusammengebunden, gackern an den Armen korpulenter Frauen. Anderes Federvieh lamentiert in Körben auf den Köpfen von Mädchen.

Der Wald öffnet sich und gibt einen Blick auf Reisterrassen frei. Über einen leuchtend grünen Grassaum zieht eine Prozession dahin. Stämmige Männer tragen eine lebensgroße Holzfigur auf einem Bambusgestell. Die Figur schwankt auf der Sänfte wie eine Marionette. Ich stoße Pieter an und erfrage die Bedeutung.

»Das ist das Abbild des Verstorbenen, ein Tau-Tau. Sie gucken mit starren Augen, um mit der Kraft des Blicks die Lebenden mit der Welt der Ahnen zu verbinden. Dahinter schleppen Jünglinge, früher waren es Krieger, den Sarg des Verstorbenen. Heilige Büffel geben das Geleit.«

Wir folgen dem Zug – nicht ohne Anteilnahme. Keiner vermag sich der Mystik des Totenkults zu entziehen. Das Dorf wird erreicht, hart und laut die Reistrommel geschlagen. Vor einem geschmückten Haus findet der Sarg seinen Platz.

»Das ist die Kultstätte mit dem Totenhaus. Hier ruht der Sarg während der Totenfeier. Danach folgt der letzte Akt. Junge Männer transportieren den Toten mit viel Lärm und Geschrei auf den Friedhof. Der Tote wird in die Höhlenkammer in einer Felswand gehievt, davor, für alle sichtbar, wird das Tau-Tau aufgestellt – als Erinnerung für die Lebenden.«

Im Dorf läuft das Begräbnisritual auf Hochtouren. Auf dem schlammigen Dorfplatz hat eine Schlachtorgie stattgefunden. Blut, Fleisch, Kadaver – ungefähr 30 Schweine liegen wahllos herum, ausgeblutet, mit Lehm besudelt. Dazwischen stehen Männer mit Äxten, die Fleischportionen aus den Bälgern schlagen. Es knirscht, wenn die Klinge auf Knochen trifft. Fauliger Gestank aufgeplatzten Gedärms hat sich wie eine Glocke über das Bergdorf gestülpt. Ich merke, wie ein Brechreiz in meiner Halsgegend würgt. Halbwüchsige rennen mit angespitzten Bambusrohren herum, halten nach aufgeschlitzten Kehlen Ausschau, um frisches Blut zu zapfen.

Von irgendwo dringen Klagegesänge ans Ohr. In einem Dorfweg

Tau-Taus, teils lebensgroße Holzfiguren verstorbener Toraja, versuchen mit starrem Blick die Lebenden mit der Welt der Ahnen zu verbinden.

wird getanzt. Maskenhafte Gesichter, glasige Blicke, die Tänzer sind der Trance nicht mehr fern. Tische quellen über von Speisen und Getränken, vor allem gibt es haufenweise gekochten Reis, Bottiche mit Hühner- und Schweinefleisch angefüllt, Palmwein in mächtigen Karaffen. Alles treibt einem gewaltigen Höhepunkt zu. Auch Pieter merkt es und sagt: »Das große Büffelopfer rückt heran.«

»Wann?« frage ich. Das Würgen wird schlimmer.

»Morgen, übermorgen, wer weiß? Früher wurden für jeden Toten

Menschenopfer verlangt – das war der Höhepunkt. Die getöteten Menschen sollten den verstorbenen Seelen im Jenseits als Sklaven dienen. An einigen traditionellen Tongkonan (Häusern) kannst du Schädel von Opfern hängen sehen.«

Ein älterer Mann winkt uns heran. Wir treten zu ihm. Pieter unterhält sich.

»Das ist der Dorfchef, er lädt uns ein mitzufeiern«, sagt Pieter nach einer Weile.

Wir lächeln uns freundlich an. Dann reißt die Wolkendecke auf. Die Sonne sticht erbarmungslos herab. Dampf und lähmende Hitze kriechen aus dem Schlamm. In der Hitze stinkt das Dorf schlimmer als eine Faulgrube. Wir befinden uns im After Sulawesis. Der Brechreiz wird übermächtig. Kot, Fleisch, Blut und Därme – am Dorfrand harren 50 Büffel auf ihre Hinrichtung. Ich kann es nicht mehr sehen. Pieter geht es ähnlich. Er nickt mir zu, gibt dem Dorfchef ein Bündel Rupiah, wir verlassen das »Schlachtfest für die Seele«.

Auf dem Weg durch den Regenwald kommen mir die Worte des weitgereisten Philosophen de Spinoza in den Sinn: »Ich habe mich eifrig bemüht, der Menschen Tun weder zu belachen noch zu beweinen noch zu verabscheuen, sondern zu begreifen.«

Bilder wechseln wie Postkarten auf dem Drehständer. Bestialischer Gestank ist würzigem Nelkengeruch gewichen. Im Minahasa-Land wachsen Nelken – wie bei uns Apfelbäume. Vor den Häusern und an den Straßen dörren auf Plastikbahnen gelbe bis dunkelbraune Schoten. Die hiesige Dorfkooperative, aus 400 Gewürzbauern bestehend, wiegt, verpackt Nelkenschoten für den Transport zur Sammelstelle. Indonesiens Bedarf an Nelken ist enorm. Zigtausend Tonnen rollen täglich in die Zigarettenfabriken des Archipels. Dort wird fast jeglicher Tabak kräftig mit Nelken versetzt. Der Ernteerlös ist gering, pro Kilo Nelken erhält der Bauer 2800 Rupiah, das sind rund zwei Mark.

»Sehr wenig für die Mühe, das Pflücken, Trocknen, Aussieben und Handverlesen«, sagt Pieter. »Eine Dorfgemeinschaft sammelt in zwei Erntemonaten 16 Tonnen der Schoten.«

Die Menschen im Nelkenland sind ungemein freundlich. Die Halbinsel Sulawesi Utara erscheint wie eine schöne Geliebte, ihre dunkle Vergangenheit lächelnd verbergend. Hollands Compagnie mit ihrem

Sulawesi, einst Celebes: im Land der Toraja wird einem aufwendigen Totenkult gefrönt, einem »Schlachtfest für die Seele«.

Monopolanspruch brachte die Dunkelheit. Geerntete Früchte ließ man verderben, ganze Schiffsladungen wurden versenkt, in Batavia oder daheim verbrannt. Millionen Nelkenbäume wurden gefällt, weil der Anbau nur noch auf Ambon und den Banda-Inseln erlaubt war. Welch eine Katastrophe für die Insulaner, war es doch strenger Brauch, für jedes neugeborene Kind einen Nelkenbaum zu pflanzen – als Überlebensregel ihres Gesellschaftssystems.

Allmählich ging der Monopolterror der niederländischen »Pfeffersäcke« auch den Franzosen und Briten auf die Nerven. 1770 schmuggelte »Pierre Poivre« (Peter Pfeffer), der spätere Gouverneur Frankreichs auf Mauritius und Réunion, Nelken- und Muskatsetzlinge auf die Inselkolonie vor Madagaskar. Den Briten gelang das Ausführen von Muskatnuß für ihre Besitzungen Penang, Bengalen und Singapur. Das V.O.C.-Monopol wackelte und brach zusammen.

Der Bestand an Nelkenbäumen (Syzygium aromaticum) hat sich auf Sulawesi seither erholt, und Indonesien ist immer noch der größte Produzent der Schoten, aber auch der größte Importeur. Die Kretek-Zigarettenhersteller sind unersättlich.

Pieter steckt sich wieder einmal einen dieser Lungentorpedos in den Mundwinkel. Wir schlendern über einen Wochenmarkt. Lassen das bunte Treiben wirken. Pieter kauft allerhand Hülsenfrüchte und Gewürze ein. Wir schleppen die Säcke zum Wagen. Etwas Wichtiges fehlt noch. Ein paar Säcke Nelken zum Erzeugerpreis. Wir landen in einem schummrig staubigen Verschlag. Ein zwielichtiger Typ kassiert und liefert drei neutral eingeschlagene Säcke.

»Warum die Geheimniskrämerei?« frage ich.

»Der Nelkenhandel untersteht der Regierung. Das heißt: Tommy Suharto. Der Sohn des Präsidenten hält das Monopol. Er bestimmt die Abnahmepreise.«

Die alten Meesters lassen grüßen!

Den Göttern zum ewigen Ruhm

Zentraljava: Die Tempel von Prambanan sehe ich im weichen Vollmondlicht einer lauen Nacht. Das Ramayana-Ballett tanzt »Die Entführung der Prinzessin Sita«. Einfach märchenhaft ist die natürliche Kulisse des Freilichttheaters von Yogyakarta. Mondlicht umflutet das Theater meergrün, und in diesem Licht der Hoffnung kämpft das Gute gegen das Böse den ewigen Kampf. Die drei mächtigen schwarzen Tempel dahinter stehen da wie Monumente der Ewigkeit.

Die alte Geschichte von Liebe und Haß, Werben und Abweisung, Tod und Verdammnis ist es. Getanzt mit packender Hingabe, erzählt mit jeder Faser des Körpers von 100 Mädchen, Frauen und Männern, in einer Farborgie an Kostümen, vor einem gebannten Publikum auf harten Steinbänken.

Sita ist wunderschön, ihr Entführer tritt düster und wild auf, wie ein gefährliches Tier, voll und ganz Rawana, Fürst der Unterwelt. Für die Zuschauer bleibt die Zeit stehen, erst in der vierten Nacht – Sita wird nach dem Tanz durch die Hölle geläutert – ist das monumentale Epos zu Ende.

Prambanan aus der Nähe: Der hindu-javanische Tempelkomplex liegt 16 Kilometer nördlich von Yogya. Er wurde gegen Mitte des 9. Jahrhunderts errichtet, nachdem das hinduistische Königreich von Mataram einen Sieg über die buddhistische Shailendra-Dynastie errungen hatte. Als Sakralbau sollte Prambanan Größe und Unvergänglichkeit des hinduistischen Glaubens dokumentieren. Ein verheerendes Erdbeben unterbrach die Unvergänglichkeit für über 400 Jahre. 1549 zerbarst die gigantische Anlage aus 232 Einzeltempeln. 1937 begann der zaghafte Wiederaufbau als langwieriges Puzzlespiel, das 1953 als abgeschlossen galt. Doch das stimmt nicht, denn an einigen Komplexen wird immer noch geforscht, gegraben und gebaut.

Shiva, dem Gott der Zerstörung und Erneuerung, wurde der größte Tempel gewidmet. Man durchwandert die Anlage in Andacht und mit Bewunderung vor so viel bautechnischem Können, bildhauerischer Kunst und architektonischer Harmonie. Ich brauche zwei Tage, um das Glaubensmonument ein wenig zu erfassen.

Der Besucher Yogyas wird gefordert: Nur vierzig Kilometer trennen den Hindukomplex vom nicht minder berühmten Buddha-Kolosseum Borobudur, nordwestlich der Provinzhauptstadt. Es scheint, als habe die Region um das Dieng-Plateau die Javaner des angehenden Mittelalters zum sakralen Gigantismus angeregt. Borobudur ist die mächtigste Manifestation des Buddhismus der Welt. Und das Dieng-Plateau, nicht weit davon entfernt, ein altes hinduistisches Zentrum aus dem 9. Jahrhundert. In rauher, großartiger Vulkanlandschaft mit klaren, stillen Bergseen, Schwefelquellen und blubbernden Schlammtümpeln gibt es Reste der ältesten Tempelbauten Javas. In der schwefeldampfenden, oft nebel- und wolkenverhangenen Hochebene, haben sich zwei Weltreligionen inspiriert, befruchtet und durch ihre Gläubigen Großartiges aus Stein schaffen lassen. Das Plateau war ein Wallfahrtsort. Priester, Kobolde, Tempeldiener wohnten hier, niemals das profane Volk. Allenfalls Geister und Dämonen.

Borobudur im Westen heißt »Buddhatempel auf dem Berg«. Der Berg ist das Steinwerk selbst – gern das achte Weltwunder genannt. Es ragt 40 Meter hoch aus der javanischen Landschaft.

Borobudur ist eine in Stein gehauene Predigt. Wer ihr folgt, so heißt es, gelangt zur Harmonie mit dem Kosmos, zu innerem Glück und ewigem Frieden.

Buddhistische Mönche schreiten um die Tempelanlage von Borobudur, vorbei an 1500 Szenen aus dem Leben Buddhas.

Borobudur steht wieder. In 13jähriger Arbeit haben Experten aus aller Welt eine chaotisch zusammengesackte Steinhalde abgetragen, neue Fundamente erstellt, ein Entwässerungssystem verlegt und das Monument nach der Konzeption der Erbauer aufs neue erstellt. 1,2 Millionen Steine wurden sorgsam, fast liebevoll geschrubbt, präpariert, registriert und fotografiert. Steine von unschätzbarem Wert, weil sie Borobudur zu neuer Pracht verhelfen sollten.

Über die Erbauer weiß man nur wenig. Sie nannten sich »Sailen-dra«, Könige der Berge. Mit Borobudur hinterließen sie das älteste der gigantischen Kunstwerke Südostasiens. Sie schufen es, noch ehe

197

die gotischen Kathedralen Europas erbaut wurden, und 300 Jahre vor dem kambodschanischen Tempelwunder Angkor Wat.

Yogyakarta ist Ausgangspunkt für meinen Besuch des Tempels. Die Kurzform hieß Yogya, Hochburg javanischer Kunst und Gelehrsamkeit. Hier war das Hauptquartier im Freiheitskampf gegen die Holländer. 1948 hatte sich der Sultan aus Protest gegen die Besatzer in seinem Palast eingeschlossen und von oben herabgelächelt. Als er sich auf Verhandlungen einließ, geschah dies von den Zinnen seines Palastes aus, auf die Holländer herabschauend. Die Quittung waren Bomben und Granaten, bis er aufgab. Ein Teil der Widerständler flüchtete in die Berge, ein anderer wanderte in Gefangenschaft.

In arider Steppenlandschaft liegt Borobudur, zu Füßen des »Feuerbergs« Merap und dem »Vulkan der Asche« Merabu. Warum gerade hier? Hatte ein Priester die Stätte bestimmt? War es des vulkanischen Gesteins wegen? Wir wissen es nicht. Unbekannt ist auch, woher die Architekten die Bauweise kannten, Quader paßgenau zu schleifen, um diese ohne Mörtel haltbar aufzuschichten. Dazu gehörten Geräte, handwerkliches Geschick und Kenntnisse in Geometrie. Sicher ist nur, daß die Wurzeln dieser Fertigkeiten in Indien zu suchen sind. Doch wie gelangten Wissen, Buddhismus, die Sprache des Sanskrits, seine Epen nach Zentraljava? Es streiten sich die Wissenschaftler, sie suchen Beweise und Erklärungen. Doch Borobudur will nichts erklären, es will lehren.

Das gilt heute wie vor 1000 Jahren. An Borobudur haben vier Generationen gebaut. Zwangsarbeitern wurde der Bau der Stufenpyramide befohlen. Die schleppten und beschlugen zwei Millionen Steinquader, ein Volumen von 57000 Kubikmetern! 80 Jahre betrug die Bauzeit, sie reichte vom 8. ins 9. Jahrhundert. In der Zeit herrschte das buddhistische Shailendra-Reich in Zentraljava.

Ich gelange über eine zentrale Steintreppe auf die untere Terrasse und wende mich nach links, dem Gang folgend, der außen um den Tempel führt. Langsam folge ich den teils gut erhaltenen Reliefszenen. Sie illustrieren die Innenwand wie ein Buch aus steinernen Bildern. Nicht alle Reliefs haben die Jahrhunderte überstanden, einige sind zerbröselt und beim Wiederaufbau mit helleren, schlichten Steinen ersetzt worden.

Ich betrete die zweite, dritte und vierte Terrasse. Am Ende habe ich 1500 Szenen aus dem Leben Buddhas gesehen, zumindest ging ich an diesen vorbei. Chronologisch aufgebaut, wird man durch die Lebensstationen Buddhas geführt: seine Jugend als Prinz, der Wandel zum Asketen bis zur Erleuchtung und sein Leben danach...

Es schmerzen die Füße, die Augen sind müde. Ich fühle mich wie ein Pilger, der durch Ungemach eine neue Bewußtseinsstufe zu erreichen trachtet. Doch die Läuterung ist noch fern. Rundgänge über die nächsten drei Terrassen habe ich noch zu erpilgern. Es sind Gänge ohne Balustraden mit kleineren Radien. Nacheinander komme ich an 72 Buddhafiguren vorbei. Sie sitzen unter glockenförmigen Steingittern, in ewiger Meditation verharrend.

Einem Buddha fehlt die Steinglocke. Es ist der Glücksbringer »Lucky Buddha«. Wer seine Hände berührt, hat einen Wunsch frei. Ich verspüre den Drang, mir etwas zu wünschen und seine Hände zu berühren. Mein Wunsch entspricht dem Geist, der Borobudur beseelt. Es ist die Sehnsucht nach einer besseren Welt. Der Westen sucht sein Heil im Materiellen, im Wachstum. Der Osten erstrebt in stiller Demut die Erleuchtung des Geistes in der Meditation. Geist steht in der Werteskala des Buddhismus und Hinduismus ganz oben, der Körper unten. Wir brauchen eine ausgewogene Welt für Verstand und Geist zugleich. Eine Welt, die Priester und Wissenschaftler zu Verbündeten macht. In einer solchen Welt könnte aus der Verbindung des Intellekts mit der magischen Intuition ein neuer, harmonischer Menschentyp werden. Menschen, die mit den Beinen auf der Erde stehen, deren Kopf aber zu den Sternen aufblickt. An dieser Stelle, angesichts des über alles erhabenen Buddhas, wünsche ich mir den toleranten Erdenbürger mit Freude an der Vielfalt des Lebens.

Nun stehe ich oben, vor der Krönung des heiligen Bergs. Es ist eine schlichte, spitze Stupa ohne Buddhafigur. Oben, unter dem Himmel, am Ende, die Erleuchtung und das Nichts als die absolute Reinheit. Ist das die Mission der Erbauer? Oder hat die Stupa einst die Statue des Erleuchteten geborgen? Ist entfernt, gestohlen oder zerstört worden? Auch das ist uns unbekannt. Nur 100 Jahre lang wurde Borobudur als Wallfahrtsstätte genutzt. Dann verschwanden die Menschen auf rätselhafte Weise. Die Shailendra Dynastie ging unter, Borobudur versank unter Staub und Asche und unter dem Blattwerk wuchernder Pflanzen.

Fast 1000 Jahre blieb der Tempel vergessen. 1814 wurde er von dem britischen Ingenieur und Kolonialbeamten H. C. C. Cornelius aufgespürt. Sir Thomas Stamford Raffles, einst für kurze Zeit britischer Gouverneur von Java, war ein gebildeter Mann. Er hatte von einem Tempelberg gehört und den Ingenieur mit der Suche beauftragt. Raffles ordnete die Freilegung und eine erste provisorische Restauration an. Doch der Zerfall war unaufhaltsam.

1907 versuchte ein Team, unter Leitung des holländischen Gouverneurs Dr. van Erp, zu retten, was zu retten war. Es war herzlich wenig. Zwei Erdbeben richteten zudem schwere Schäden an. Mit finanzieller Hilfe der UNESCO wurde endlich 1973 ein großartiges Restaurierungsprojekt gestartet. Es dauerte neun Jahre und kostete 20 Millionen Dollar.

Hat sich der Aufwand gelohnt? Ja! Die Botschaft Borobudurs überstand die Jahrhunderte und gilt noch heute. Der Tempel ist ein Mahnmal für unterdrückte Völker und eine Mahnung an deren Unterdrücker.

Zwischen Himmel und Erde

Zelt und Schlafsack sind verpackt, der Rucksack ist geschnürt. Darin befindet sich Verpflegung für drei Tage. Diesmal wollen wir hinaufsteigen in die majestätische Welt der Vulkane. An Möglichkeiten mangelt es nicht. Durch Indonesien zieht sich ein Vulkangürtel von 6000 Kilometern. 15 Prozent aller Feuerberge der Welt fallen auf den Inselstaat. Das Bromo-Semeru-Massiv ist unser Ziel, 3676 Meter hoch. Die Auffahrt beginnt in Ngadisari am Fuße des Gunung-Bromos. Auf den Bromo schleppen sich, teils zu Fuß, teils auf dem Rücken klappriger Mulis, ganze Heerscharen von Touristen. Er ist 2392 Meter hoch und schon einen Aufstieg wert. Auf den Semeru, Javas höchsten Berg, treibt es nur wenige.

Wecken ist um zwei Uhr morgens. Ein Jeep bringt uns bis Bromo

Permai an den Kraterrand. Noch bei nächtlicher Dunkelheit führt uns ein halsbrecherischer Pfad hinab zum Laut Pasir, dem Aschemeer, das wir durchqueren. Dann stehen wir vor einer Himmelsleiter aus Holzstufen, die den Aufstieg zum Kraterrand erleichtern sollen. Dumpf klopfen unbeschlagene Pferdehufe auf Lavasand. Wir drehen uns um. Eine Reiterkavalkade hält, Steigbügel schlagen, Ledersättel knarren. Fußfaule Bergsteiger müssen vor der Treppe absitzen.

Allmählich dämmert der neue Tag. Die Kälte weicht. Wie eine Silberwolke segelt ein dünner Nebelstreifen heran. Grüne Kugelbüsche werden erkennbar. Schwarze Wände färben sich ockergelb. Vor uns steht die drohende Masse des Gunung Bromo. Wir steigen die Treppe hinauf. Oben sind wir nicht allein. Auf dem schmalen Kraterrand drängt man sich. Wir weichen über den südlichen Rand aus.

Jetzt schiebt sich die Sonne aus dem Tal, ihr Licht durchflutet eine einzigartige Mondlandschaft. Farben bekommen eine neue Dimension, wie der Raum, der sich über dem Krater öffnet. Aus dem Trichter dringt eine Säule aus Rauch und weißem Dampf. Ein Windstoß zerstört die Säule und gibt einen gähnenden Schlund frei. Die Menschen der Umgebung glauben, daß die Seelen der Verstorbenen die Abkürzung durch die Schlunde der Vulkane nehmen, um rascher zum Mahameru, dem höchsten Tempel zu gelangen. Für mich ist das Trichterende der Vorhof zur Hölle.

Der Kampf zwischen Sonne und Mond ist perfekt. Vor mir schickt der Sonnenball immer grellere, immer wärmere Lichtlanzen, im Rücken verblaßt der Vollmond. Seine Lichtschleier sind kurz vor dem Verglimmen. Im harten Tageslicht wirkt der Bromo wie eine aufgeblasene, runzelige Kröte, die mürrisch hinüber zum höheren Semeru äugt.

Wie auf Kommando tritt das Heer der Touristen ab, begibt sich als kriechende Ameisen durch den Lavasand der Senke und entschwindet im Wald. Wir sind allein. Es ist still bis auf ein leichtes Summen des Windes. Unheimlich schön ist die Welt der Vulkane. Schön und auf besondere Weise bedrohlich. Wie der Tanz auf einem Pulverfaß, das jeden Augenblick explodieren kann. Im vergangenen Jahrzehnt brach der Bromo zweimal sehr heftig aus.

Mit einem tiefen Seufzer vor so viel Ruhe und Erhabenheit lassen wir uns nieder. Der Blick schweift zum aktiven Semeru. Dort ist die große, befreiende Einsamkeit. Dort hat die Natur die Kraft, dich zu jagen und zu töten. Ob wir dem Sonderling begegnen werden, der mit einem Lendenschurz bekleidet durch die Vulkanwelt streift, sich nur von Brot ernährt und die herrlichsten Bronzeskulpturen der Hinduzeit findet? In den Bergdörfern ringsum erzählt man sich davon.

Legenden- und mythenreich ist die Umgebung des Bromos. Viele Geschichten ähneln sich und handeln von einem verschmähten Liebhaber, einer widerspenstigen Prinzessin, einer schwierigen Aufgabe, die zwischen Abend und Morgenstunde zu erfüllen ist. Andere Geschichten erzählen von einem wütenden Auftritt eines betrogenen Freiers. Im Fall des Bromos verlangte die Prinzessin, daß um den Vulkan ein großer See gegraben werden sollte. Der Liebhaber mühte sich vergebens mit einer halben Kokosnußschale, die er bei Tagesanbruch wegwarf. Aus der Nußschale wurde der Gunung Batok. Aus einem Graben entstand der »See« aus Lavasand.

»Auf geht's!« sagt Johann Kesodo und stemmt sich aus dem Geröll. Wir schultern unsere Last. Etwas kurzatmig erklimmen wir die höchste Stelle des Bromo-Randes, steigen wieder hinab, um uns mühsam durch Täler und über Höhen einer weit und breit leblosen Landschaft zu arbeiten. Es ist der Marsch durch eine Vulkanwüste. Der imaginäre Weg führt nach Süden, wo der mächtige Thron des Semeru steht: majestätisch, abweisend, uneinnehmbar. Grimmiger Entschluß treibt uns weiter, höher, in Regionen, wo die Luft dünner und kälter ist. Trockener Wind dörrt Mund und Rachen aus. Wir müssen Wasser rationieren. Ich fühle mich wie ausgesetzt irgendwo im Kosmos. Einsamkeit kann beängstigend sein.

Erschöpft lassen wir uns nieder, hecheln Luft. Die Zelte werden aufgebaut. Beim Abendessen entschwindet die Sonne als stilles Farbspektakel. Einmal noch glimmen ringsum die Schlote und Vulkane auf, dann wird es Nacht und bitter kalt.

Vulkane prägen die Landschaft des indonesischen Archipels. Nicht alle locken Reisende an wie der Bromo. Einige bescheren Tod und Verwüstung. Der Merapi in Ost-Java speit noch. Vor 1000 Jahren tötete er den Hindu-König Darmawangsa.

1994 forderte der Merapi 66 Menschenleben. Im dichtbevölkerten Java leben 2,5 Millionen Menschen in Regionen, die von Vulkanologen als Risikozonen eingestuft werden, weitere acht Millionen Menschen müßten bei Ausbrüchen evakuiert werden. Das schlimmste Jahr in der Vulkangeschichte Indonesiens war 1815. Auf der Insel Sumbawa barst der Tombora. Unter 100 Milliarden Tonnen Lava und Asche starben fast 100 000 Menschen. Danach brach der Krakatau auf Sumatra aus. Die dadurch ausgelöste Flutwelle war in Caringin 20, in Merak gar 41 Meter hoch. 36 400 Opfer waren zu beklagen.

Auch diese Nacht ist kurz. Noch bei Dunkelheit setzen wir den Aufstieg fort. Steil führt die schlüpfrige Geröllhalde nach oben. Die Lungen pfeifen. Zwei Schritt vor, einer zurück. Pause. Kopfschmerzen quälen. Die Sonne erscheint wie zur Erlösung. Doch die Freude ist von kurzer Dauer, weil die Strahlen stechen und der Durst schlapp macht. Die Kondition ist dahin. Noch 200 Höhenmeter. Ausgelaugt, mehr wankend als gehend, setzen wir Schritt vor Schritt. Verschnaufpause. Was treibt, ist der Wille.

Oben weht ein eisiger Wind. Schwefeldunstfahnen beißen in Augen und Nase. Kumvultiv quellen Rauchpilze gen Himmel. Der Schlund ist von heißem, brodelnden Dampf erfüllt. Im Innern zischt und brodelt es giftig, als wollte sich der Semu jeden Moment entladen. Es ist, als halte ein imaginärer Schließmuskel die Kraft des Vulkans dürftig unter Kontrolle. Giftig ist sein ganzes Umfeld: der gelbgrüne Schwefel, fest oder gasförmig, die heiße Luft, der wässrige Dampf...

Johann Kesodo und ich sind die einzigen Lebewesen weit und breit. Wir sind auch nur für kurze Zeit geduldet. Kein Busch, kein Grashalm, kein Vogel in der Luft – uns schaudert vor so viel lebensfeindlicher Öde. Ein Gefühl von Furcht und Faszination befällt mich an diesem Krater. Die Sonne steckt in feuchten Wolkennebeln. Uns fröstelt.

Der Abstieg erfolgt in Windeseile, im Laufschritt. Von Minute zu Minute wird es wärmer. Wir campieren oberhalb des Bromos. Am nächsten Tag sind sie wieder da, die Touristen. Sie krabbeln über den Lavasand, diesmal wie Glühwürmchen, weil sie Taschenlampen und Öllampen mit sich führen. Später werden wir uns zu ihnen gesellen und gemeinsam zurück nach Bromo Permai gehen.

Ob sich die Schinderei gelohnt hat? Feststeht, es war ein fremdartiges, aufregendes Erlebnis, wie es mir nur auf Java zuteil werden konnte. Vulkane sind Indonesiens große Rätsel. Ihr Zauber fesselt und treibt die Menschen auf ihre Kegel – den herrlichen Stränden der Inseln zum Trotz.

Tanahlot und das Ritual des Tanzes

Die »Insel der Götter und Dämonen«, die »Paradies-Insel«, wurde vor 90 Jahren brutal in die Wirklichkeit gestoßen. Wo Künstler Bauern sind und Bauern Künstler, wo Bäume, Steine, Früchte und Blüten Seelen haben, wo jedes Dorf, jedes Haus, jeder Platz einen Tempel hat, zumindest aber einen Schrein, wo Harmonie die größte aller Tugenden ist, in dieser schönen, unrealistischen Welt erschienen holländische Kriegsschiffe wie ein Teufelsspuk. Die Balinesen traten ihnen entgegen und schleuderten Speere. Die Kanonen der Kriegsschiffe feuerten zurück. Das Volk flüchtete in die Berge. Der Raja von Badung beschwor den Puputan, den kampflosen Widerstand bis in den Tod.

Wie in Trance schritten Männer, Frauen und Kinder vor die Gewehre der Soldaten. Aus Prinzen, Prinzessinen, Generälen, Kriegern, Priestern und einfachem Gefolge bestand die Prozession. Sie waren in weiße Gewänder gehüllt – weiß ist die Farbe der Trauer –, in ihrem Haar steckte eine Blüte. Sie hatten ihren Schmuck angelegt. Voran schritt der Raja mit seinem rubinbesetzten Kris.

Die Soldaten riefen: »Halt!«

Sie gingen weiter. Die Soldaten schossen. Zum Erstaunen des Militärs zückte der Raja von Badung, dem heutigen Denpasar, seinen Kris und stach ihn sich ins Herz. Dann tötete sich sein ganzes Gefolge. Mütter töteten ihre Kinder, Männer ihre Frauen, alle starben. Um der Unterwerfung zu entgehen, begingen Hunderte von Aristokraten am 20. September 1906 kollektiven Selbstmord. Damit wurde auch die letzte unabhängige Insel des Archipels Niederländisch-Indien einverleibt. Warum so spät, mag man sich fragen. Nun, Bali war keine Gewürzinsel, besitzt keine nennenswerten Bodenschätze, für die Holländer ging es nur um territorialen Zugewinn.

Doch die Insel hat etwas anderes zu bieten. Ihre Schönheit lockt die Menschen an, Menschen aus anderen Teilen der Welt mit Geld und Devisen. Neugierde, Erlebnishunger, Urlaubsfreude bescherten den Balinesen eine zweite Invasion, die der Touristen. Jährlich jetten über eine Million Menschen ein. Und für viele Urlauber ist Indonesien unbekannt, Bali aber ein Begriff. Und die Invasion? Wie wird sie gemeistert?

Auf meiner Reise durch das alte und neue Indonesien kann auch ich mich dieser Insel nicht entziehen. Es reizt der Mythos, und es reizt die Chance, endlich einen Plan zu verwirklichen, den ich seit Australien hege: Ich suche ein Boot und einen Skipper. An den Küsten Sumatras, Celebes, Javas waren die Boote zu teuer, die Fischer nicht willens oder beides ungeeignet. Bali, eine der 13 670 Inseln des Archipels, ist meine große Hoffnung. Vielleicht kann Nimbe Biong die Zuversicht stärken?

Nimbe knattert jeden Vormittag an den Strand von Sanur. Auf sein neues Motorrad, eine Honda, ist er mächtig stolz. Sie fährt schneller und stinkt nicht mehr so. In den Gepäcktaschen hat er allerlei Holzschnitzereien verstaut: Tierfiguren; kleine Skulpturen der Hindugötter wie Garuda, Ganescha, Naga; auch Masken; natürlich sind auch Buddhas dabei. Mir gefällt Ganescha, der dickbäuchige Mann mit dem Elefantenkopf. Er ist ein Sohn Schiwas und der Gott der Gelehrsamkeit, außerdem soll er Hindernisse beseitigen. Ohne stundenlang zu handeln kaufe ich Nimbe die Figur ab. Das freut ihn. So erscheint er regelmäßig, setzt sich in den Sand, bevor er als Strandläufer die Hotels abklappert. Wir halten einen Plausch, bei dem ich eine Menge vom Leben auf Bali erfahre.

Heute zeigt er mir sein Motorrad. Auf der Sitzbank steht ein kleines Bambustablett mit Reis, Blüten und Beeren angefüllt. Er grinst verlegen und stellt das Tablett vorsichtig auf den Rinnstein. Es sind Opfergaben für die Geister, die auf dem Motorrad mit durch den chaotischen Verkehr fahren.

Nimbe verkauft die Schnitzereien seines Schwagers. Diesem Unternehmen ging eine lange Diskussion voraus, bis Sippen- und Dorfrat schließlich erlaubten, daß Nimbe sein Glück als Souvenirverkäufer bei den Touristen versuchen durfte. Unter der Bedingung, daß er seine Pflichten als Sohn eines Fischers nicht vernachlässigte: monatlich dem Dorf als Fischer zur Verfügung zu stehen, in der Gamelan-Kapelle zu musizieren und den Göttern zu dienen. Balis Ordnung, mehr als 700 Jahre alt, darf nicht gefährdet werden.

Die fremde Welt wuchtiger Hotelkomplexe, hämmernder Diskotheken, Boutiquen, schreienden Verkehrs verwirrte Nimbe. Wie überschaubar, ruhig und geordnet ist doch sein Dorf Kusamba. Es gibt »nur« ein Problem dort: die Armut. Vom Fischfang können sich die Familien nicht mehr ernähren. Widerwillig muß man sein Heil in der Fremde suchen. Nimbes Schwester ist seit drei Jahren Kellnerin in Denpasar. Von ihrem Lohn bleibt ihr wenig. Das meiste muß zu Hause abgegeben werden. So geht es auch Nimbe. Er wohnt bei seinem Schwager am Rande Sanurs. Mit dem Souvenirhandel kommt er nicht ans große Geld, das weiß Nimbe. Dennoch geht es ihm besser als vielen anderen, und Handeln macht Spaß, seit er sich Wortfetzen in fünf Sprachen angeeignet hat. Das meiste Geld aber verdienen die Chinesen, Japaner, Javaner, also die Leute von draußen.

Nimbes anfängliche Angst vor der fernen Stadt ist gewichen. Die vielen unbekannten Dämonen sind keine Bedrohung mehr. Doch Nimbe beunruhigt es immer noch, wenn er nicht vor Einbruch der Nacht im Hause ist.

In seinem Dorf bewacht das gespaltene Tor, das Symbol für die Ausgeglichenheit von Gut und Böse, die Menschen. Die Statue des Affengottes Hanuman, der Dorf- und Totentempel stehen dort, wichtige Symbole für die spirituelle Ordnung. Noch ist die vertraute Welt nicht in Gefahr und die Invasion der Fremden nicht ins Innere Balis vorgedrungen. Das Meer umspült das Dorf. Einst waren Fische der Reichtum. Die Zeiten sind vorbei. Und die Selbständigkeit der Fischerorte leidet Not. Ein Dorf muß in Frieden mit sich und den Göttern leben. Es ist Abbild des Kosmos und der Weltordnung. Nicht auszudenken, wenn die Harmonie gestört wird.

Da geht es den Reisbauern besser. Ihr Produkt ist gefragt, alles dreht sich um den Reis, die »Speise der Götter«. Das hält die Ordnung aufrecht, die bestimmt wird durch das gemeinsame Wirken auf den Feldern. Felder sind kunstvoll angelegte Reisterrassen, die kein Mann allein bewirtschaften kann. Wichtige Aufgaben: Terrassenbau, Bewässerung, Ernte sind Gemeinschaftsaufgaben. Bevor die Setzlinge eingebracht werden, wallfahren die Dorfältesten zum nächsten geweihten See, um von Göttin Dewi Danu, der Herrin über das Wasser, Beistand zu erbitten. Das Reisfeld wird mit heiligem Wasser bespritzt und gesegnet. In jeder Phase des Wachsens werden die Pflanzen mit Gebeten und Ritualen bedacht. Schreine am Feldrand sind der Erntegöttin Dewi Sri gewidmet. Hier deponieren Frauen allmorgendlich mit Speisen gefüllte Teller als Opfergaben. Das Modellieren der Reisterrassen mit Händen und Füßen ist Männersache. Frauen arbeiten nur zur Erntezeit auf den Feldern.

Neben dem Gedeihen des Reises wird den Ereignissen des Lebens, Geburt, Heirat, Tod, im Hindu-Glauben große zeremonielle Aufmerksamkeit gewidmet. Für uns ist die Sitte fremd, den Tod als Freudenfest zu begehen. Sterben gilt hier nicht als Ende, sondern als Neubeginn: die Wiedergeburt der Seele in einem hoffentlich höheren Wesen. Die öffentliche Verbrennung befreit die Seele vom unreinen Körper. Solche »Befreiungsfeste« verschlingen Unsummen und dauern mindestens drei Tage.

Hunderte wenn nicht tausend Gäste werden mit Schattenspielen, Prozessionen, Tanz und Gesängen unterhalten. Der Hunger wird mit monströsen Banketten gestillt. Jedes Individuum, sei es Mann, Frau, Kind, hat seinen angestammten Platz in einer der vier Kasten. Die Pflege von Musik und Tanz, das Aufstellen täglich neuer Opfergaben sind gleichfalls Gemeinschaftsdienste zur Erbauung der Geister und Menschen. So ist jeder Bauer ein Künstler und umgekehrt. Die Dörfer Balis sind Gesamtkunstwerke, die eine Symbiose aus Arbeit, Musik, Tanz, Malerei bilden.

»Geschäfte laufen schlecht«, sagt Nimbe am Nachmittag, »ich verleg' mich aufs Verkaufen von Uhren.«

Er wischt sich den Schweiß von der Stirn, stellt die schwere Tasche mit den Schnitzereien ab, reckt sich.

»Ist das ein Geschäft?« frage ich.

»Du mußt die Neuankömmlinge im Auge haben. Die kaufen Cartier und Rolex für 40 Dollar. Manche glauben, die seien echt.«

»Der Preis ist 10 Dollar und darunter. Was kann der Uhrenverkäufer verdienen?«

»Bei fünf Dollar nichts mehr, aber er bleibt bei gutem Umsatz auf der Rennliste und behält den Sortimentenkoffer.«

»Wer organisiert das Geschäft mit den Imitaten?« frage ich.

»Es heißt ein Chinese, der die Dinger versteckt in Malaysia herstellen läßt.«

Trotz des schlechten Geschäfts mit der Kunst ist Nimbe bestens gelaunt. Er wird heute früh Schluß machen, hinüber nach Tanahlot fahren, wo er Verwandte aus dem Dorf treffen kann.

»Zum Tempel Tanahlot?«

»Ja, der ist sehr schön. Solltest du dir ansehen.«

Eine halbe Stunde später ist Nimbe wieder da. Ich stülpe mir den mitgebrachten zweiten Sturzhelm über, und schon jagen wir auf atemberaubendem Zickzack-Kurs im Rechtsverkehr durch Denpasar, der Küste Ost-Balis entgegen. Gut eine Stunde später stellt der Balinese seine Honda am Ende des Dorfes Tanahlot ab. Dort, wo die ersten Souvenirbuden stehen und der ganze Touristenrummel beginnt. Bis zum Sonnenuntergang werden Buskarawanen mit Reisenden rund um den Globus eintreffen. Tanahlot ist kein großer Tempel, aber der wohl am schönsten, pittoresk auf einem Felsen im Meer gebaute. Ein Nationaltempel, dem Bali besondere Verehrung entgegenbringt.

Es ist Ebbe. Wir gelangen über den schwarzen Lavastrand an die Felseninsel und steigen die in den Stein gehauenen Stufen zur Pagode hinauf. Vor einer Mauer steht ein Tempeldiener, der mir einen Wickelrock nebst gelber Tempelschärpe um die Taille bindet. Dann erst darf ich eintreten.

Im äußeren Hof befinden sich Gebäude für das Gamelan-Orchester und zur Vorbereitung für Opfergaben. Außerdem steht hier der Trommelturm. Den Innenraum erreiche ich durch ein Tor, das durch zwei Wächter aus Stein flankiert wird. Sie sollen böse Dämonen abhalten. Hier befinden sich die Heiligtümer der Meeresgöttin Dewi Danu. Ihr ist der Tempel geweiht. Der Hinduismus bringt den Bergen besondere Verehrung dar, dies erklärt die Lage der Schreine in Bergrichtung und die hohen, mehrstufigen Dächer (Merus). Je größer die Anzahl der Dächer, umso wichtiger ist der hier verehrte Gott. Dewi Danu verfügt in der Rangliste von eins bis elf über fünf Dächer. Die Kleinodien des Tempels, Juwelen, alte Steinskulpturen und Texte, werden an einem besonderen Platz im Innenhof aufbewahrt.

Wir setzen uns auf den Boden im Rücken des Priesters, der augenscheinlich gerade Kontakt zu Dewi Danu aufgenommen hat. Ganz in weiß gekleidet steht er vor einer mit Flechten und Moosen überwucherten Steinfigur. In den gefalteten Händen hält der Priester einen Zweig mit grünen Blättern. Entrückt murmelt er Gebete und verneigt sich fortwährend. Nun nimmt er auf einem Stein Platz, spritzt Weihwasser in die Richtung der Figur, dann schwenkt er ein Behältnis mit Räucherstäbchen, die nach Weihrauch duften. Von Zeit zu Zeit stehen die Leute hinter dem Priester auf. Ich folge dem Beispiel. Links vor uns wird ein Xylophon geschlagen. Ich höre das Meer rauschen und die Brecher gegen die Felsen klatschen. Wahrscheinlich läuft die Flut auf.

Junge Mädchen erscheinen mit Tabletts voller Obst. Bananen, Ananas, Mangos und vieles mehr sind pyramidenförmig aufgetürmt worden und werden jetzt vor der Figur abgestellt. Blüten werden ausgeteilt. Sitzend, die gefalteten Hände über dem Kopf haltend, eine Blüte zwischen die Finger gesteckt, wird gebetet. Die Steinfigur schmücken rote Hibiskusblüten. Neue Tabletts mit Opfergaben werden herangetragen und vorsichtig abgestellt.

Nach einer Dreiviertelstunde kribbeln meine Beine und schlafen ein. Die Schatten werden länger. Draußen wird irgendwann die Sonne grandios im Meer versinken. Ich bekomme einen Krampf im rechten Bein. Ich schaue mich verschämt um. Priester, Nimbe und die vielen übrigen Gläubigen zeigen keine Ermüdungserscheinungen. Mein Bedarf an Götterdienst ist aber restlos gedeckt. Ich gebe Nimbe ein Zeichen, rappele mich mühsam auf und trete durch die Höfe ins Freie. Gebe dort Schärpe und Wickelrock ab und wate durch das auflaufende Wasser ans Festland.

Nimbe Biong erscheint nach zwei Stunden mit Freunden und Verwandten am Strand. Ich erfahre, daß sich viele Fischer aus seinem Dorf Kusamba im Tempel trafen, um die im Ozean hausenden Dämonen, Riesen, Fischungeheuer und giftigen Seeschlangen zu »neutralisieren« und die Meeresgöttin Dewi Danu durch Opfer und Gebete gnädig zu stimmen. Vor wichtigen Fangtagen müssen die Tempel der Schutzgöttin aufgesucht werden. Das Gebet am dörflichen Schrein reicht einfach nicht aus.

Allmählich verschwinden die einheimischen Besucher und Touristenmassen.

Für diesen Abend habe ich Nimbe als Fremdenführer angeheuert. Wir beschließen, einer Aufführung des Kechak, des Affentanzes, beizuwohnen.

Tanz, Schattenspiele, stunden-, ja tagelanges Aufführen nicht enden wollender Volksepen – uns Menschen aus dem »Westen« fasziniert die fulminante Kunst religiöser Rituale. Indonesische, ganz besonders balinesische Kultur lebt durch ihre Zeremonien. Sie sind die ewige unwandelbare Wirklichkeit. Sie verklären, verschönern, erleichtern den Alltag mit seinem Ungemach samt den Schattenseiten des Lebens. Ausgelaugte, gehetzte Europäer genießen Bali als Ort, an dem sie der Illusion erliegen können, der Lebenskampf gönne ihnen eine Pause. Es ist gleichsam eine Flucht vor der Wirklichkeit an einen Ort, wo das Leben zur Kunst wird.

Doch bitte nur für eine Stunde. Tempo ist angesagt. Nur mal hincinhören, kurz hineinsehen. Kaum ein Tourist besitzt Ruhe und Kraft, Epen wie »Ramayana« oder »Mahabharata« in voller Länge zu erleben. »Mahabharata« besteht aus 100 000 Versen und dauert neun Stunden. Ein Dalang, der Meister des Schattenspiels zum Beispiel, hat alle Verse im Kopf, dazu muß er singen, den Takt vorgeben, die Puppen tanzen lassen und rezitieren. »Mahabharata« gilt als längstes Drama der Welt. Der Tourismus verlangt Kurzversionen, maximal 90 Minuten.

Tanz-Epen sind nicht minder anspruchsvoll. Da gibt es »Legong«, den Tanz weiblicher Anmut. Er wird von sorgfältig ausgewählten Mädchen aufgeführt. Bereits im Kindesalter beginnt deren Ausbildung, und sie tanzen nur bis zum Auftreten der ersten Menstruation. Die Mädchen treten in prunkvollen Gewändern aus Goldbrokat und aufwendigem Kopfschmuck auf. Thema ist die Geschichte des Königs Lassem und der Prinzessin Langkasari: Der König fand sie in einem Wald und sperrte sie in seinem Palast ein. Prinz Daha, ihr Bruder, fordert die Freilassung. Der König ignoriert die Warnung durch einen mythischen Vogel, zieht gegen Daha in die Schlacht und wird getötet.

»Baris« ist ein furioser Kriegstanz. Er verlangt höchste Konzentration und wird nur von Männern getanzt.

Ein Dämon aus dem Ramayana-Epos tritt im »Jank-Tanz« auf.

Eindrucksvoll ist der religiöse Trancetanz »Barong«. Er versinnbildlicht den ewigen Kampf entgegengesetzter Kräfte des Kosmos, die am Ende alles im Gleichgewicht halten, selbst Gut und Böse. Barong, ein gutmütiger Löwe aus der Fabelwelt, und die furiose Hexe Randa veranschaulichen die Auseinandersetzung. Der in Bedrängnis geratene Barong ruft Kris-Tänzer, Beschützer der Dorfgemeinschaft, zu Hilfe. In Trance greifen diese die Hexe an, können jedoch nichts ausrichten. Die Zauberkräfte Randas zwingen die Tänzer, ihre Dolche gegen sich selbst zu zücken. Nun wirkt der gute Zauber Barongs und macht die Männer unverwundbar. Das Gleichgewicht der Kräfte, die Harmonie des Kosmos ist hergestellt.

In einem kühnen Schwung fährt Nimbe auf den Parkplatz des Sahadewa-Theaters und bockt seine Honda auf. Wir müssen uns beeilen, die Aufführung hat bereits begonnen. Im Theater empfängt uns das monotone und zugleich aggressive »Kechak-kechak-chak« einer Gruppe halbnackter Männer, die in einem dichten Kreis um eine Schildkrötenfigur hocken. »Kechak-kechak-chak« rufen sie wieder und immer wieder. Sie haben die Augen geschlossen oder reißen sie entzückt weit auf. Sie wiegen sich nach hinten, legen die Köpfe auf die Leiber der Hintermänner, reißen die Arme himmelwärts und zittern an Händen und Armen. Im Theater ist es dunkel. Gespenstisches Licht spenden lodernde Fackeln im Hintergrund. Es mögen 120 aus der realen Welt entrückte Männer sein, die da den konzentrischen Kreis bilden. Vor mir spielt sich eine Szene aus dem Ramayana-Epos ab. Die Männer bilden die Affenherde des Affengenerals Hanuman und sind gerade im Begriff, in Trance zu fallen.

Der Kechak oder Affentanz ist einer der spektakulärsten Tänze Balis. In den dreißiger Jahren wurde er erstmals aufgeführt, damit ist er erstaunlich jung. Außerdem verwundert, daß er von einem Europäer, ursprünglich als exorzistisches Ritual, choreographiert wurde. Es ging um die Austreibung böser Geister, um die Befreiung von Not und Krankheit.

Die Wurzeln des Männerchors sind allerdings schon sehr alt, und leiten sich aus dem Sanghyang (Trance) Ritus ab. Eine Person versetzt sich in Trance und nimmt in diesem Zustand Verbindung zu Göttern und Ahnen auf, um deren Wünsche dem Volk mitzuteilen.

Heute interpretiert die lautmalerische Ekstase das Libretto aus dem indischen Hindu-Epos Ramayana.

»Kennst du die Geschichte?« fragt Nimbe.

Ich nicke.

Der göttliche Prinz Rama, Erbe des Thrones von Ayodya, lebt mit seiner Frau Sita und seinem Bruder Laksamana im Wald. Sie sind ausgestoßen worden. Rawana, der König der Dämonen und die Ausgeburt des Bösen, begehrt die wunderschöne Sita. Er hegt einen Entführungsplan. Sein Premierminister Meritja verwandelt sich in einen goldenen Hirsch und läßt sich von Rama und Laksamana verfolgen. Sita bleibt allein und wird von Rawana ins Reich des Bösen verschleppt. Rama bemerkt den Betrug und macht sich auf, Sita aus den Fängen des Dämonenkönigs zu befreien. Eine Armee von Affen, unter General Hanuman, hilft ihm in vielen Kämpfen, bis Rawana den Tod findet und die geliebte Sita befreit werden kann.

»Kechak-kechak-chak«, hallt der Schrei der »Affen« durch den Wald. Die Bewegungen werden bizarrer, die Mimik entrückter. Endlich trollt sich die Armee wie ein Rudel toller Paviane. Das ist das Vorspiel.

Im ersten Akt tritt ein Mädchen auf. Es ist kostbar gekleidet. Von großer Anmut sind ihre Bewegungen. Sie tanzt auf den Zehenspitzen. Körper, Arme, Finger, selbst die Pupillen ihrer Augen folgen dem Rhythmus der Instrumente, dem aus Gongs, Trommeln, Xylophonen bestehenden Gamelan-Orchester. Die Musiker werden von Gesängen untermalt, die Kehlen alter Männer hervorpressen. Das Mädchen schwebt über die Bühne wie eine aufrechte Schlange. Unglaublich, welche Beherrschung sie ihrem Körper abverlangt. Kontrolle bis in die Fuß- und Zehenspitzen. Im Gesicht ein eingefrorenes Lächeln. Nur die Augen »züngeln« in betörender Intensität. Sie beherrscht die Sprache der Gebärden. Das ist Pantomime in ihrer Vollendung!

»Da tanzt Sita«, sagt Nimbe.

Die Prinzessin hat ihren Ehemann Rama ausgesandt, um den goldenen Hirsch zu fangen. Ein Hilferuf schreckt auf, Sita glaubt, Rama sei in Not. Sie schickt ihren Schwager Laksamana, der soll nach ihm sehen. Laksamana weigert sich anfänglich. Was kann dem göttlichen Rama schon passiert sein? Wünschst du dir seinen Tod, um mich zu heiraten, diese Frage drückt ihr Tanz aus. Zornig macht sich Laksamana auf die Suche. Sita bleibt allein und unbewacht zurück.

2. Akt: Ein dämonisch kostümierter Rawana tritt auf. Es tanzt das leibhaftig Böse. Sita wird entführt.

3. Akt: Sita tanzt im Palast des Bösen. Sie ist in Begleitung der Nichte Rawanas, dennoch ist sie einsam und unglücklich. Plötzlich erscheint der Affengeneral Hanuman. Er hat sich heimlich in den Palast geschlichen und gibt Sita einen Ring ihres Mannes als Zeichen, daß dieser lebt und daß der General sein Verbündeter ist.

4. Akt: Auf der Bühne herrscht ein Tohuwabohu tanzender Figuren, wirbelnder Körper und Masken. Schlachtfeldgetümmel. Rama wird vom Sohn des Dämonenkönigs Meganada angegriffen. Sein Pfeil verwandelt sich in eine Schlange, die Rama wie eine Fessel umschlingt.

Der innere Zirkel des Männerchors löst sich aus der großen Gruppe und umringt bedrückend eng den Prinzen. So die choreographische Darstellung. In seiner Verzweiflung ruft Rama seinen Freund Garuda. Der Adler erscheint augenblicklich und befreit ihn von der Schlange des Todes.

5. Akt: Sugriwa, der König der Affen, mobilisiert seine Armee, um gegen Meganada zu kämpfen. Auf der Bühne teilt sich der Chor. Eine Hälfte stellt die Affenarmee dar und stößt gellende Laute in den Raum, die andere Hälfte symbolisiert die Dämonenarmee unter teuflischem Chak-chak-chak-Gebrüll.

Die Affen gewinnen die Schlacht, es gelingt Rama den Dämonenkönig zu töten. Nun kann er endlich mit Sita vereint und glücklich in sein Königreich heimkehren.

Der tosende Beifall aus den Rängen ruft in die Wirklichkeit zurück.

Der zweite Teil der Aufführung befaßt sich mit den Medien der Götter: Trancetänzer aus den Dramen Sanghyang Dedari und Sanghayang Djaran.

Im ersten Stück, auch Tanz der »verehrungswürdigen Engel« genannt, meditieren zwei Mädchen vor einer Schale stark duftenden Rauchwerks. Pemangku, der Tempelpriester, versucht mit Hilfe von in Trance geratenen Mädchen die Verbindung zu den Göttern herzustellen und bittet um besonderen Schutz für sein Dorf. Hinter den schon fast entrückten Mädchen sitzen Frauen, die eine Sanghayang-Melodie singen, in der die himmlischen Nymphen angerufen werden herabzusteigen, und mit den Mädchen zu tanzen:

»Duftend weicht der schale Rauch,
himmelwärts als Bote dir,
steig, o steig nach altem Brauch,
den erhab'nen Göttern zu.
Wir sind rein und voll Verlangen eure Engel,
schön und hold, die göttlichen Engel
zu empfangen, in ihrem feinen Gewand aus Gold.«

Mit geschlossenen Lidern wiegen sich die beiden Mädchen zur Melodie vor und zurück, bis sie in den dichten, weißen Weihrauchschwaden in Trance versinken. Dann werden die anmutigen Geschöpfe von Männern in die Mitte einer Tanzfläche getragen, die von einem Chor umrahmt wird.

Der Chor singt eindringliche Weisen zum melancholisch verhaltenen Gamelan-Orchester. Die sich in tiefer Trance befindlichen Mädchen tanzen auf einmal Legong mit geschlossenen Augen, völlig synchron, leicht, fast schwerelos wie Federn. Klänge und Stimmen verharren, die Mädchen stürzen wie tot zu Boden. Der Priester besprengt sie mit Weihwasser und holt sie durch allerlei Gesten zurück in die Realität.

Beim Sanghayang Djaran geht es brutaler zu. Ein Mann versetzt sich auf ähnliche Weise in Trance. Auf einem Steckenpferd reitet er in Kreisen tanzend um ein Feuer aus Kokosnußschalen. Er zieht die Kreise enger, bis seine bloßen Füße durch die brennenden Schalen tanzen, ohne sich zu verbrennen.

Aus den Trancetänzern spricht während ihrer »Öffnung« das göttliche Wesen, es wohnt gleichsam in einem »abgehobenen« Körper. Die in Trance versetzten Mädchen haben nie eine Tanzschule besucht. In ihrem normalen Dasein könnten sie den schwierigen Legong nicht wiederholen, auch können sie sich später an den Tanz unmöglich erinnern. Ähnlich geht es dem Feuertänzer. Er würde normalerweise schlimme Verbrennungen davontragen und vor Schmerzen laut schreien. Sind das nicht Beweise dafür, daß der Trancetänzer in direkter Verbindung mit den Göttern steht?

Es ist Mitternacht, als ich das Theater tief beeindruckt verlasse. Nimbe Biong geht schweigsam zu seinem Motorrad. Wir brausen

Balis Tempel mit den hohen, mehrstufigen Dächern (Merus) sind berühmt. Die Anlage Pura Taman in Mengwi hat besonders hohe Merus.

durch das nächtliche Denpasar, halten vor der vielleicht letzten offenen Garküche, essen einen Fleischspieß und trinken Cola.

Endlich bricht er das Schweigen: »Mein Großvater ist ein einfacher Fischer. Ich habe eine Mittelschule besucht. Großvater war nur wenige Jahre auf einer Schule, er kann kaum lesen und schreiben. Aber er ist ein sehr gläubiger Mensch, die Epen kennt er alle. Im Dorf wurden viele aufgeführt. Er erzählte, die Holländer hätten den Kechak- und den Trancetanz verboten. Weil es danach Unruhe gab.«

»Wie ist euer Verhältnis zu den Holländern heute?« frage ich.

»Für mich und die meisten meiner Freunde gibt es keinen Unterschied zwischen ihnen und Deutschen oder Franzosen. Aber die Älteren mögen die Holländer nicht. Sie haben unter ihnen gelitten. Nicht so sehr körperlich, mehr seelisch.«

»Wie meinst du das?«

»Wir Balinesen sind ein freiheitsliebendes Volk. Wir wollen unab-

215

hängig sein und in Harmonie leben. Eine Besatzungsmacht unterdrückt allein durch ihre Anwesenheit. Im Ramayana-Epos fanden die Alten einen Teil ihrer heilen Welt wieder. Der Trancetanz machte sie glauben, stark und unverwundbar zu sein. Das entfachte den Widerstand. Holländisches Militär mußte einschreiten. Der Konflikt wurde immer erbitterter.«

Nach einer Weile sagt Nimbe: »Ich habe gehört, daß die Holländer die Deutschen nicht mögen.«

»Ich glaube, das bezieht sich auch auf die Älteren.«

»Und warum ist das Problem ausgerechnet zwischen euch und ihnen?«

»Wir haben sie überfallen...«

»Deutschland hat auch andere Länder überfallen, und die Holländer haben uns überfallen.«

»Die Umstände waren andere, außerdem...«

»Überfall ist Überfall«, sagt Nimbe.

Ich schweige.

Er sagt: »Ich muß noch heute Holländern und Deutschen Schnitzereien verkaufen. Ist das nicht komisch?«

»Du treibst Handel auf internationalem Niveau.«

Er lacht und sagt: »Du mußt unser Dorf besuchen. Es wird dir gefallen.«

Damit schwingt er sich auf seine Maschine und donnert durch die Nacht.

Das Fischerdorf Kusamba

Tock, tock, tock, hallen die Axtschläge. Nun schon seit Stunden bearbeitet der ausgemergelte Mann den Baumstamm. Er ist dabei ihn auszuhöhlen, um ein neues Boot zu bauen. Einen neuen »Schmetterling von Kusamba«, der den Schwarm bereichern soll. Die Balinesen nennen die zierlichen Auslegerboote mit den bunten Dreiecksegeln und den Schwertfischköpfen am Bug »Jukong«.

Jukongs sind das Kapital der Fischer von Kusamba. Nachmittags liegt die stattliche Flotte hochgezogen am Strand. Wenn das Wetter

Die zierlichen »Jukongs« huschen bei einer frischen Brise wie gehetzte Wasserspinnen über die See.

es zuläßt, laufen die Männer im Frühnebel aus und fischen. Die wenigen noch verbliebenen jungen Männer! Die meisten verdienen wie Nimbe in den Städten sehr viel mehr Geld.

Wer sich mit dem ausgemergelten Fischer unterhalten will, braucht Geduld. Er redet nicht viel und schon gar nicht gern. Nimbe hat ihn mir als seinen Vater vorgestellt. Das Dorf habe ich nicht nur besucht, um Nimbe einen Gefallen zu tun. Ich bin hergekommen, weil Kusamba einer der wenigen Fischerorte ist und dazu noch über eine stattliche Anzahl Boote verfügt, ja sogar noch Holzboote baut.

Ich brauche ein Boot! Kusamba ist meine letzte Chance. Der Ort liegt unweit des Strandes. Seine windschiefen Häuser stehen versteckt im Palmenhain. Ein romantisches, hübsches Dorf, wäre die Armut nicht so greifbar. Dennoch, ich fühle mich wohl, habe mein Zelt neben einem winzigen Kolonialwarenladen, einem besseren Bretterverschlag, aufgestellt, und genieße das ruhige, gemächliche Dorfleben.

Nimbe ist wieder in der Stadt und verkauft seine Schnitzereien. Petula, seine Schwester, liegt im Strandladen auf dem Fußboden und schläft. An ihren freien Tagen kommt sie immer nach Hause und hilft ihrer Mutter im Laden. Zum Glück gibt es kaum Kunden. Petula ist nämlich ständig müde, sie kann augenblicklich einschlafen. Ihr Job als Kellnerin macht sie fix und fertig.

Der Mann legt die Axt zur Seite. Er gönnt sich eine Pause. Ich nicke anerkennend. Mit versteinertem Gesicht nickt er zurück.

Ich mache ihm klar, daß ich morgen mit auf die See hinaus zum Fischen möchte.

Er nickt. Ob er mich verstanden hat?

Von Nimbe weiß ich, daß der Vater in seiner Ehre verletzt ist und die Zeit nicht mehr versteht. Früher waren die Fischer die Ernährer der Familien. Heute verdienen sie nur noch ein Almosen. Das Geld zum Leben schaffen die Kinder bei den Fremden in den Städten heran. Die Fischer kommen sich nutzlos vor, das ist bitter, wenn man ein guter Fischer – wenn man autark, sogar etwas wohlhabend war.

Und warum baut der Vater noch Einbäume? Aus Langeweile? In Samur und Kuta gibt es Leute, die segeln Touristen den Strand hinauf und hinab. Die Leute behaupten, sie wären echte Fischer. In Wirklichkeit arbeiten sie für eine Kooperative wie Taxifahrer. Die Manager der Kooperative kaufen von Zeit zu Zeit die Holzboote der Fischer, weil die Touristen die modernen Plastikboote nicht mögen.

»Wann ist das Boot fertig?« frage ich.

»In drei Wochen«, sagt Vater Biong.

»Was soll es kosten?«

Zögerlich malt er eine sechs mit sechs Nullen in den Sand.

»Rupiah, komplett, mit Segel, Auslegern, Ruder?«

Er nickt.

Ich gehe durch den Sand, an den vielen trocken liegenden Booten vorbei, hinauf zum Laden und wecke Petula. Damit sie schneller zu sich kommt, spendiere ich ihr eine Cola.

»Besorge mir eine Axt, einen Hobel, Farbe.«

Sie schaut mich verständnislos an. Nach einer Weile macht sie sich auf und besorgt die Gegenstände.

Ich kehre zu Biong zurück und bearbeite das Heck, während er am Bug Holz aus dem Stamm schlägt. Von nun an sind wir ein Team.

Frühmorgens fahre ich mit den jüngeren Fischern auf die See hinaus, werfe Netze aus, kreuze in der Badung Strait zwischen Bali und Lembongan, um dann ab mittag die gefangenen Meerestiere in der Plicht zu verstauen. Keine angenehme Arbeit in den engen Jukongs bei stechender Sonne. Aber ich habe Gelegenheit, mich mit den Eigenschaften der Boote vertraut zu machen. Allmählich entwickle ich ein Gefühl für ihre Stärken und Schwächen. Um eine Jukong einigermaßen seetüchtig zu machen, müssen bestimmte Dinge verstärkt, geändert oder ergänzt werden.

Die Erfahrungen, die ich beim Fischen und Segeln gewinne, fließen nachmittags in den Neubau ein. Die Sache fängt an, mächtig Spaß zu machen. Als der Stamm sauber ausgehöhlt und die Bordwand mit Teakholzplanken erhöht werden, möchte ich das Ruder verstärken. Biong schüttelt den Kopf. Ich möchte einen Kiel unter dem Rumpf befestigen. Biong wehrt noch heftiger ab.

»Das Boot wird zu schwer, zu teuer, außerdem läßt es sich nicht verkaufen«, sagt er.

Unser Team wird zum Dorfgespräch. Man interessiert sich für unsere Gemeinschaftsproduktion und amüsiert sich über die verschiedenen Ansichten.

Eines Tages erscheint Nimbe Biong und meint, ich möge mich der alten Bautradition fügen. Sein Vater wäre sehr unglücklich über meine Extratouren. Anderenfalls darf ich nicht mehr weiter mitbauen. Ich bin enttäuscht.

»Die Jukong soll besser werden, stabiler, seetüchtiger. Ich helfe ihm freiwillig, umsonst, weil es mir Spaß macht.«

»Verstehe, aber die Bauart ist gesegnet. Vater glaubt, daß eine Veränderung Unheil bringt.«

Jetzt war der Zeitpunkt gekommen, meinen Plan zu erklären. Ich gehe mit Nimbe zur »Werft«. Der Alte hobelt an den Planken, als ich sage: »Wir bauen das Schiff nach meinen Wünschen zu Ende. Dann kaufe ich es für vier Millionen Rupiah ab.«

Der Sohn verdeutlicht dem Vater meinen Vorschlag.

»Aber warum?« fragt der Alte.

»Ich möchte eine Fahrt weit in den Süden machen. Du oder ein anderer Fischer sollen mich begleiten.«

Vater und Sohn machen verzweifelte Gesichter.

»Eine Seereise weit in den Süden? Da fährt kein Balinese mit. Wir lieben das Meer nicht sehr. Land muß in Sichtweite sein, sonst fürchten wir uns. Im Ozean wohnen Dämonen und Riesen, Fischungeheuer und giftige Seeschlangen. Im fernen Meer ist der unreine Bezirk des Totenreiches«, erklärt Nimbe, und der Vater nickt eifrig.

Ich bin sprachlos. Fischer, die auf einer Insel leben und Angst vor dem Meer haben, das habe ich nicht erwartet.

»Gut«, sage ich endlich, »wir bauen das Schiff nach meinen Vorschlägen fertig. Ich kaufe es, dann sehen wir weiter.«

Der Alte schluckt nochmal, dann ist er bereit, die Zusammenarbeit fortzuführen. Wir arbeiten unter Hochdruck. Ich will die Piroge in einer Woche fertig haben. Terminarbeit auf der »Paradies-Insel«, total verrückt, ich weiß, aber die Zeit drängt.

Für die Fahrt im Kielwasser der SARDAM muß ich vier Wochen veranschlagen, vielleicht auch mehr. Der Wind wird häufig aus Süden blasen. Wenn ich Pech habe, werde ich tagelang mit der Piroge kreuzen müssen, was enorm aufhalten wird.

Auf unserer »Werft« – lediglich ein Stück Sandstrand – wird gesägt, gehobelt und gehämmert, angepaßt und zugeschnitten. Das Ruder wird verstärkt und in Teakholz ausgearbeitet, ebenso die Auslegerarme. An die Arme werden je ein Schwimmer in Bambus mit Tauwerk verzurrt. In Küstennähe mag das ausreichen. Ich verstärke die Verbindung mit gerötetem Stahldraht. Unter den Einbaum lasse ich einen Kiel von 40 Zentimeter Länge ein. Die üblichen Jukongs sind flach. Baum und Spiere aus Bambus hängen fürs rasche Niederholen an einer labilen Tauwerkaufhängung des Krüppelmastes. Meiner Meinung nach der wundeste Punkt der ganzen Konstruktion. Eigentlich muß der Mast bis in den Kiel eingelassen werden, doch das ist mangels Holzstärke nicht möglich. Die Baumaufhängung wird durch ein Rack aus Stahldraht, Bolzen und Schäkel verbessert. Schließlich müssen wir mit dem vorliebnehmen, was das Dorf bietet. Das Lateinersegel – genaugenommen ist es ein Südsee-Spreizsegel – wird doppelt vernäht. Ich werde ein Ersatzsegel aus Kunststoff mitnehmen. Die Plicht bekommt eine geräumige und verschließbare Backskiste.

Natürlich darf der »Passo«, der Fischkopf am Bug, nicht fehlen. Es ist ein Glücksbringer. Am Wochenende bekommen Rumpf und Aus-

Mit der schmucken Piroge (Jukong) ging es später von Bali aus auf große Fahrt. Noch konnte ich bei bestem Wetter sorglos mit Fischern vor der Küste kreuzen.

leger Farbe. Auf den ersten Blick sieht die neue Jukong nicht anders aus als ihre Schwesternsegler am Strand. Um die Finessen zu erkennen, muß man schon genauer hinsehen.

Ich glaube, das Dorf hat einen so raschen Pirogenbau noch nie erlebt. Vater Biong verliert etwas von seiner Verschlossenheit und meint, es sei ein schönes Boot geworden. Auch er ist auf unsere Teamarbeit stolz. Nach dem letzten Pinselstrich bringt Petula ein Tablett, beladen mit Obst, Reis und Blüten, das sie auf einer Ducht im neuen Boot abstellt.

»Ein Opfer für Dewi Danu.«

»Das ist gut, stimme die Meeresgöttin versöhnlich«, sage ich.

Oben im Laden kaufe ich eine Flasche Bier, die ich an die Bordwand schmettere: »Hiermit wirst du auf den Namen SARDAM getauft. In der Hoffnung, daß du den Segler auf deinem Rumpf sicher ans Ziel bringst.«

Acht Arme packen die Ausleger. Langsam wird die Jukong durch den Sand in die seichte Brandung geschoben. Unsere SARDAM schwimmt! Nun muß ich handeln: das Boot erwerben, um damit durch ein Stück Indischen Ozean nach Australien zu segeln. Ich bekomme Angst vor der eigenen Courage. Aber es war von Anfang an mein Plan, den Kurs Francisco Pelsaerts von Australien nach Indonesien oder umgekehrt nachzuvollziehen. Warum nicht mit einer Piroge, an der ich selbst mitgearbeitet habe?

Der Gedanke gefällt mir immer besser. Ich bin kein erfahrener Einhandsegler. Kein mit allen Ozeanen gewaschener »Kreuzer« der Weltmeere. Doch ganz unbedarft auch nicht. »Mein« Gebiet ist der Südpazifik, allein oder mit Einheimischen war ich in Pirogen etwas anderer Bauart unterwegs gewesen. Auf Routen polynesischer Seefahrer zwischen Fidschi, Samoa und den Tokelau-Inseln – ich sehe den Törn über den Sundagraben und durch das Nordaustralische Becken als Ergänzung.

Ich übernehme das Boot und treffe meine Vorbereitungen. Schlafen werde ich im offenen, engen Bootskörper. Für Proviant und Frischwasser steht nur wenig Platz zur Verfügung. Das habe ich einkalkuliert. Wenn es sein muß, kann ich drei, vier Wochen fasten. Das habe ich auf vielen Reisen durch Urwald, Wüsten und auf See erprobt. Ein Fünf-Kilo-Sack mit Trockennahrung müßte reichen. Kokosnüsse allein halten den Körper wochenlang bei Kräften. Ich stellte mir vor, in Bangko Bangko, einem Küstenort im äußersten Südwesten Lomboks, Proviant zu bunkern, der mir erlaubt, mit einem Schlag australisches Festland zu erreichen. Mehr Kopfzerbrechen bereitet die Wasserversorgung. Von Fangfahrten her weiß ich, daß Sonne und Wind auch den ruhenden Körper rasch austrocknen. Es muß gelingen, den Feuchtigkeitsverlust auf ein Minimum zu reduzieren, um für den Törn unter eineinhalb Liter Trinkwasser pro Tag zu bleiben. In zwei Kanistern werden 40 Liter Süßwasser verstaut. Das könnte drei Wochen reichen. Für den Notfall habe ich weitere »Quellen« vorgesehen: Zwei transparente und zusammenlegbare Meerwasserverdunstungsfolien, die, je nach Sonnenintensität, etwa einen Liter Destillat pro Tag liefern. Die Firma Autoflug hatte aufblasbare Destilliergeräte einst in ihren Rettungsinseln getestet. In diesen Mengen muß das Wasser natürlich mit Mineralien genießbar gemacht werden.

Eine andere »Quelle« ist das ausgepreßte Wasser von Fischen. Für diesen Zweck führe ich ein Set der verschiedensten Angelhaken mit. Im stillen hoffe ich auch auf Regentage, an denen ich Wasser auffangen kann. Die Chance steigt, je mehr ich mich dem australischen Kontinent nähern werde.

Umgeben von Wasser, bleibt dennoch Wasser das größte Problem. Wie leicht ist der Darbende geneigt, den quälenden Durst durch Seewasser zu stillen. Er verdrängt die teuflischen Folgen, den sicheren, qualvollen Tod.

Ich werde die Haut vor Sonne und Wind schützen, um die Verdunstung gering zu halten. Die Tuareg der Sahara kennen die Gefahr der Austrocknung. Sie schützen selbst Gesicht und Kopf vor der Sonne. In Küstennähe werde ich bei großer Hitze tags ruhen oder schattige Palmen suchen und nachts segeln.

So allein mit der SARDAM auf unbekanntem Kurs wird ein anderes Thema wichtig, das der Orientierung. Die im ufernahen Bereich eingesetzten Jukongs kennen keine Instrumente. Ich versorge mich mit Kompaß, Log und einem Sextanten. Als Wegweiser habe ich auch ein GPS-Handy dabei. Leider liefern die frischen vier Mignon à 1,5-Volt-Batterien nur für sechs Stunden Energie. Es geht mir in erster Linie darum, das NAV 5000 DLX von Magellan einmal im Einsatz zu testen. Seekartenmaterial hatte ich vor der Abreise in Fremantle besorgt. Im Grunde war ich für den Törn ganz gut ausgerüstet. Pelsaerts SARDAM war zwar größer, seine technischen Hilfsmittel aber sind ungleich einfacher gewesen.

Als der Nachmittag naht, an dem ich in See stechen und den gastlichen Menschen Kusambas Lebewohl sagen will, bin ich guter Dinge. Warum soll es nicht klappen? Der Törn ist, den Möglichkeiten entsprechend, gut vorbereitet. Das glaube ich wenigstens. Zum Glück ahne ich nicht, auf welch eine Höllenfahrt ich mich da eingelassen habe.

Am Strand versammeln sich einige Dorfbewohner. Stumm stehen sie da, als wollten sie mir das allerletzte Geleit geben. Bei Beerdigungen geht es auf Bali fröhlicher zu! Es war eine schöne Zeit bei den Fischern. Mein Vorhaben war ihnen suspekt, eine Herausforderung der Götter, aber sie haben mich unterstützt. Und ich gewann eine innere, fast meditative Ruhe bei ihnen. Ohne diese erhabene, von innen Geist und Körper durchströmende Ruhe ist diese Reise nicht zu schaffen, dessen bin ich sicher.

Naturgewalten und Einsamkeit erzeugen im Menschen Panik. Panik auf See bedeutet das Ende. Meditierend lassen sich Angst und Panik beherrschen, das haben mich die Menschen gelehrt – nicht nur in Bali. Ich bin ihnen dankbar und für die Seereise gerüstet!

Nimbe Biong ist gekommen, Vater Biong drückt mir die Hand, die schöne Petula hat sich eigens wecken lassen. Ich umarme sie.

»Selamat tinggal – auf Wiedersehen«, raunen die anderen.

Ein Törn in die Hölle

Raumer Wind bläht das Segel. An der gurgelnden Bugwelle schätze ich die Fahrt auf drei Knoten. Ich sitze im Heck und spiele mit der Ruderpinne. Den Kurs schreibt die Küste vor, der ich drei Meilen nach Süden folge, um später einen Schlag hinüber nach Lembongan zu machen.

Kusamba entschwindet. Die Menschen gehen über in konturloses Nichts, verschmelzen in der Ferne mit dem Ufer, von dem nur noch eine dunkle, ferne Linie bleibt. Hinter mir steigt der Gunung Agung aus einem Wolkenring in den Himmel, ein mächtiger, über 3000 Meter hoher Kegel.

Im Boot gleite ich dahin wie durch eine zeitlose Welt, ohne Anfang, ohne Ende. Es ist bedrückend still, so allein auf See. Ich drehe mich dem offenen Meer und dem Wind zu. Wie friedlich sind Meer und Wind. Als gäbe es nie Wogen, nie Stürme. Dennoch, ganz leise beschleicht mich ein Zweifel…

Wird das Vorhaben gelingen? Werde ich scheitern? Es ist keine eigentliche Angst, aber ein Gefühl von Unsicherheit. Ich kenne das Meer nicht, auf dem ich mich befinde, auch das Boot kenne ich nicht gut genug, ich weiß nicht, was mich hinter dem Horizont erwartet.

Mehrere Wochen war ich durch den Archipel gereist, habe die landschaftlichen Schönheiten, fremde Kultur und interessante Menschen erleben dürfen. Versuchte, mir ein Bild vom alten Batavia und vom neuen Indonesien zu machen, sah und spürte den Einfluß kolonialer Macht. Ich war immer von hilfsbereiten lieben Menschen umgeben. Jetzt, auf der letzten Etappe meiner Reise gegen die Zeit, bin ich allein. Da schwingt Wehmut mit. Gut vorstellen kann ich mir, daß die Holländer auf ihren Retourschiffen ein ähnliches Gefühl gepackt hatte. Es saß wie ein Kloß im Hals, der sich nicht einfach hinunterschlucken ließ.

Was sollen die trüben Gedanken? Genieße die frische Brise, das leichte Auf und Ab der Wellen. Die grenzenlose Freiheit und das Abenteuer!

Nasse Füße stoßen mich aus verklärten Gedanken. Das Holz arbeitet zwischen Kiel und Rumpf, Fugen ziehen Wasser. An Bord ist ein Eimer, also schöpfe ich. Keine ernste Angelegenheit. Ich habe Dichtungsmasse, auch Werg dabei, außerdem werden sich die Leckagen beruhigen, davon kann ich ausgehen.

Abendstimmung. Die Sonne versinkt hinter Bali, und das Meer nimmt den weichen Ton flüssigen Goldes an. Zu beiden Seiten der SARDAM türmen sich Wolken auf. Es scheint, als treibe ich durch ein Gewölbe in eine riesige Wolkenbank hinein.

Rasch fällt die Dunkelheit. Wie in einem Geisterschiff treibe ich gen Süden. Aufmerksam verfolge ich die Lichter am Ufer. Ich muß mich oberhalb Jumpais befinden und beschließe, das Segel anzuluven, um im direkten Winkel den Strand zu erreichen.

Ich habe ein ruhiges Plätzchen erwischt. Die flackernden Lichter rühren von Fischern her, die gebeugt durch hüfttiefes Wasser waten. In der einen Hand die Öllampe, in der anderen den Kescher, suchen sie Wasser und Meeresgrund nach Schalentieren und Fischen ab. Wie Kronenreiher ziehen sie ihre Bahn. Der tütenförmige Strohhut bildet die Krone. Kurz vor dem Ufer drehe ich bei, knirschend bohrt sich der Kiel in körnigen Sand. Ich springe aus dem Boot und schiebe die SARDAM ein Stück aufs Land. Die Nachtwandler heben verwundert die Köpfe. Was mag der unerwartete Segler wollen? Schon konzentrieren sie sich wieder aufs nächtliche Fischen.

Ich berge das Segel, hänge das Ruder aus, schleife beides in dichtes Ufergebüsch, dann richte ich mich für die Nacht ein. Einige Schlucke Wasser, etwas Obst und eine halbe Kokosnuß bestreiten das Nachtmahl. Ich schiebe die Duchten zu einer Fläche zusammen und versuche, die erste Nacht in diesem Boot zu schlafen.

Es ist kein bequemes Schlafgemach! Die ungewohnte Umgebung läßt mich nicht zur Ruhe kommen. Da gaukeln fliegende Hunde durch die Nacht. Irgendwo hinter dem Buschwerk quaken Ochsenfrösche, wahrscheinlich befinden sich dort Tümpel oder eine Lagune. Am meisten irritieren mich menschliche Stimmen, mal fern, mal in unmittelbarer Nähe. Wird da ein Überfall ausgeheckt?

Grelles Sonnenlicht reißt mich aus dem Schlaf. Es hat etwas aufgefrischt, das ist gut so, denn heute werde ich nördlich der Insel Penid die Lombok-Straße durchfahren, um bei Cape Pandanan die Insel Lombok zu erreichen. Das sind rund 30 Meilen, die bei gutem Wind auch zu schaffen sind.

Noch am Vormittag segele ich an Penida vorbei. Dabei ist Vorsicht geboten. Ein weißes Schaumband verrät das nahe Korallenriff. Der Karte ist zu entnehmen, daß es von Mentigi etwa zehn Meilen in südöstlicher Richtung verläuft. Je nach Brandungsstärke kann das unterseeische Kalkgebirge auch für Pirogen gefährlich werden. Ich halte Abstand, und gegen Mittag bereits wird die imaginäre Wallace-Linie überquert.

Im Verlauf der letzten Eiszeiten waren einige Inseln Indonesiens mit dem asiatischen Festland, andere hingegen mit Australien verbunden. Großsäuger Asiens sind Bär, Elefant, Tiger, Nashorn, Leopard, Tapir, Hirsch, Wildrind, auch viele Affenarten, die über Borneo und Sumatra bis Java und Bali gelangten. Zu Vertretern der australischen Fauna gehören Kletterbeutler der Molukken, Sulawesis der kleinen Sunda-Inseln und Lomboks. Aber auch Baum-Känguruhs und flügellose Kasuare, die auf Neuguinea leben. Diese augenfällige Trennlinie zwischen den Faunen, die Bali von Lombok und Kalimantan von Sulawesi trennt, wurde im vorigen Jahrhundert von dem englischen Biologen Alfred Russel Wallace entdeckt und nach ihm Wallace-Linie genannt.

Die Zeit rinnt dahin. Ich habe das Cape Pandanan von Lombok gesichtet und werde versuchen, auf Südkurs Bangko Bangko zu erreichen.

Unerwartet wird das träge Meer lebendig. Ein großer Fregattvogel, der schnellste Flieger der Meere, huscht über mich hinweg. Er ist auf Fischsuche. Das Wasser ist dunkelblau, fast violett. Die Sardam gerät in einen Schwarm Flugfische, die wie silberne Geschosse aus dem Meer schnellen. Ich sichte eine Haiflosse, etwas später begleiten mich Delphine. Ich nähere mich Lombok, »Balis armer Schwester«.

Beide Inseln sind fast gleich groß, ähnlich schön, doch ungleich begehrt. Und das ist die Legende von Lombok, die nach dem »roten Pfeffer« so heißt: Die Fee der Insel war eine märchenschöne Sasak-Prinzessin. Sie wurde von zu vielen Prinzen geliebt, das brachte sie um den Verstand. Um keinen ihrer Verehrer zu kränken, suchte sie den Opfertod im Meer. Die langen herrlichen Haare der Prinzessin wurden zu Meerwürmern, die ans Land krochen, um den kargen Boden Lomboks zu befruchten. So ist es heute noch. In der Regenzeit kriechen die »Haare der Prinzessin« von den Korallenbänken her ans Ufer, Meerwürmer, die der Anlaß für das stimmungsvolle Nyale-Fest sind. Die Würmer werden gefangen, in Palmblättern gebacken und gegessen. Die Palmblätterhüllen vergräbt man auf den Äckern. Von dem Fruchtbarkeitsritus erhofft man sich eine reiche Reisernte. Satte Ernten können die Menschen jedoch nur auf der Westseite der Insel erwarten. Der übrige Teil ist karg und trocken. Somit spielt Lombok in doppeltem Sinn die Rolle der armen Schwester Balis.

Die Sonne berührt den Horizont, entzündet die feinen Federn der Zirruswolken blutrot. Der Tag scheidet rasch und unbeschreiblich schön. Schleierwolken blühen auf und erfüllen den westlichen Himmel. Aus gelber Mitte strahlen fiebrig-rote Adern zu den äußeren Rändern. Die Sonne versinkt, mit ihr das Licht. Was bleibt, ist der Widerschein der Wolken, die schließlich ihre Farbe verlieren und das tote Violett der See aufnehmen.

Auf Südkurs umsegele ich einen Landzipfel, der in der Dunkelheit als solcher kaum auszumachen ist. Hinter der Landzunge muß Bangko Bangko liegen, anderenfalls habe ich mich versegelt. Ich vergleiche meine Seekarteneinträge und suche den östlichen Horizont ab. Erleichtert registriere ich in der Ferne kleine Lichtpunkte, luve an, um schneller darauf zuzuhalten. Natürlich bleiben die Zweifel bis zur Bestätigung. Die bekomme ich erst am nächsten Morgen.

In Bangko fülle ich meine Wassertanks und decke mich mit Nüssen, Trockenfisch und Obst ein. Für lange Zeit wird dies die letzte menschliche Siedlung, das letzte Gespräch sein. Aber auch die letzte Chance Fehler zu korrigieren, Vergessenes nachzuholen oder das Unternehmen abzublasen.

Fischer, die mit Jukongs auftauchen, sind Indonesier. Als Weißer mit einem solchen Boot werde ich skeptisch gemustert. Mittlerweile scheinen die Leute von den Touristen jedoch allerlei Merkwürdiges gewohnt zu sein. Auf die Frage, was ich vorhabe, gebe ich an, mein Sortiment an Angelhaken auszuprobieren. Private Tests zur Beißfreudigkeit tropischer Fische sozusagen. Fischer brauchen Lizenzen, ich habe keine, möchte auch keinen Ärger mit Behörden haben. Den wahren Grund, mit einer Jukong nach Australien segeln zu wollen, erwähne ich nicht mehr. Das glucksende Lachen bin ich leid.

Leine los! Helfende Hände bugsieren die SARDAM über den Strand ins Wasser. Ich laufe mit der Ebbe aus. Die Kurslinie liegt fest: Westsüdwest. Der Himmel ist bedeckt, die Sonne durchdringt die Wolken mit fahlem Licht. Die See ist ruhig, die Kimm ein gleichmäßig hellgrauer Streifen, kein Wetter in Sicht – ein idealer Segeltag!

Der Wind greift ins Lateinersegel und schiebt den Einbaum vor sich her. Ich hole die Schot bei, packe die Pinne fester und genieße Raumschot. Ja, ich liebe das Meer, die erhabene Unermeßlichkeit, seine flüssigen, unsichtbaren Straßen… sehne mich nach dem unerreichbaren Horizont, fern in einem Raum, so groß wie die Kühnheit der Menschen…

Während Ufer, Palmen und Berge als diffuse Silhouette verschmelzen, begreife ich erst, daß ich tatsächlich abgefahren bin, in den Süden, der vor 1500 km keine Grenze hat. Wenn alles gutgeht, ziehe ich drei Wochen lang meine Bahn durch Wasser, Wind und Sterne. Allein mit der SARDAM, ohne Radio, ohne Verbindung mit der Außenwelt – nur keine Melancholie, keine Traurigkeit aufkommen lassen! Ich konzentriere mich auf die Aufgabe, das Schiff und die See.

Allmählich beginne ich die SARDAM zu mögen. Wir werden Verbündete. Die tote Materie wird durchströmt von Leben. Wenn der Ausleger knirscht, der Mast ächzt, will die SARDAM mit mir reden. Es ist nur eine Frage der Zeit, dann werde ich sie verstehen. Wir werden kommunizieren wie zwei Freunde. Sie ist eine schöne Freundin von sechs Metern Länge, vier Metern Breite von Schwimmer zu Schwimmer. Der Kurzmast mißt 1,60 Meter. Langer Baum und eine ebensolche Spiere machen sie zu einer ungemein eleganten Erscheinung. Schon beinahe erotisch wirkt sie mit ihrer geschwollenen Brust. Der Wind kann in 28 Quadratmeter Tuch greifen. Leib und Becken sind außerordentlich schmal, was doch einiges Unbehagen verursacht. Einbäume von 65 Zentimetern Breite sind eben keine bequemen Yachten. Auch ihre totale Offenherzigkeit kann zur Last werden. Eine unverhoffte Welle über die mittlere Ducht, schon kann ich die Seekarte auswringen. Das Sitzbrett dient als Kartentisch. Auch das Schlafen wird auf die Dauer zur Tortur. In der Plicht kann ich mich zwar langmachen, doch dann liege ich im Bilgenwasser.

Das Vertrauensverhältnis wächst von Stunde zu Stunde. Was Bootskörper, Ausleger, die Solidität von verstaktem Mast, Baum und Spiere angeht, habe ich keine Bedenken. Besorgnis erweckt das Tauwerk, mit dem die Spiere an den Mast und der Baum an die Spiere geschlagen wurde. Beim ersten ordentlichen Sturm werden die Fetzen fliegen. Das Takelwerk werde ich im Auge haben müssen. Am besten gleich noch etwas Tau anschlagen! In der Backskiste liegen allerlei Verschleißutensilien. Ich krame ein paar Tampen heraus und belege Mast und Baum zusätzlich.

Ein Blick auf den Kompaß zeigt, daß ich sauber meinen Südkurs halte. Winddrift ist minimal, Strömungsdrift unbekannt. Ich werde es feststellen. Walker-Log und Uhr geben an, daß die SARDAM um die drei Knoten segelt. Bangko liegt jetzt, nach vier Stunden Fahrt, gut zwölf Meilen hinter mir. Die Piroge krängt stärker. In Lee hat sich der Schwimmer unters Wasser gebohrt und zieht wie ein Torpedo seine Bahn. Kaum merklich frischt es auf. Munter plätschert die Bugwelle. Es eilt die Zeit dahin.

Auf einmal geschieht etwas Unvorhergesehenes. Unmerklich hat sich von achtern ein Schnellboot der Küstenwache herangepirscht. Ich fahre erschrocken herum, als eine blecherne Megaphonstimme losbrüllt und das Schiff längsseits dümpelt. Augenblicklich gebe ich Schot, der Baum schlägt vor, die Fahrt verlangsamt sich. Ein uniformierter Indonesier legt die SARDAM fest. Papiere und Ausweise werden verlangt. Nimbe Biong hatte mir zum Glück einen Zettel mitgegeben, auf dem in Indonesisch Bootsdaten und mein rechtmäßiger Erwerb vermerkt wurden. Den Reisepaß studiert der Polizist, mit Stahlhelm und umgehängter Maschinenpistole, besonders sorgfältig.

In gebrochenem Englisch fragt er barsch:»Was suchen Sie hier draußen?«

Darauf bin ich gefaßt. Ich krame ein Empfehlungsschreiben hervor und erkläre:»Forschungszwecke, Überleben auf See mit Angelhaken und durch Meerwasserdestillation.«

Dabei zerre ich den Plastikbeutel hervor.

»Nix Forschung, zurück!« befiehlt der Polizist.

Damit habe ich nicht gerechnet. Ich balanciere über den Ausleger und springe aufs Küstenschutzschiff. Dort befinden sich zwei weitere Polizisten vom Wasserschutz. Ein hitziges Palaver hebt an. Resultat: »Zurück!«

Nun greife ich zum Äußersten und fingere einige Scheine aus dem Brustbeutel. Die Mienen hellen sich auf:»Good bye, Mister, gute Reise und kommen Sie heil zurück.«

Mit einem Satz bin ich wieder auf der SARDAM. An der Reling winken die Polizisten. Ich bin ihnen nicht böse. Gehe wieder hart an den Wind, um aufs Tagespensum zu kommen.

In den Abendstunden stelle ich fest, daß es trotz der guten Wetterbedingungen nicht erreicht wurde. Das liegt am Windsprung. Seit einigen Stunden bläst es aus Südwest. Der schmächtige Kiel hat der Winddrift wenig entgegenzusetzen. Im Nu kommt die SARDAM ins Gleiten, was ewige Kurskorrekturen bedeutet.

Mit Sorge denke ich an die Nächte. Stundenlanges Schlafen kann ich mir nicht leisten. Ich werde mir einen Minutenschlaf angewöhnen wie ein Vogel. Ein Schlaf, der sich der Fahrt des Bootes, dem Wind, dem Wetter, der jeweiligen Situation unterzuordnen hat. Nach vier, fünf Tagen auf See wird sich ein situationsbedingter Schlafrhythmus eingestellt haben.

Auch die Nahrungsaufnahme muß sich den Umständen anpassen. Feste Mahlzeiten lassen die Naturgewalten nicht zu. Yoga hilft, den typischen Tagesablauf und das Tag- und Nachtverhalten zu ignorieren. Meditation hält Depressionen im Zaum und erfrischt. Gibt man sich den Befehl»Schlafen«, muß der Körper diesen ausführen. Wachwerden ist so etwas wie ein Kommando aus dem Unterbewußtsein. Alle Sinne sind da und sofort einsatzbereit. Schlaftrunkenheit gibt es nicht allein auf See.

Wie die Winde wechseln auch die Tage. Gestern war es mörderisch heiß. Ich wollte meinen Wasserverbrauch unter zwei Liter halten, prompt bekam ich stechende Kopfschmerzen und weil ich kaum geschlafen hatte, narrten mich Halluzinationen. Plötzlich sah ich einen riesigen Tanker auf mich zukommen. Um ihm auszuweichen wäre ich beinahe aus dem Boot gesprungen.

Mit solchen und ähnlichen Situationen muß man rechnen. Seit drei Tagen verbindet mich ein fünf Meter langes Tau mit dem Mast. Das beruhigt. Ich wäre nicht der erste Einhandsegler, der beim Baden oder unfreiwilligen Überbordgehen sein Schiff verloren hat. An diesem heißen Tag brauchte ich vier Liter Trinkwasser. Das stimmt besorgt.

Heute bleibt die Sonne hinter Dunst- und Wolkenschleiern verborgen. Starker Wind aus Süden ist angesagt. Das bedeutet für das Boot und mich harte Arbeit. Ich verliere an Höhe und werde erbarmungslos gen Osten geschickt. Es scheint, als will mich Poseidon in die Timorsee treiben und nicht mehr herauslassen. Der Wind ist jetzt steif und kommt mit Stärke um sechs.

Abend und Nacht bescheren mir Regen, dazu haben sich beachtliche Wogen formiert, von denen jede dritte kalt und naß einsteigt. Längst habe ich keinen trockenen Faden mehr am Körper. Halb liegend hänge ich neben der Pinne, immer wieder entlädt sich eine Welle. Das Wasser steigt über die Knöchel. Ich müßte schöpfen, müßte den Kurs bestimmen, kreuzen... mir ist so verdammt elend in dieser Nacht. Wenig und einseitige Nahrung, nicht genug Wasser – Bedingungen, die nicht gerade stärken. Der Seegang rumort im Magen. Hintereinander muß ich mich viermal übergeben. Ich hechele nach Luft. Mein Gott, ist das der Anfang vieler solcher Nächte? Ich weiß nicht mehr, wie ich liegen oder sitzen soll. Sämtliche Knochen hat das Holz wundgescheuert.

Ja, es ist der Anfang vieler schlimmer Nächte. Ab irgendeiner, ich weiß nicht mehr, ob es die siebte oder achte ist, begegnen mir die Akteure der BATAVIA-Story. Ich hatte mir zuvor Pelsaerts Logbuch-Aufzeichnungen zur Fahrt mit seiner Jacht SARDAM vergegenwärtigt:

»18. Juli 1629:
Wir nehmen Kurs Südsüdost. Gegen Mittag lief der Wind einen

Strich östlicher, so daß wir Süd zu West ansegeln konnten. 24 Meilen gesegelt.

20. Juli:

20 Meilen gesegelt.

21. Juli:

Hatten wir wechselnde Winde, zeitweise Stille, und am Morgen fiel Regen, so daß wir 30 bis 40 Krüge Wasser sammelten. Hatten am Nachmittag eine Höhe von 10 Grad 38 Minuten. Waren 11 Meilen Südwest zu Süd gesegelt.

22. Juli:

Wind mit Toppsegelkühlte aus Südost, stellten Kurs auf Südsüdwest, nahmen am Mittag Polhöhe, Kurs behalten, 19 Meilen gesegelt.

23. Juli:

Wehte der Wind mit Böen, 22 Meilen Tag und Nacht gesegelt.

28. Juli:

Schöne Kühle mit Platzregen. Höhe mittags 19 Grad 45 Minuten…

3. September:

Bei Westwind viel Entenkröse. Setzten Kurs auf Ost und bekamen nachmittags das feste Südland in Sicht, das sich Nordnordost und Südsüdwest erstreckte. Sehr kahles, schlechtes Land. Fanden auf 25 Faden reinen Sandboden. Hohe Dünung drückte uns so auf die Küste zu, daß wir abends, eine Meile vom Land entfernt, Anker setzen mußten. Der brach zwei Glasen in der ersten Wache in Stücke, so daß wir schleunigst einen anderen fallen ließen…«

Land! Ankern! Pelsaert hatte das Südland, Australien, erreicht. Ich wurde irgendwo im Norden durch die See gejagt. Werde ich jemals notieren können: »…nachmittags kam das feste Südland in Sicht?«

Statt dessen plagen mich wirre Vorstellungen. Da erscheint des Nachts Jan Hendricxsz aus Bremen mit blutverschmiertem Schwert. »Auf Befehl meines Herrn Cornelisz, ich muß dich töten!« Auch schreckliche Hilferufe Lucretias liegen mir in den Ohren.

Mit beängstigender Regelmäßigkeit schlagen Seen ein, leichte, dann schwerere. Kein Problem, wenn ich nicht allein gewesen wäre. Ich lenze ohne Pause wie eine Pumpe, doch das Wasser hält seinen Pegel. Von der Feuchtigkeit wird die Haut weich und reißt.

232

36 Der BATAVIA-Nachbau. Die Modellzeichnung von Bob Brobbel gestattet einen Blick ins Innere des V.O.C.-Retourschiffs.

37 Es ist vollbracht! Die schmucke BATAVIA II liegt am Kai der Werft, unweit von Lelystad, und grimmig schaut der Löwe von Oranien über das IJsselmeer.

43 und 44 *Die* BATAVIA II, *der stolze Ostindienfahrer in ganzer Pracht. Auf der* SAIL'95 *in Amsterdam führte er die Windjammer-Parade an.*

Schöpfen, schöpfen, schöpfen – der Eimer kreist wie ein Becherwerk. Wer bestimmt den Standort, wer den Kurs?

Mir fallen die Augen zu, jäh glaube ich, aus dem Boot getragen zu werden, ich sehe schwarze Zelte, eine Insel, dann die teuflische Fratze von Cornelisz, sie ist verzerrt, hat Schweißperlen auf der Stirn, unter ihm sehe ich blaue, angstgeweitete Augen. Es ist ein schönes Gesicht. Körper und Gesicht winden sich in der Umklammerung des Bösen. Wer ist das Mädchen mit den schönen Augen, dem ebenmäßigen Gesicht? Ich kenne sie, doch weiß ich nicht, wer sie ist.

»Wer bist du?« frage ich laut in die Nacht.

Ich bin wieder da, habe die SARDAM im Griff. Aber das schöne Frauengesicht der Insel, die Bilder von Toten, Verwundeten und blutigen Schwertern gehen mir nicht aus dem Kopf. Es ist, als verfolgen mich die Bluttaten auf »BATAVIAS Friedhof« in Tag- und Nachtträumen wie eine monströse Mahr…

Wieder graut ein neuer Morgen. Ohne Übergang gerate ich in eine Zone mit Winden um 30 Knoten. Nicht übermäßig schlimm, aber es haben sich Wellentäler von sieben Metern achtern und vier Metern querab aufgebaut. Sie rollen in kurzen Abständen heran. Kreuzseen! Sie marschieren von Norden und Westen daher, wie gläserne graublaue Berge. Von ihren Kämmen fegen flatternde Mähnen weißer Gischt, die mir Böen ins Gesicht peitschen.

Die Gefahr liegt nicht so sehr in der Höhe, sondern in den kurzen Intervallen. Je geringer die Abstände, um so gefährlicher. Der Luvschwimmer wird 40 Grad unter Wasser gedrückt. Ich staune über die Urgewalt. Wenn die nächste Welle zu rasch folgt, kann auch ein Auslegerboot umgeworfen werden. Genauso schlimm ist es, wenn sich die volle Wasserkraft auf den Ausleger entlädt und diesen in Stücke schlägt. Ich habe gerade zwei Bootslängen zwischen den Wogen, das ist Trommelfeuer im Fünfzehn-Sekunden-Takt.

Ich bin in die Ausläufer eines Sturmes geraten. Keine verheerende, aber eine gefährliche See, die ich abreiten muß. Noch knattert volles Tuch. Mir ist mulmig, andererseits hoffe ich, daß die Beschlagtaue reißen, bevor die Spiere oder der Baum brechen. Der verstagte Mast macht noch den solidesten Eindruck. Die SARDAM braucht Tempo, um den achterlichen Wellen zu entfliehen. Den Wellen von der Seite bin ich ausgeliefert. Jedesmal droht die SARDAM zu trudeln, was zum plötzlichen Kentern führen kann. Wie beim Wiener Walzer tanzt das Boot von einem Schwimmerbein aufs andere. Ich hänge wie ein Klammeraffe mal an der Bordwand, mal am Ausleger und stemme mich gegen einbrechendes Wasser. Das Wasser steht bis über die Duchten. Das stört mich wenig. Jetzt geht's ums Durchkommen, segeln solange wimmernde Leinen und ächzendes Holz mitspielen.

Das Meer sieht böse aus, dunkel, nein giftgrün, in Weltuntergangsfarbe. Tief und schwarz hängen geballte Wolkenpakete über mir. Ein gewaltiges Tosen und Dröhnen erfüllt die Luft. Um atmen zu können, muß ich den Kopf nach Lee wenden. Täusche ich mich, oder ist aus dem steifen Wind ein ausgewachsener Sturm entstanden? Um mich herum heult und brüllt es. Ein tobendes Chaos.

Am Mast reißt das erste Tau. Augenblicklich gebe ich Schot, der Baum donnert um die Spiere und reißt sich los. Ich halte den Atem an, der Magen krampft. Bricht die Spiere? Sie knistert, als wolle sie bersten, doch sie steht. Ich springe ins Segel, reiße es herunter wie eine Gardine. Das war kein Bergen, das war panikartiges Runterzerren, unseemännisch, aber im richtigen Augenblick. Ich hechte zurück ins Heck, lasse meinen einzigen Anker, einen schweren Stein, über Bord gehen, lenze vor Topp und Takel, eine hilflose Situation. Doch ohne Sturmfock bin ich machtlos, Spielball von Sturm und schwerer See. Muß warten bis der Tumult ein Ende hat – oder kreuzen und untergehen. Wieder kracht ein Brecher in die Plicht, hart wie ein Vorschlaghammer. Die SARDAM taumelt und stürzt nach Lee ab. Ich ziehe die Beine an, rechne damit, daß wir uns überschlagen. Schwerfällig richtet sich das Boot wieder auf. Schon rollt der nächste Angriff. Die See tobt urgewaltig, die Wogen brechen sich in Kaskaden aus weißem Schaum und sprühender Gischt. Um mich herum ist alles dunkel und grau. Dicke Wolkenschichten werden wieder und wieder über den Himmel gejagt. Die SARDAM ist eine Badewanne auf Achterbahnkurs, ich sitze bis überm Bauch im Wasser und hoffe auf ein Wunder.

»Wo Gefahr ist, wächst das Rettende auch. Man muß in das Gelingen verliebt sein, nicht ins Scheitern«, sagt Ernst Bloch.

Hier draußen, in dieser Stunde, dämliche Lebensweisheiten! Ob Bloch je einer solchen Situation ausgeliefert war?

Die SARDAM kämpft immer verzweifelter. Manchmal übertönt ein entsetzliches Krachen von Duchten und Mastkeilen das Heulen des Sturmes. Dann geht ein durchdringendes Wimmern und Vibrieren durch den Rumpf.

Ein Brecher, ein richtiger Kavenzmann, baut sich auf, so unheimlich, so gewaltig wie keiner zuvor. Er kommt querab, wirft das Boot in die Luft, wo es eine Ewigkeit zwischen Himmel und Wasser hängt, und saust in ein Tal, und über uns ergießt sich die See, eine brüllende Wand aus Schaum und Gischt. Eine Kraft packt und wirbelt mich außenbords. Für Sekunden sehe und fühle ich nichts. Mir ist, als läge ich auf dem Grund des Meeres.

Dann zerrt etwas. Es ist das Seil, das mich mit dem Boot verbindet. Langsam ziehe ich mich zurück an die SARDAM. Sie ist voll Wasser, aber sie schwimmt! Minuten hänge ich an der Bordwand, es fehlt die Kraft zum Hochstemmen. Endlich gelingt es, ein Bein gegen den Ausleger zu stemmen, um so ins vollgelaufene Boot zu rollen. Baum und Spiere, samt Segel, treiben außenbords. Zum Glück haben sie sich am Backbord-Schwimmer verkeilt. Ich berge nichts, befestige das Treibgut am Rumpf, überfliege, was sonst noch passiert ist. Ein Paddel hat sich losgerissen und davongemacht. Achtern ist die Pinne vom Ruder geschert worden. Wenn es nicht schlimmer kommt, läßt sich alles reparieren. Das Ruder steht noch, das ist die Hauptsache. Auch die Backskiste hat gehalten, wenngleich sie voll Wasser gelaufen ist und wie ein Senkkasten geflutet wurde. Ein weggespülter Wassertank stellt den herbsten Verlust dar.

Bis in die tiefe Nacht hinein muß ich noch schlimme Seen abreiten. Jedesmal glaube ich, daß der nächste Brecher für mich bestimmt ist, um das Meer von dieser Verunreinigung zu säubern. Ist es nicht diese, wird es die nächste Woge sein, die mich hinwegträgt und die Stelle meines Kampfes unsichtbar macht. Sich Sturm und Wellen in Agonie ergeben zu müssen ist furchtbar. Man hockt da und wartet auf ein Schicksal, das einem die Gewalten zugedacht haben. Eine Situation, die krank macht oder in den Wahnsinn treibt. Es ist nur eine Frage der Zeit.

Am Ende wünscht man sich, daß etwas passiert, selbst wenn es das Ende sein sollte. Ich habe mich mit einer Piroge in Gefahr begeben, also muß ich sie ertragen, und wenn nötig, dem Ende gelassen ins Angesicht sehen, so will es das Gesetz der Wildnis. Der Ozean ist

Wildnis, die größte der Erde. Aber nicht jeder ist zum Helden geboren. Diese Nacht ist mehr, als ich ertragen kann. Sie hat mich klein gemacht und erniedrigt. Mein Inneres wurde bloßgelegt, und ich sehe einen verweichlichten Stadtonkel, dem das Abenteuer über den Kopf gewachsen ist. Mir wurde der ganze Unsinn dieser Fahrt klar.

Wie man sich fühlt, wie sich der Kommandeur gefühlt haben muß auf diesem seegeschichtlichen Kurs, wollte ich wissen. So ein Blödsinn! Beschissen, zum Kotzen hat er sich gefühlt, jetzt weiß ich es. Zum Teufel mit der BATAVIA, mit dem Ozean, mit meiner SARDAM, die wie ich am Ende ist.

Aber mich trieb mehr hinaus in dieses Ungemach, und es wird mich weiter hinaustreiben: der Nomadendrang. In jedem steckt dieser ruhelose Wandertrieb. Im einen stärker, im anderen schwächer ausgebildet. Unerfüllte Sehnsüchte entfachen Entdeckerdrang, machen ruhelos. Es ist die ewige Glücksuche, die Jagd nach Selbstverwirklichung, Anerkennung, Ruhm, Geld, Sendungsbewußtsein.

Der Europäer auf dem Egotrip. Krankhafte Symptome, mit denen die Welt erobert und lange Zeit beherrscht wurden. Die Alte Welt, der Erdteil überspannter Egomanen, die sich als Missionare, Kaufleute, Forscher und Konquistadoren ausgetobt haben? Mit dem Anspruch der »primitiven« Welt die Wahrheit, das Gute zu bescheren? Wo hat das hingeführt? Zur großen Entwurzelung der eigenen und der anderen Menschen und Völker.

Nomadentrieb mit Sendungsbewußtsein, das ist ein Krankheitsbild! Jetzt, so allein in wütender See wird erschreckend klar: Ewig Wandernde sind auf der Flucht vor sich, vor anderen, vor ihren Problemen. Der Drang verzehrt sie. Nirgends sind sie zu Hause. An fernen Orten zerfrißt sie die Sehnsucht nach Wärme, Liebe, Geborgenheit; daheim ist das Verlangen nach Wildnis, Ferne, Abenteuer übermächtig.

Francisco Pelsaert, ein ewig Suchender, verstörter Geist? Er hatte sich überschätzt und war gescheitert. Und ich, in der Piroge, im Ozean, muß ich nicht auch scheitern? Aber ich will nicht! Nicht hier und nicht jetzt.

Das Meer ignoriert mein Lamentieren, meine Ohnmacht, meine

Verzweiflung. Es tobt, wie es die letzten 20 Stunden getobt hat. Einsichten kommen zu spät, ich weiß es. Ich bin nackt wie ein Wurm und bereit zu sterben. Nein, nur nicht sterben! Angst hält mich davon ab. Die Urangst vor dem unbekannten Endgültigen.

Ich flüchte mich ins Gebet und schäme mich. Jetzt schreist du nach Gott, in höchster Not. Wo war der Glaube, als es dir gutging? In dieser Sturmnacht ist dein Hochmut vor dem Fall gekommen. Du bist ein Feigling geworden, hast dein wahres Gesicht entdeckt und bist bestürzt über so viel Selbstmitleid, so viel Schwäche. Entkomme ich jäh dieser Düsternis – die Selbsterkenntnis mag ein Sinn der Reise sein.

Nach 25 Stunden hat es den Anschein, als beruhigen sich die Elemente. Tatsächlich baut der Sturm allmählich ab. Stellenweise reißt sogar der Himmel auf. Ich war in der Hölle und bin heil herausgekommen. Ein Wunder, so kommt es mir noch heute vor. Der Ozean hatte mich inhaliert und wieder ausgespuckt, nicht als Sieger, sondern als Menschen in Demut. Ich habe mich überschätzt. Ein höheres Wesen, Gott, hat mir einen Denkzettel verpaßt, der lange nachklingen wird.

Der Alptraum weicht von der Seele und ganz langsam stellt sich Normalität ein. Aber was ist normal auf dem Ozean? Kann Normalität in Windstärken gemessen werden? Sind es drei, vier oder fünf Windstärken? Ich weiß es nicht. Jedenfalls erwachen die Lebensgeister.

Erst einmal muß das Wasser aus dem Bootskörper geschöpft werden. Der Inhalt der Backskiste hat unter dem Seewasser gelitten. Gott sei Dank blieb das GPS-Handy funktionsbereit, aber die Hülle der Seekarte und HO-Tafeln hat Wasser gezogen, und ein Teil des Proviants ist kräftig versalzen.

Ich habe einen Bärenhunger. Schlinge einen großen Trockenfisch und eine ganze Kokosnuß hinunter. Trotz des knappen Trinkwasservorrats gönne ich mir einen halben Liter. Dann geht es mit Elan an die Reparaturarbeiten. Bevor ich nicht das Segel setzen und steuern kann, ist es sinnlos, den Standort oder den neuen Kurs zu bestimmen.

Die kräftezehrendste Arbeit ist das Festsetzen der fünf Meter langen Spiere an Bugrack und Mast. Bis ich das Segel setzen und das Ruder über die Pinne bedienen kann, vergehen sieben Stunden. Ich bin dankbar, daß mich der Ozean arbeiten läßt. Der Wind weht zwar frisch um fünf, bei 18 Knoten, dennoch bin ich gut vorangekommen, kann mir eine kleine Pause gönnen. Schwere Haufenwolken knipsen die Sonne an und aus wie eine Taschenlampe. Ein großartiges Wechselspiel der Farben umgibt mich. Grüntöne von hell bis schwarz leuchten an den Kämmen großer Wogen. Wenn diese Wogen umschlagen, entsteht Schaum, der schneeweiß, dann wieder schmutziggrau schimmert.

Und es ist, als bekäme die Reise auf der SARDAM wieder ihren Inhalt. Das tröstet und beruhigt in der großen Einsamkeit. Ja, der Sinn besteht nicht nur darin, den Kurs eines Kommandeurs abzufahren, um festzustellen, wie es vor Jahrhunderten zugegangen sein mag, oder Parallelen zu erkennen, oder die Gedanken und Gefühlswelt der Seeleute von damals zu ergründen.

Der eigentliche Zweck ist die Größe und die Schönheit der Natur in sich aufzunehmen und zu bestaunen. Wir sind nicht auf einer Erde voller Schönheiten, um ewig an einem Ort zu verharren. Ich glaube, die Schönheit ist da, um sie zu schauen, zu preisen und zu erhalten. Ich nehme Ungemach in Kauf und gehe an solche Orte aus Freude am Dasein und der Liebe zum Leben. Es ist das Gefühl der Ergriffenheit, was der homo technicus vermißt und sucht. Er braucht sie, um glücklich zu sein. Hier draußen auf See, in äußerster Einsamkeit, erlebe ich das Gefühl der Ergriffenheit. Das ist, dem Schöpfer ganz nahe sein.

Einsamkeit ist schön. Wir sind einsamer, als wir es wahrhaben wollen, weil wir Angst davor haben. Wir flüchten in Mehrsamkeiten, um uns abzulenken. Das ist Selbstbetrug. In der Einsamkeit des Ozeans gibt es keinen Betrug, man erlebt die Einsamkeit, wie sie ist: als Phänomen in der Existenz des menschlichen Daseins, und das ist wichtig. So erlebe ich Ergriffenheit als Einsamkeit, weil sie nur im Individuum zur Wirkung kommt. Welch eine Erfahrung! Sie allein gibt der Reise Trost und Inhalt.

Ich gelange an eine Stelle, wo das Meer terrassenförmig abzufallen scheint. Wieder diese Farben! Phantastisch! Die SARDAM reitet jede einzelne Treppe hinunter, dabei entwickelt sie eine unglaubliche Fahrt und schöpft Schwung für den nächsten Anstieg. Wogen und Wellentäler sind immer noch mächtig, aber irgendwie zäher, tragender geworden. Sie rollen in großen Abständen heran wie schwerfällige Walzen.

238

Flugfische sind wieder unterwegs, und im Süden springen Delphine. Geschmeidig schnellen ihre spindelförmigen Körper aus dem Wasser, zehn und mehr Meter weit gleiten sie durch die Luft, tauchen ab. Ein Pak hat sich eingefunden, silberne Torpedos, ständig gut gelaunt. Zwei Tiere haben sich abgesondert und schwimmen direkt vor meinem Bug, kaum einen halben Meter tief. Ich kann sie gut beobachten, ihre eleganten Flossenschläge, ihr faustgroßes Atemloch am Kopf. Wasser spritzt auf, verbrauchte Luft wird ausgestoßen, dabei heben die Delphine ihre Köpfe aus dem Wasser. Das Paar entfernt sich, während unter der SARDAM zwei neue Gesellen hervorgleiten, Luft schnappen und übermütig Sprünge vollführen...

Ich muß die Frage nach dem »Wo bin ich?« und nach dem »Wohin?« beantworten. Jetzt kommt der Augenblick der Wahrheit. Fast 30 Stunden bin ich in schwerem Wetter orientierungslos dahingetrieben. War Spielball von Wellen, Wind- und Strömungsdrift. Nun gilt es, den Faden aufzunehmen, um einen neuen Kurs abzustecken.

Pedantisch wie ein Hauptbuchhalter lege ich das Besteck zurecht. Die Ducht ist schmal. Ich darf nichts verlieren: Kursdreieck, Bleistift, Radiergummi, Zirkel, Seekarte, Tabellen...

Besteckmachen ist heute wie einst eine zelebrale Handlung. Auch, wenn nach Dateneingabe über Drucktasten und Satellitensignalen ein GPS innerhalb von Minuten aussagefähig ist.

Nach einer halben Stunde habe ich die Gewißheit, daß mich das Wetter um 112 Kilometer vom Kurs abgebracht und nach Osten gedrängt hat. Außerdem habe ich eine Menge an Höhe verloren. Anstatt 380 Meilen südlich von Lombok zu segeln, hat mich der Sturm an den Anfang der Sumba-Straße getrieben. Ich befinde mich 150 Meilen vor dem westlichen Zipfel der Sumba-Insel. Ein herber Rückschlag! Was tun?

Der Wind steht nach wie vor mit Stärke vier aus Südwest an. Um mit der SARDAM gegenzuhalten, müßte ich unentwegt kreuzen, was keine Gewähr dafür ist, überhaupt Höhe zu gewinnen. Mit dem lächerlichen Kiel drückt sie der Wind, wohin es ihm beliebt. Das bedeutet stundenlanges Kämpfen, um am Tag fünf, sechs Meilen zu gewinnen, wenn es gutgeht. Und die ganze Schinderei mit kaum 20 Liter Trinkwasser. Mit knapper Not einer Katastrophe entkommen, will ich mich nicht gleich einer zweiten ausliefern. So bitter es sein mag, der neue Kurs heißt Ostnordost, ans Kap Karoso auf Sumba. Fürs erste muß ich mich geschlagen geben, Wasser tanken und auf günstigeren Wind warten.

Auf geht's. Mit einem Ruderschlag bringe ich das Heck in den Wind, gebe Schot, setze mich mit rauhem Wind vor die nächste Woge. Das gefällt der SARDAM, sie macht einen ordentlichen Satz und prescht davon. So macht segeln Spaß! Prall steht das Lateinersegel. Das Tuch knattert, Fall, Reihleine und Schot wimmern, Mast und Spiere knirschen – die Jukong spricht mit mir, jetzt, nach neun Tagen auf See, verstehe ich sie. Da spricht die Freude, noch einmal mit heiler Haut davongekommen zu sein. Echte Lebensfreude! Und so jagen wir dahin durch den Tag und die ganze Nacht.

Die Piroge frißt die Seemeilen wie eine Rennziege, das öffnet das Herz. Ich fühle, daß die Insel nicht mehr fern ist. Möwen tauchen auf, bald ist es eine Wolke aus kreischenden, hungrigen Vögeln, die den Eindringling empfängt. Ich rieche das Land. Das ist nicht ungewöhnlich. Wer längere Zeit hautnah mit dem Meer verbunden ist, sensibilisiert seine Nerven. Man entdeckt Wahrnehmungsfähigkeiten, die verkümmert sind. Der Ozean schärft die Sinne.

Naturvölker, die Jahre auf dem Wasser verbringen wie einst die Polynesier oder die Bajau in Indonesien, brauchen kein Besteck. Sie orientieren sich nach der Temperatur der See, der Art von Strömung und Wellen, nach Farbe und Geruch des Wassers. Sie schöpfen aus einem Sinnespotential, das den Stadt- und Industriemenschen abhanden gekommen ist. Doch es schlummert auch noch in uns. Reisen wie diese decken ungeahnte Fähigkeiten auf. Zu erleben wie die verkümmerten Talente aufbrechen, ist auch eine jener großartigen Erfahrungen auf See.

Plötzlich legt sich eine gefährliche Spannung über das Meer, wie immer, wenn die dreieckige Rückenflosse eines weißen Hais das Wasser durchschneidet und seine unheilvolle Anwesenheit verrät. Drei Räuber mache ich aus, die von dem unbekannten Bootsobjekt angelockt wurden und mich lüstern umkreisen. Nach einigen Scheinattacken drehen sie bei, entschwinden.

Am nächsten Tag erscheint die Sonne nicht. Um mich herum ist alles grau in grau. Das Boot torkelt durch die Waschküche. Ich hatte zuvor die Pinne belegt und war kurz eingeschlafen. Als ich die Augen aufschlage, die Kimm suche, statt dessen in graue Watte sehe, schrecke ich hoch. Meine Sorge ist unbegründet. Ich befinde mich auf keiner Wasserstraße, die von dicken Pötten befahren wird.

Einige Stunden später hebt sich der Nebel, steigt höher und höher, dann löst er sich auf. Es wird hell. Sonnenlicht flutet vom Himmel.

Landfall! Mein Herz schlägt höher. Vor mir liegt die Küste Sumbas. Ein schmaler brauner Landstreifen, im Hintergrund Hügel- und Bergketten, so zeigt sich mir die Insel der Männer mit den leuchtenden Turbanen und den langen Messern, die sie quer über die Brust geschnallt tragen. Einst beherrschte ein wildes Reitervolk diese südlichste Insel des Archipels.

Doch ich entdecke noch etwas in der Ferne, und das stimmt mich nachdenklich: einen weißen Gischt- und Schaumstreifen, der auf eine Brandung hinweist.

Eine Stunde später stehe ich mit der SARDAM vor dieser Brandung. Ich vernehme das drohende Rauschen, sehe die hohen weißen Brecher, dahinter den Strand und die Palmen. Eine einsame Küste. So weit das Auge reicht: der weiße, mahnende Brandungsstreifen. Brechen sich die Wellen an einem Riff oder donnern sie ungehemmt an den Strand? Ich kann es nicht übersehen, suche eine günstige Position, werfe den Treibanker aus und studiere den Rhythmus der Brecher. Eine mittelschwere Brandung, taxiere ich. Jede vierte Woge weicht von den üblichen ab und könnte gefährlich sein. Das regelmäßige Ablaufen läßt nicht auf ein Riff oder Felsen schließen.

Irgendwie zieht mich die Küste an, wie es alle wilden Küsten tun. Sie fordert heraus, unbeschadet durchzukommen. Wie einen Bergsteiger Gipfel herausfordern. Mit Brandungen habe ich Erfahrung, ob Oahu (Hawaii), Carmel (Kalifornien), Lagos (Nigeria), Rio (Brasilien) oder sonstwo – ich habe viele durchsegelt, einige durchschwommen. Bei den meisten kannte ich allerdings ihren Aufbau, die Struktur, ihr Wesen. Die Größe sagt nicht unbedingt etwas über den Schwierigkeitsgrad aus. Es gibt kurze, harte Brandungen, wie vor Lagos während der Regenzeit. Wird man da von einem bestimmten Brecher gepackt, wird das Rückgrat zerschmettert. Die Oahu-Wogen sind dagegen beängstigend hoch, aber von friedlichem Gemüt. Mit etwas Atem sind sie gut zu durchtauchen, mit dem Boot lassen sie auf ihren Kämmen einen Ritt ans Ufer zu.

Ich werde das Segel stehen lassen, das macht beweglicher, und ich werde unter 90 Grad hineinstoßen. Die Gefahr des Überschlagens ist geringer als die, über eine Seite gekippt zu werden, wenn ich über 45 Grad einsteige. In aller Ruhe bereite ich mich auf die Landung vor. Ziehe meine Schuhe aus, verstaue Mütze und Hemd. Das Wichtigste wird in der Backskiste eingeschlossen. Durch eine ordentliche Brandung zu fahren ist wie Bungee-Springen. Es kann zur Sucht werden. Bis man eines Tages auf eine Brandung trifft, die mehr verlangt, als man bewältigt. Eine, die Finessen auf Lager hat, die man verkennt – dann ist man in arger Bedrängnis.

Ich schaue mich um, die SARDAM ist weit und breit das einzige Boot. An der Pinne stelle ich mich auf, zähle die Wogen. Wütend brüllt die Brandung, allmählich kommt mein Kreislauf in Wallung. Ich stehe da, wo sich die Brecher formieren. Der Treibanker liegt in der Plicht. Ich muß durch.

Eins, zwei, drei, vier – Segel beiholen – jetzt! Die SARDAM wird gepackt, gehoben. Rauscht wie ein Expreßzug dahin. Ich schaue nach rechts und links. Das Boot liegt gut. Ein Blick nach achtern. Verdammt, da kommt etwas Großes. Mächtiger als erwartet. Donnert heran, steht hinter mir wie eine Wand, vier Meter hoch, ein Katarakt, ein Ungeheuer aus weiß-grüner Gischt, galoppiert über mir, überschlägt sich, drückt in den Abgrund. Ein unheimlicher Sog. Der Bug steil über mir. Mein Gott! Tonnen wilden Wassers schlagen herab. Ich werde von der Ducht gefegt, tief in schwarzes Wasser gedrückt. Plötzlich, ein Schlag vor den Schädel, als sei ein Stück der Piroge dagegengeschmettert. Um mich herum gurgelt und sprudelt es – ich werde gedreht, gestoßen, geschlagen. Wo ist oben, wo unten? Luft, Luft. Die Lunge will bersten. Wirbel packen hart wie Eisen. Salzwasser schießt in meinen Mund. Wieder trifft mich etwas kurz und heftig. Eine Kraft reißt Gesicht und Brust über den Grund. Steine, Korallen, Sand? Der Brecher läuft sich tot. Wirft mich auf den Sand wie einen nassen Lappen. Taumelnd richte ich mich auf. Tatsächlich, fester Boden. Das war ein Manöver, wie ich es noch nie geübt habe!

Die SARDAM? Ich spähe über das Ufer – nichts. Suche auslaufende Wellen ab, sehe geborstenes Holz – Kleinholz. Da tanzt ein Stück Boot im Wasser. Weniger als ein Stück Boot. Der nackte Einbaum. Weiter draußen: Schwimmer, der Mast, ein Stück vom Baum.

Allmählich treiben weitere Reste an: das gebrochene Ruder, ein zerfetztes Segel, Duchten, die Backskiste. Die Backskiste! Ich fische sie auf, zerre sie an Land, setze mich drauf und schaue über die See.

Möchte heulen, aber kann es nicht. Ich möchte brüllen und schreien, bleibe doch stumm. Selbst fluchen kann ich nicht. Am Strand liegt meine zerschlagene Hoffnung, die eines großen Törns zum Morning Reef, wo die BATAVIA gestrandet ist. Ich strandete hier, in der Brandung von Westsumba. Dann lege ich den Kopf in die Arme. Blut tropft in den Sand. Geschlagen wanke ich durch den Sand. Falle oben in einen totenähnlichen Schlaf.

Als ich erwache, bin ich immer noch allein. Was mir passiert ist, wird sich bald auf der Insel herumsprechen. Es wird Zeit, daß ich aufbreche. Als Verlierer hat man nichts zu bestellen. Erst recht nicht als Verlierer, der sich überschätzt hat, der alles auf eine Karte setzte und verlor. Ich breche die Kiste auf, nehme die wichtigsten Dinge heraus. Ein Blick zurück. Arme SARDAM, tut mir leid, du hattest einen anderen Skipper verdient, aber der von damals war auch nicht besser.

Ich erreiche einen Pfad und wende mich nach Südosten. Irgendwann werde ich Bondokodi erreichen. Dann werde ich weitersehen. Auf dem langen Weg dorthin habe ich Zeit, die Erlebnisse zu überdenken. Und es wird mir klar, daß die Niederlage von Cap Karoso der traurige Zenit der Reise durch das Indonesien von damals und heute sein muß. Die BATAVIA hat ihr Ziel nicht erreicht. Warum hätte ich es erreichen sollen? Die Dublizität der Ereignisse werte ich als starken Hinweis zum Schicksal der BATAVIA, mit dem ich mich auf sonderliche Weise verbunden fühle. Somit ist mein Scheitern der Höhepunkt der Spurensuche.

Der Ozean überwältigt durch sein Gemüt,
ängstigt uns durch seine Gewalt,
läutert durch seine Erhabenheit
und vernichtet uns, lassen wir es an
Achtung und Demut mangeln.

5. Batavia II

Ein Mann, ein Traum, ein Schiff

In Australien suchten Taucher das Batavia-Wrack. Max Cramer fand es 1963. Die Bergung des Großseglers weckte weltweites Interesse. In den 70er Jahren hegte ein niederländischer Schiffszimmermann aus Broeck einen Plan, der so verrückt schien, daß er ihn für sich behielt.

Einige Jahre später beschäftigte sich der mittlerweile bekannte Filmemacher Paul Verhoeven mit Hollands »Goldenem Jahrhundert«. Verhoeven lebte damals noch in den Niederlanden und recherchierte zum Thema V.O.C. und die Zeit stolzer Retourschiffe. Das Projekt wurde nie verwirklicht. Verhoeven machte in Hollywood mit dem Film »Basic Instinct« Karriere.

Der Traum des Schiffszimmermanns reifte zu einem Plan und wollte heraus. Er hatte von dem Wrack gehört und kam mit Verhoeven in Kontakt.

»Die Briten haben die Victory, die Schweden die Wasa – historische Schiffe, die drei- bis vierhunderttausend Besucher im Jahr anlocken. Ich werde ein Schiff aus unserer großen Seefahrergeschichte nachbauen, und zwar so genau wie möglich«, sagte Willem Vos.

Damals war der Schiffszimmermann 41 Jahre alt. Hatte sein Leben lang Holzschiffe gebaut, sogenannte »Botter«. Die kleinen Holzsegler mit einem Mast und Seitenschwertern dienen als niederländische Fischereifahrzeuge für den Schleppnetzfang auf der Zuidersee. Ein schwerer Markt, der dem Schiffbauer noch schwerere Zeiten bescherte. 40 Holzschiffe hatte Vos erstellt, doch reich ist er daran nicht geworden, eher das Gegenteil. Es hat Zeiten finanzieller Engpässe gegeben, in denen er bisweilen nicht vor und zurück wußte. Um zu überleben restaurierte er Häuser und Kirchen oder baute Schiffsmodelle für Museen. Aber diese Zeit hat ihn geprägt und reifen lassen für größere Aufgaben, für sein Lebenswerk.

»Ich habe gelernt: Was man hat, ist vergänglich. Glück oder Unglück darf nicht leiten. Man muß seinen Weg gehen«, sagt Vos über
jene schwere Zeit.

Ein Schiffsnachbau in Originalgröße, das stand als Plan fest. Aber
welcher? Es mußte ein besonderer sein, einer, der bei den Besuchern
Assoziationen weckt. Ein Schiff, das eine gewisse mystische Aura umweht. Es kam nur die BATAVIA in Frage. Der Stolz der V.O.C., das Flaggschiff einer Ostindienreise. Immerhin ein Projekt von mehreren Millionen Gulden – gut möglich, daß es Vos angesichts dieser kühnen
Idee schwindlig wurde. Doch er hatte von Beginn an eine Verbündete,
seine Frau Mada, und die verstand etwas von Finanzen, auch wenn
Geld in jener Zeit nicht zur Verfügung stand.

Willem Vos war fest entschlossen, seinen Traum in die Realität um-
zusetzen. Geld war eine Sache – das Know-how eine andere. Vos Anspruch war es, die neue BATAVIA bis ins Detail getreu dem Ostindienfahrer aus dem 17. Jahrhundert nachzubauen. Doch worauf konnte er
sich stützen? Es existierten praktisch keine Pläne oder Dokumente.
Die alten Schiffsbaumeister hatten nichts notiert. Das Wissen war in
ihren Köpfen, manchmal gaben sie es ihren Söhnen weiter, meist ging
es verloren. Willem Vos verbrachte Wochen und Monate mit Studien
in Archiven, in Schiffahrtsmuseen Hollands und Frankreichs. Er
machte sich Skizzen und Aufzeichnungen: eine Vorbereitungsphase,
die bis zum eigentlichen Beginn fünf Jahre dauerte.

Vos fand das wichtigste Material: »Zum Glück gibt es die ›Neder-
landsche Scheeps-Bouw-Konst‹ von Cornelis van Yk. Man findet dort
Maßtabellen für Einzelteile.« Dennoch blieb vieles unbekannt, zum
Beispiel, wie der Kiel zu legen war oder Einzelheiten über die Bearbei-
tung der mächtigen Blöcke und Klampen aus frischem Holz.

»Da heißt es learning by doing. Man wird viele offene Fragen erst
während des Baus beantworten können«, so Vos. Er reiste nach Stock-
holm, um dort am Museumsschiff WASA weitere Erkenntnisse zu
gewinnen. Das Kriegsschiff war eine wahre Fundgrube. Es war im
selben Jahr wie die BATAVIA von einem niederländischen Schiffsbaumeister in Schweden gebaut worden, sank aber nach wenigen hundert Metern Probefahrt. Falsche Ballastverteilung? Überladung an
Kanonen? Niemand weiß es. Die WASA lag 333 Jahre vor der Hafenein-
fahrt Stockholms in 32 Meter Tiefe. Nach der Bergung zog das Wrack,

Blick auf die BATAVIA-*Werft in Lelystad.*

das seit 1990 in einem Museum steht, viele Besucher an. Für Vos war die WASA das wichtigste Studienobjekt und gab Aufschluß darüber, wie eine Beplankung ineinander wächst, wie ein vernünftiges Spill gebaut oder wie Leckwasser im Schiff abgeleitet wird.

»Aber sie hat auch Fallen gestellt. Die ersten Zeichnungen, die ich hier in Holland in die Finger bekam, zeigten ganze 25 Spanten. Damit hatte ich die BATAVIA geplant, traute der Sache aber nicht und ging vor Ort und erkannte, der Rumpf war plattgepreßt. Man sah es auf den ersten Blick, daß die WASA eine doppelte Haut hatte. 80 Spanten und eine doppelte Haut. Das war die wichtigste Erkenntnis. Aber ich hatte immer noch Angst, ob ich je solches Holz finden würde, wie es bei der WASA verbaut wurde.«

Allmählich galt Willem Vos in Sachen V.O.C. und BATAVIA als einer der profiliertesten Kenner. Dieses profunde Wissen war die Voraussetzung für die Verhandlungen mit wichtigen Personen, die ihm bei der Verwirklichung seiner Vision helfen sollten: Unternehmer, Manager, Behörden, Banken. Das Geld mußte beschafft werden, viel

Geld! Mindestens acht Millionen Gulden! Er fand Tjerd Bakker von der Schiffahrtsgesellschaft Nedlloyd. Ein Mann, der an Vos glaubte und der mit seiner Firma für acht Millionen bürgte.

Die NED-Lloyd-Bank gewährte den Kredit. Damit war eine erste schwierige Hürde genommen. Nun brauchte der Schiffbaumeister einen Bauplatz. Die Stadt Amsterdam lehnte seinen Antrag ab. Schade eigentlich, schließlich war die BATAVIA I doch in Amsterdam auf der berühmten Peperwerft gebaut worden. 1626, in einer Bauzeit von sechs Monaten. Die Baukosten betrugen damals 120 000 Gulden, bei einer kalkulierten Dienstzeit von 15 Jahren. Tatsächlich hatte BATAVIA I acht Monate existiert.

Vos verhandelte mit dem Bürgermeister von Lelystad, einem weitsichtigen Mann, einem Bürgermeister mit Phantasie. Und Vos bekam ein Gelände am Rande der Stadt, Polderland, sechs Meter unter dem Meeresspiegel, am Oostvaardersdiep.

»Mir erschien der Standort wie ein geheimer Hinweis, ein gutes Omen. Am 20. Oktober 1628 segelte die alte BATAVIA über den Punkt 5°25' Ost und 52° 30' Nord. Genau das ist das Oostvaardersdiep, über welches die Schiffe der V.O.C. vor Beginn ihrer langen Reisen auf Reede vor Texel verholten«, erklärte Vos.

Lelystad wurde zwischen 1950 und 1957 in der neuen Provinz Flevoland gegründet. Flach, nüchtern, ohne kulturhistorische Sehenswürdigkeiten, ohne idyllischen Stadtkern oder Hafen. Dennoch befindet sich der Polder auf seehistorischem Meeresgrund. Die ehemalige Zuidersee war einst ein rauhes Binnenmeer, auf dessen Grund viele hundert Schiffswracks ruhen. Fährt man durch den Polder, sind hier und da Erhebungen in der brettflachen Landschaft zu erkennen, unter denen die Wracks liegen.

1985 bewies Willem Vos sein PR-Talent. Er trat auf als barocker Schiffbaumeister mit Federhut, und im »Kreise der ›Herren XVII‹« in alter Kaufmannstracht wurde eine Resolution unterzeichnet: »Nach Vorlesung, Kenntnisnahme und Besiegelung verleiht die Stiftung ›Holland baut V.O.C.-Retourschiff‹ dem Schiffbaumeister Willem Vos den Auftrag zum genauesten Nachbau der BATAVIA.«

Presse und Medien hatten ihre Show, für Vos war es der Durchbruch. Mit der Stiftung im Rücken durfte er zu Spenden aufrufen, und er selbst konnte sich als Auftragnehmer, technischer Direktor und

Promoter endlich an die Verwirklichung seines Projekts machen. Ihm zur Seite stand ein Team von Spezialisten: ein Marine-Archäologe, ein Architekt, Kuratoren von drei Museen und verschiedene Fachleute im Schiffbau.

Das Konzept der Stiftung war vielschichtig. Zum einen wurden namhafte Unternehmen begeistert, die den BATAVIA-Bau als Sponsoren unterstützten. Dann gab es Adoptanten, die durch einen Betrag Gegenstände von der BATAVIA erwerben konnten, wie ein Rahsegel, ein Block, einen Anker. Donateure wurden Kleinspender genannt, die sich durch ihre Hilfe für ein Jahr freien Werftzutritt verschaffen oder unentgeltlich das Journal »BATAVIA-Werft« beziehen konnten. Vos' geniale Idee war es, das Retourschiff mitten im Touristenrummel zu bauen. Wer die BATAVIA wachsen oder den Werftbetrieb sehen wollte, konnte für einige Gulden dabeisein.

»Anfangs hielt man uns für Schnorrer, die auf fremder Tasche liegen«, erinnerte sich Vos, »nun will uns niemand mehr missen. Wir sind ein Besuchermagnet. Stehen auf eigenen Beinen. Der Kredit ist abgelöst worden.«

Zum Konzept gehörte die Ausbildung in den entsprechenden Berufen: Schiffszimmerleute, Takler, Holzschnitzer und Segelmacher. Dabei half das Sozialministerium, indem der BATAVIA-Bau ein gefördertes Arbeitsbeschaffungsprojekt zur Eingliederung von jungen Leuten wurde, die im normalen Berufsleben Schwierigkeiten hatten. Das Ministerium übernahm das Taschengeld und die Verpflegung. Sechs Meister, die die Stiftung bezahlte, betreuten jeweils neun Auszubildende. Eine verantwortungsvolle Aufgabe, wenn man bedenkt, daß neben im Alltag Gestrauchelten auch Alkoholiker und Drogensüchtige zurück ins bürgerliche Leben wollen.

»Die Wiedereingliederung klappte übrigens prächtig. Wer hier gearbeitet hat, bekommt draußen immer seine Chance«, resümierte Vos.

Für den Schiffbaumeister wurde es Zeit, sich auf die Suche nach dem richtigen Holz zu machen. Da mußten Überlegungen angestellt werden, die über das Wohl und Wehe des Projektes entschieden. Holzhändler Tjerd Faber, ein begnadeter Fachmann, stand mit Rat und Tat zur Seite. Vos pflegte zu sagen: »Die Schiffe wachsen im Wald. Für die Spanten, die gebogenen Decksbalken, das Kniestück am Bug, da braucht man gewachsenes Holz.«

Emsiges Treiben auf der Werft...

In Jütland biegt der ewige Westwind die Bäume, das entspricht dem Bogen der Decksbalken. Die Stämme am Waldrand laden ihre Äste weit zur Sonne aus, da wachsen die Spanten. Schwere Äste im rechten Winkel ergeben Kniestücke. Um an das richtige Holz zu kommen, mußte Vos reisen. Zu den Eichen nach Dänemark. Unter 300 Jahre alten Wintereichen wurde der Baum gefunden, der für das Retourschiff der richtige war.

In Schweden und Dänemark standen die geeigneten Lärchen für Rahen und Bugspriet. Der Schwarzwald lieferte die richtigen Fichten für die Masten – bei älteren Förstern waren diese Holzstämme noch als »alte Holländer« bekannt, die früher den Rhein hinunter nach Holland getrieben wurden. Kalifornisches Redwood wurde für die Planken verarbeitet, zähe Esche und öliges Pock-Holz aus Surinam für die Blöcke.

Im Beisein des Bürgermeisters von Lelystad wurde am 4. Oktober

249

*...Schiffbaumeister Willem Vos hat bereits einen zweiten »Oldtimer«,
die* Zeven Provinciën *auf Kiel gelegt.*

1985 der Kiel der Batavia II gelegt. Ein feierlicher Akt. Und ein
mächtiger Kiel, der, aus vier Eichensegmenten zusammengesetzt, eine Länge von 37 Metern ergab. Damals bestand das Team
von Willem Vos aus lediglich sechs Mann. Aber in den Herzen der
sechs loderte ein Feuer der Begeisterung, das Berge versetzen
konnte.

Wenig später zählte das Bauteam im Schnitt 55 Jugendliche, und
die Werft beschäftigte einschließlich der vielen ehrenamtlichen
Werftführer 250 Mitarbeiter. Der Bürgermeister griff weit in die Zukunft und sprach von einer besonderen Attraktion, die die Werft für
Lelystad durch dieses Projekt darstellen könnte. Und er versprach
Wachstum für den Tourismus im wenig attraktiven Flevoland. Er
sollte recht behalten. Bald waren 1,5 Millionen Menschen gekommen. Nach einigen Jahren lag die jährliche Besucherzahl bei über
300000 und die Gemeinschaft der Spender zählte 40000 Enthu-
siasten.

Die Arbeiten liefen zügig an. Materialien waren teils eingekauft

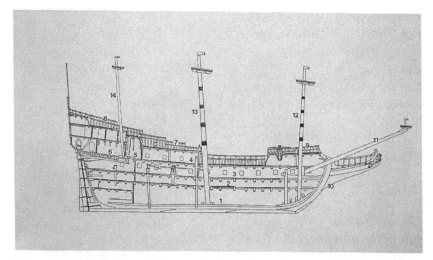

Längsschnitt der BATAVIA: *1 Laderaum, 2 Zwischendeck (Kuhbrücke),
3 Batteriedeck, 4 Oberdeck, 5 Steuerback, 6 Große Kajüte, 7 Halbdeck,
8 Kampanjedeck, 9 Backdeck, 10 Galion, 11 Bugspriet, 12 Fockmast,
13 Großer Mast, 14 Besanmast.*

und füllten die Läger oder Bestellisten. Willem Vos orderte allein
1800 Kubikmeter Eichenholz, von dem für den Einbau netto 800 Kubikmeter übrigblieben. Um dem Anspruch des exakten Nachbaus zu
genügen, mußte sich das Team laufend geschichtliche Informationen erschließen und diese für die Praxis umsetzen. So wurde auf der
Werft nicht nur gebaut, sondern parallel dazu maritimhistorische
Forschung betrieben. Paradoxerweise lieferte die WASA dazu mehr
verwendbares Material als die in Fremantle aus Bruchstücken teil-
rekonstruierte BATAVIA.

Des Schiffsbaumeisters Datenblatt gab für die BATAVIA II vor:

Länge über alles	56,60 Meter
Länge von Steven zu Steven	
(160 Amsterdamer Fuß)	45,28 Meter
Kiellänge	37,00 Meter
maximale Breite	10,50 Meter
maximaler Tiefgang	5,10 Meter

Hauptmasthöhe vom Kielbalken	55,00 Meter
Höhe Kiel Oberkante Achterkastell	19,00 Meter
Leergewicht	± 650 Tonnen
Zuladung	± 600 Tonnen
Wasserverdrängung	± 1300 Tonnen
Anzahl der Segel	10 Stück
Segelfläche	1180 m²
maximale Geschwindigkeit	6 Knoten
Bewaffnung	6 Bronze-Kanonen
	24 gußeiserne Kanonen
	2 Kanonen in
	Composite-Bauweise
Gesamtgewicht der Kanonen	30 Tonnen
Eintragung im internationalen	
Schiffsregister unter:	Nr. 17630 ROTT 1987

Ein Blick in die Stückliste verriet eindrucksvolle Mengen:

Ein Bugspriet, dänische Lärche	19 m lang (4,3 Tonnen)
Takelwerk aus langfaserigem Hanf	
(Cannabis sativa)	CA. 21 Kilometer Länge
	(14 Tonnen)
Hauptsegel aus schottischem Flachs	240 m²
Kanvas, 61 cm breiter und 1,2 mm	
starker	
Streifen aus Schottland für	1180 m² Segelfläche
Blöcke	900 Stück
Spanten	72 Stück
Anker (größter Buganker 4 m lang bei	
1500 kg Gewicht)	6 Stück
Stahlnägel (davon Kielnägel aus	
Edelstahl, 2,85 m lang)	266 000 Stück
Großstag, 14 cm stark, 32 m lang	1 Stück (600 kg)

Es gab zwar keinen Termindruck, doch wie überall war Zeit auch auf der BATAVIA-Werft Geld. Die Baukosten waren mittlerweile auf 12 Millionen Gulden hochgerechnet worden. Gelassen verwies Vos auf steigende Einnahmen durch Besucher und Spender.

In den ersten Monaten 1986 war noch nicht viel zu sehen. Der Kiel lag sauber ausgerichtet in seinem »Helgen« auf einem Sandbett, 90 Grad zum Ufer. Wie ein Brustkorb mit fehlenden Rippen ragten da einige Spanten, der Vordersteven und Umrisse des Achterkastells in den Himmel. Aber auf dem Gelände kreischten die Sägen, schlugen die Hammer, routierte der Motorkran. Da pulsierte Handwerksleben. Fehlende Spanten wurden komplettiert, Scheg, Galionslieger, dann das vorgefertigte Achterkastell, 19 Meter hoch und 9 Tonnen schwer, montiert. Das BATAVIA-Skelett stand, als alle 72 Eichenspanten fixiert worden waren. Um mit der Beplankung und den Decksarbeiten starten zu können, vergingen weitere zwei Jahre.

Das Schiff und die Baumethode sollten mit den Gegebenheiten des 17. Jahrhunderts möglichst übereinstimmen. Darauf legte Willem Vos großen Wert. Was wiederum nicht bedeutete, daß grundsätzlich mit Werkzeug aus der Zeit vor 350 Jahren gearbeitet wurde. Die Werft verstand sich als Ausbildungszentrum für zeitgemäße Holzbearbeitung, und der gut ausgebildete Zimmermann muß mit modernen Werkzeugen umgehen können.

Vor dem Einbau erhielten alle maschinell bearbeiteten Teile von Hand den »antiken« Schliff. Maschinen hinterlassen Spuren, die das Bild des Nachbaus unangenehm beeinträchtigen. Doch die Werft hat es verstanden, moderne und vergangene, bisweilen untergegangene Techniken sinnvoll zu kombinieren. Die Rumpfbeplankung wurde im letzten Arbeitsgang nach alter Art geglättet. Beim Verlegen der Decks und der Befestigung der Schiffshaut ging das Bauteam ebenfalls traditionell vor. Eine Außen- und Innenbeplankung längsschiffs, die dichte Spantenreihe quer dazwischen, charakterisierte die Sandwich-Bauweise der damaligen Schiffe. Alles in solider Eiche erstellt, machte den Aufbau einen halben Meter stark.

Ein Kapitel für sich war es, die bis zehn Zentimeter starken Planken der Schiffskontur anzupassen, ohne unerwünschte Spannungen aufzubauen. Willem Vos ließ die Planken wie einst üblich verformen, indem eine Seite über Feuer erhitzt, die andere durchgehend naß gehalten wurde. Praktisch bewerkstelligte den Arbeitsgang ein Kranfahrer, der die Planken am Haken über ein Lehrgerüst hielt. Während die Jungs mit großen Bunsenbrennern von unten Feuer gaben, wurde die Oberseite des Holzes mit einem Wasserschlauch besprüht. Über der Konturenlehre erhielten die Planken anschließend die gewünschte Form.

Ein weiteres Problem beim Bau großer Rahsegler stellte die Stärke der Konstruktion dar. Wie ließen sich Gewicht und Kräfte, die während der Fahrt auf Rumpf und Masten wirkten, beherrschen? Die Erfahrung zeigte, daß Retourschiffe im Laufe der Zeit einen »Katzenbuckel« bekamen. Sie neigten dazu, sich zwischen Vorder- und Hinterschiff durchzubiegen. In Holland begegneten die Schiffbauer der Deformation, indem das Vorder- und Hinterteil des Seglers hochgezogen und mit geraden Decks verbunden wurde. Auf diese Weise »gespannte« Schiffe waren verwindungssteifer.

Für Schiffe der BATAVIA-Bauart ist diese gebogene Form, der Sprung, kennzeichnend. Ebenso ist es der flache Boden. Er verleiht dem Schiff in Querrichtung eine höhere Stabilität, hinzu kommt der günstige Tiefgang in Gewässern mit Untiefen. An der BATAVIA läßt sich vom Hinterschiff aus der Sprung, die gebogene Form, gut beobachten.

Den verschiedenen Handwerksbereichen auf der BATAVIA-Werft wurden Arbeitsgruppen zugeteilt, denen Lehrmeister für vier Hauptbereiche vorstehen. Das ganze Schiff hatte Willem Vos im Auge. Er mußte Dispositionen für Monate im voraus treffen. Für den erfahrenen Schiffbaumeister kein Problem: »Wenn ich den Kiel lege, sehe ich das Schiff schwimmen.«

Ein Hauptbereich, die Schiffszimmerei, arbeitete bis zum Innenausbau meist unter freiem Himmel. Es ging um das Sägen, Hobeln, An- und Einpassen von Balken und Masten. Tätigkeiten also, die viel Platz beanspruchten.

1994 arbeiteten drei Hamburger Zimmerleute an der BATAVIA. Stolz zeigten sie die selbst angebrachten und bearbeiteten Planken. Begeistert waren sie vom Führungsstil des Willem Vos: »Ein demokratischer Vorgesetzter, der delegiert, ohne das Ganze aus der Hand zu geben. Kein Imponiergehabe, wie es oftmals deutsche Manager an den Tag legen. Das gemeinsame Abendessen war eine hierarchiefreie Runde, in der man Erfahrungen austauschte.« Hans-Dieter und Georg waren von dem Projekt so begeistert, daß sie beschlossen, zu Hause die WAPPEN VON HAMBURG nachzubauen.

Kleine Teile wurden in der werfteigenen Werkstatt gefertigt.

Schmiedearbeiten, zum Beispiel das Herstellen von Nietnägeln, wurden nach »draußen« vergeben.

Immer wenn es um die Haltbarkeit und Lebensdauer der BATAVIA ging, wurden Zugeständnisse an den Fortschritt gemacht. So bestanden Nägel an exponierten Schiffspartien aus Edelstahl, und ein Außenanstrich aus Polyezhylen konservierte den Rumpf vom Kiel bis knapp über die Wasserlinie.

Segel- und Blöckemacherei, ein weiterer Bereich, hielt sich streng an die Konzeption: »Fertigung gemäß der Schiffsbaukunst des 17. Jahrhunderts«. Alle zehn Segel, das große allein mißt 240 m², wurden aus schottischem Flachs hergestellt. Flachs, auf einem Webstuhl gewoben, der in der weltweit letzten, großen Spinnerei steht, die solche Aufträge ausführen kann. Jedes Segel wurde aus 61 cm breiten Kanvasstreifen von Hand, mit dem vor 350 Jahren üblichen «doppelten Rundnaht-Stich» vernäht. Man stelle sich den Aufwand bei der gesamten Segelfläche von 1180 m² vor!

Die Segelmacherei bestand aus acht Lehrlingen. Eine davon war

BATAVIA II: *Nagelbank mit mächtigem Eschenholzblock und einer Scheibe aus Pockholz.*

Petra van Mullekom. Zuvor hatte sie alles mögliche versucht, chinesische Texte übersetzt, verschiedene Fachrichtungen studiert, alles nur angefangen und halbherzig betrieben, bis sie schließlich völlig durcheinander war und an sich selbst verzweifelte. In der Segelmacherei der BATAVIA-Werft kam sie endlich zur Ruhe. Das Schiff und die Menschen hier gaben ihr Geborgenheit. Innerer Frieden kehrte zurück.

Das Tuch auf ihren Knien war hart und schwer, 1,2 kg pro m². Sie hockte im Schneidersitz da, als sie das Marssegel bearbeitete. In der zarten Hand hielt sie eine Segelmacherplatte, mit der sie eine gebogene Nadel in das Tuch bohrte. Das Tauwerk lief nicht durch Metall-Kauschen, sondern hatte mit Segelmachergarn umnähte Augen, wie es damals üblich war. »Dein eigenes Segel zu nähen ist ein tolles Gefühl«, sagte Petra und setzte Stich um Stich.

Rund 900 Blöcke wurden hergestellt. Allein 500 benötigte man für das Takelwerk, um die Verbindung vom Tauwerk zur Schiffskon-

Willem Vos auf der BATAVIA-*Werft. Ein Mann, der sich seinen Lebenstraum erfüllte.*

Blick in die Takelwerkstatt der Batavia*-Werft.*

struktion herzustellen. 250 Blöcke nebst Tauwerk wurden für die Geschützlafetten gebraucht – nicht zu vergessen ist das große Kontingent an Reserveblöcken. Für das laufende Gut besitzen die meisten Blöcke Scheiben aus Pockholz mit selbstschmierenden Eigenschaften. Außerdem gibt es Blöcke mit Bronzescheiben. Blöcke für das stehende Gut besitzen keine Scheiben, es sind Stagblöcke, die drei und mehr Löcher haben. Das beste Material für Blöcke ist zähes Eschenholz. Eine Ausnahme machte der große Kardeelblock, er wurde aus Eichenholz hergestellt. Mit ihm wurde die Rah gehißt und gestrichen.

»Das Herstellen der Blöcke und Klampen aus frischem Holz bereitete uns anfangs Schwierigkeiten«, wußte Vos zu berichten. »Es sprang und riß überall. Bis wir einmal alte Werftgebäude studierten. Das waren dunkle Löcher. Als wir die Teile in einem fensterlosen Raum lagerten, hatten auch wir den Schrumpfprozeß im Griff.«

In der Takelwerkstatt wurde die Verwendung authentischer Materialien am augenfälligsten. Hier verarbeitete man das Tau zu Takelwerk. Zum Einsatz kam langfaseriger Hanf (Cannabis sativa), der auf

257

einer Reeperbahn beim Lieferanten zu Tauen gedreht wurde. Hanf ist ein Naturprodukt, das vor Witterungseinflüssen geschützt werden muß. Das Tauwerk für die Wanten und Stagen, das stehende Gut also, wird mit Segeltuch und dünnem Hanftau umwickelt und hernach mit »Stockholmer Teer« konserviert. Eine »Sauarbeit«, die aber auch Spaß machen kann. Das bestätigten die Mädchen in der Takelgruppe.

Tauwerk, das durch Blöcke und Scheiben läuft, heißt laufendes Gut, unter anderem werden die Segel damit bedient. Eine durchgehende Teerung ist also nicht sinnvoll, da längere Abschnitte zum Brassen rein und griffig bleiben müssen. In der Takelwerkstatt wurden insgesamt 21 Kilometer Hanfseil verarbeitet.

Auch die Holzschnitzerwerkstatt unter Meister Cees van Soestbergen schuf einige echte Meisterstücke. Daran waren die zierliche Francesca, der Aussteiger Hans Stijn, Jan und Pit beteiligt. Als Schnitzer kann man sich künstlerisch austoben, hartem Eichenholz mit

Liebevoll werden die mannshohen Symbolfiguren aus Eichenholz mit Leinöl imprägniert und später am Achterschiff montiert.

Das hohe Achterkastell der BATAVIA II *mit dem prunkvollen Heckspiegel und der Hecklaterne.*

Hammer und Beitel zu Leibe rücken, Aggressionen abbauen und dennoch Kunst schaffen. Den Bildhauereleven gelangen Figuren und Gesichter, die sie sich vorher nie zugetraut hätten.

Die Ruhe und Geduld Soestbergens trugen zum erfolgreichen Schaffen ein Großteil bei. Einst war der freundliche, mittelalterliche Mann Landwirt geworden, dann hatte er Tiermedizin studiert, bis er sein Hobby, die Holzschnitzerei, zum Beruf machte. Soestbergen spezialisierte sich auf die deutsche Gotik und das Barock. Als er für die BATAVIA arbeitete, stöberten er und seine Schüler alte Gravuren, Zeichnungen, Fassaden und Ornamente in vielen Museen und Ausstellungen auf, um sich einen Überblick von der Kunst an Seglern des 17. Jahrhunderts zu verschaffen. Von rund 300 Schiffen, die er in Augenschein nahm, war die Ornamentik von höchstens dreien für die Belange der BATAVIA von Interesse.

Um Freund und Feind zu imponieren wurden die damaligen Schiffe reichlich mit Schnitzwerk verziert. Am auffälligsten sind die mannshohen Symbolfiguren am Achterschiff. Für die BATAVIA wurden über 100 Eichenholzfiguren geschaffen. Nach umfangreichen Studien von Vorlagen der nordeuropäischen Renaissance, ließ Soestbergen von jedem Schnitzwerk ein Gipsmodell anfertigen. Die fertigen Figuren wurden mit Leinöl imprägniert. Eine Behandlung, die das Austrocknen verhindert, gleichzeitig aber den warmen Holzton erhält.

Am Spiegel prangten Figuren, die mit dem Freiheitskampf der Niederländer in Verbindung stehen. Da stehen Julius Civilis, der legendäre Anführer der Bataven, und sein Kampfgefährte Brinion aus dem Aufstand der Bataven gegen die Römer 69 n. Chr. Daneben befinden sich Willem van Oranje mit seinem Sohn Maurits, die Anführer des niederländischen Aufstandes gegen Spanien während des 80jährigen Krieges 1568 bis 1648. Unter diesen großen Schnitzereien entdeckte man auch zwölf batavische Krieger und allerlei groteske Masken und Tritonen.

Noch ruhen die mächtigen Masten mit den tellerförmigen Krähennestern am Boden.

Von der Spitze des Galions blickt kampfeslustig, mit ausgefahrenen Krallen und zähnefletschend der Löwe von Oranien über den Horizont. Sein Körper wurde knallrot, die Mähne goldgelb bemalt. Weithin sichtbar, mit dem Anspruch: Hier erscheine ich, der »BATAVIA«-Löwe!

Ins Schiffsinnere blickt nur eine Figur, ein grinsender Schelm. »Het wakend oy«, die Narrenfigur, an der Steuerbordaußenseite angebracht, war Willem Vos' Idee. Sie soll den Rudergänger überwachen.

1993 besuchten 302000 Touristen aus ganz Europa die Werft. Ein Teil des Baugerüstes wurde entfernt, damit kam die BATAVIA in voller Größe zur Geltung. Die Masten wurden 1992 aufgestellt, im Frühjahr 1993 kamen die ersten Großrahen an Bord. Bis zum Sommer würden die fehlenden Marsrahen angebracht und alle Segel fertig sein. Dann ging es mit Macht an die Innenausbauten: Kombüse, Plumpsklos für die Offiziere, Kanonen mit Rollpferden, Spills, Grätings, Luken...

180 freiwillige Führer bildeten ein »Promotie Team«, das Besuchergruppen über das Geschehen auf der Werft aufklärte. Niemand zweifelte mehr an der Fertigstellung der BATAVIA, wenngleich die Kosten auf 22 Millionen Gulden aufliefen. Gleichzeitig stiegen aber auch die Einnahmen. Geld blieb zwar immer knapp, doch es gab keine bedrohlichen Finanzlöcher. Technisch lief ebenfalls alles zur Zufriedenheit. Nach Schlepptankversuchen mit dem BATAVIA-Modell wußte Vos, daß sie fünf bis sechs Knoten segelte, und außerdem in der Lage war, einen Orkan bei zwölf Windstärken abzureiten. Nur der Krängungstest mit 60 Mann auf einer Kante stand noch aus.

Eigentlich hätte der Stapellauf schon Ende 1991 stattfinden können. Doch man entschied sich, die BATAVIA auf dem Trockenen fertigzustellen. Somit konnte mit dem großen Ereignis nicht vor 1995 gerechnet werden.

Bekanntlich waren die Ostindienfahrer schwerbewaffnete Schiffe, die es auch mit Kriegsschiffen aufnehmen konnten. BATAVIA I führte 32 Kanonen mit, 24 davon aus Gußeisen. Besonders interessant waren die unterschiedlichen Formen und Größen der Kanonen des Retourschiffs. Das lag am europaweiten Einkauf durch die V.O.C.

Schon fast bedrohlich wirkt die ausgerannte Kanone im Batteriedeck.

Im Kanonennachbau erwies sich die Zusammenarbeit mit den Archäologen des Maritime Museums in Fremantle als sehr fruchtbar. Dr. Green ließ von den geborgenen Geschützen der BATAVIA Zeichnungen anfertigen, flog nach Holland und beriet den Nachbau mit Willem Vos vor Ort. Unter Mithilfe einer großen Eisengießerei entstanden 32 Repliken, die im Bauch der BATAVIA II Platz fanden. Passend dazu wurden die hölzernen Rollpferde vermessen. Die Kanonen wurden einsatzbereit gemacht, um später einmal für Salutschüsse ausgerannt und abgefeuert zu werden.

Im Herbst 1994 traf man Vorkehrungen für den Stapellauf. Eine Landungsbrücke wurde gebaut, an der die BATAVIA einen passenden Liegeplatz bekommen sollte. Der Acht-Millionen-Kredit war abgelöst worden, Stimmung und Arbeitsklima auf der Werft waren hervorragend, die Besucher strömten heran, von Monat zu Monat mehr. Der Stapellauf wurde für April 1995 geplant – es brauchte

Stapellauf: PS-starke Schlepper ziehen die BATAVIA II *vorsichtig auf einen Ponton. Zum feierlichen Akt erschien Königin Beatrix der Nieder-lande.*

nur noch die Königin ihr Erscheinen zuzusagen. Sie sagte zu und kam!

Natürlich war die Aufregung groß, zumal es um einen ganz unge-wöhnlichen Stapellauf ging. Die BATAVIA war bis auf einige Innenar-beiten fertig. Infolgedessen konnte sie nicht auf herkömmliche Weise, also von einer schiefen Ebene aus, ins Wasser gelangen. Große Schlepper kamen zum Einsatz und ein riesiger Ponton.

Die BATAVIA wurde samt »Helgen« von mehreren Hydraulik-Zy-lindern so weit angehoben, daß zwei Rollenbänder daruntergescho-ben werden konnten. Rollenderweise zogen Winden und Zugma-schinen den Großsegler auf den bereitstehenden Ponton. Nachdem die Rollenbänder entfernt worden waren, dampften die Schlepper mit Ponton und der ungewöhnlichen Beladung ab in Richtung Am-sterdam. Ein von vielen Schiffen und deren Sirenengeheul begleite-tes Spektakel!

An einer geeigneten Stelle wurde dann der Ponton geflutet, und

Der Ostindienfahrer an seiner Landungsbrücke im Lelystad. Davor stehen originalgetreue Geschütznachbildungen.

die BATAVIA wurde schwimmend an ihre Landungsbrücke zurück-
geschleppt. Die Operation verlief in den ersten Apriltagen ohne Zwischenfälle.

Am 7. April 1995 taufte Königin Beatrix unter großem Jubel und
enormen Menschenaufgebot den Segler offiziell auf den Namen BA-
TAVIA. Keine Champagner-Flasche zerschlug an der Bordwand, sondern eine Flasche mit Wasser aus dem Indischen Ozean nahe dem
Morning Reef im Abrolhos-Archipel. Abgefüllt an der Stelle also, an
der die ursprüngliche BATAVIA kläglich verlorengegangen war. Ein
gutes Omen?

Großer Applaus galt dem weißhaarigen Mann mit dem mächtigen
Rauschebart: Willem Vos. Er war mittlerweile 56 Jahre alt geworden.
20 Jahre hatte er von einem großen historischen Schiff geträumt. 15
Jahre hatte er sich mit der Planung der BATAVIA befaßt und 10 Jahre
war daran gebaut worden. Der Lebenstraum war in Erfüllung gegangen dank seines unerschütterlichen Glaubens.

Die Taufe war ein bewegender Augenblick für den Schiffbaumeister: Königin und Willem Vos umarmten sich. Nach der Taufe lag das
Retourschiff an der eigenen Landungsbrücke, wo es in seinem natür-
lichen Element zu besichtigen war.

Am 10. August verließ die BATAVIA ihren Liegeplatz, um sich
nach Amsterdam schleppen zu lassen. Auf der SAIL '95 führte sie
die Windjammer-Parade an. Die BATAVIA II war die Attraktion des
Seglerfestes.

»Das ist phantastisch, unglaublich, was für ein Anblick!«
schwärmte der Amsterdamer Bürgermeister Schelto Patijn. Hätten
Bürgermeister und Kämmerer das für möglich gehalten, Vos hätte
sein Schiff in Amsterdam bauen dürfen. Geflaggt – am Flaggstock des
Bugspriets flatterte stolz das Emblem der V.O.C. – und ein schüchter-
nes Besansegel gesetzt, so ließ sich die BATAVIA an einem strahlen-
den 11. August durch den Hafen ziehen.

Auf den Planken der BATAVIA

Sie wird sich zu einem dauerhaften Wallfahrtsort für Liebhaber detailgetreuer Nachbauten historischer Segelschiffe entwickeln, die BATAVIA-Werft in Lelystad. Ich bin dreimal dort gewesen. Und heute, an einem frühen Septembertag, habe ich mich wieder eingefunden. Erstaunlich, was sich seit dem Stapellauf auf der Werft verändert hat!

Am eindrucksvollsten nähert man sich dem Schiff zur »blauen Stunde« vom Wasser her. Plötzlich liegt er da, der Schiffskoloß mit dem massigen Leib und dem stromlinienförmig nach hinten geneigten Groß- und Besanmast, die im fahlen Licht glänzen wie frisch lackiert. Die Masten sind von einem dichten Netz von Wanten und Webleinen

Die BATAVIA II fast fertig, aber noch im »Trockendock«. Der Stapellauf steht unmittelbar bevor.

266

umgeben, als hause in dem Holzkörper darunter eine Monsterspinne, die das Fadengespinnst in der Nacht gewebt hätte. Ein imposanter Segler, geradewegs aus dem Mittelalter hereingeglitten. Er läßt staunen. Schon der unerwarteten Größe wegen.

Ein schmuckes Schiff, dem Original zum Verwechseln ähnlich. Es war der Stolz der Compagnie, die in ihrer Zeit 5000 prächtige Schiffe auf Kiel legen ließ, um Muskat, Pfeffer, Zimt und Seide heranzuschaffen. Die BATAVIA I schaffte allerdings nichts heran. Auf der Jungfernfahrt zerschmetterte sie an einem Riff, seitdem umhüllt sie eine geheimnisvolle Aura. Der Betrachter kann sich selbst beim Anblick des Nachbaus dieser rätselhaften Kraft nicht entziehen.

In Lelystad ist aus dem mit Latten umzäunten Areal ein stattliches Werftgelände mit sechs Hallen geworden. Die Kopfstation bildet der Landungssteg mit der BATAVIA. Hufeisenförmig umschließen Werkstätten das »Zollhaus« genannte Besucherzentrum mit einem Laden, Lichtspielräumen, Taverne und Belegschaftskantine für die neuen Schiffbauaktivitäten: den Nachbau der ZEVEN PROVINCIËN und den Bau eines Flevokahns, eine moderne Ausgabe einer Rundspant-Jacht.

Um die Kapazitäten auszulasten und um jungen Menschen ihren Arbeitsplatz zu sichern, legte Willem Vos 1995 die SIEBEN PROVINZEN auf Kiel, das Flaggschiff von Admiral Adriaensz de Ruyter. Im 17. Jahrhundert hatte das Kriegsschiff an vielen großen Seeschlachten teilgenommen. Das Schiff wird Vater Vos, Sohn Jahn, Ehefrau Mada und 50 Auszubildende bis ins Jahr 2005 beschäftigen.

»Sie haben sich Ihren Lebenstraum verwirklicht, Willem Vos, ist die BATAVIA jetzt abgehakt?«

»In keiner Weise. Sie hat mich 20 Jahre beschäftigt und wird mich immer beschäftigen. Abgesehen davon, daß es an einem so großen Schiff laufend eine Menge zu tun gibt, sind die Inneneinrichtungen noch nicht fertig. Mit dem neuen Schiff wollen wir die erworbenen Fachkenntnisse erhalten, pflegen und ausbauen. Außerdem wäre es eine Torheit, dem Ausbildungszentrum keine Perspektive zu geben.«

Willem Vos hat sich eine Pause gegönnt. Wir sitzen bei einer Tasse Kaffee in der Kantine. Er läßt die vielen Jahre, die ihn mit der BATAVIA verbinden, Revue passieren und äußert Gedanken zur Zukunft des Schiffes. Zwischendurch gesellt sich sein PR-Mann, Ad van der Zee, dazu. Ein jüngerer, agiler Mitarbeiter, der bei dem internationalen Interesse an der Werft alle Hände voll zu tun hat.

Die Kantine füllt sich. Junge Leute, alle um Mitte zwanzig, strömen herbei, um in der Pause eine Erfrischung zu sich zu nehmen. Willem Vos hat alles im Blick: die Schiffe auf der Werft und die Auszubildenden am Arbeitsplatz oder in der Kantine.

Ab und zu steht er auf und gibt eine Anweisung. Ruhig, bestimmt, freundlich. Ein Mann mit Kompetenz und angeborenen Führungseigenschaften. Sein Äußeres, ein »BATAVIA«-Käppi auf weißem Haarschopf über einem gutmütigen Gesicht, umrahmt von einem seltenen Exemplar von eisgrauem Bart, läßt nicht vermuten, daß mir der Werftmanager gegenübersitzt. Was befriedigt den Schiffbaumeister am meisten bei seiner Aufgabe?

Es ist das Gefühl, es geschafft zu haben, aus seiner Vision eine BATAVIA und eine Werft entstehen zu lassen. Es ist auch die wichtige Arbeit mit den jungen Menschen.

»Wenn wir der Jugend die Gegenwart nicht vermitteln, kann sie die Zukunft nicht gestalten. Wir haben die Aufgabe, den jungen Leuten die Arbeit so nahe zu bringen, daß sie Spaß macht. Dann erreichen wir Leistung, Qualität und Zufriedenheit. Ich halte dies für meine Hauptaufgabe. Natürlich sehe ich auch gern Schiffe wachsen«, sagt Vos.

Das Ausbildungszentrum ist erfolgreich. Nicht ohne Stolz wird auf die Förderwürdigkeit durch den Europäischen Sozialfond hingewiesen. Auch die Besucher bleiben treu. Kürzlich wurde der Zweimillionste gezählt. Freude bereitet das Interesse des jetzt scheidenden Botschafters Australiens in den Niederlanden, Michael Tate, an der Werft, die er viermal besuchte.

»Ich glaube, wir konnten durch den Nachbau der BATAVIA Energien aktivieren, die durch den Untergang des Schiffes verlorenzugehen drohten.«

Je näher damals der Fertigstellungstermin gerückt war, desto stärker wuchs die Vorstellung bei Vos, ein Japaner tauche mit 25 Millionen Gulden auf und wolle die BATAVIA kaufen. Übrigens, bei 120 Mannjahren und dem Materialeinsatz ein realistischer Kaufpreis. Doch die BATAVIA ist unverkäuflich, sie bleibt in Holland! Das Projekt

Das Retourschiff ist die Attraktion in Lelystad. Täglich erkunden viele Besucher seine Planken.

hat Millionen gekostet, aber auch Millionen eingebracht – und das Ganze für einen guten Zweck.

Jan vom Promotion-Team führt eine Besuchergruppe an den Anlegesteg und erklärt die BATAVIA. Da liegt sie mit ihren fast 57 Metern Länge und rund 800 Tonnen. Ein schwimmendes Fort, Lagerhaus und Hotel der mittleren bis grausligen Klasse. Jeden Besucher begeistert die liebevolle Detailarbeit. Auf einer Bordtreppe gelangt man bequem an Deck. Das Betreten des Retourschiffs ist ein Einstieg in längst vergangene Zeiten. Jan erläutert die ausladenden Rahen und die schiefstehenden Masten. Die Rahen benötigen beim Anbrassen enormen Raum, deshalb stehen die Masten geneigt. Die Regel heißt: auf zehn Fuß Länge – ein Fuß gekippt.

Ich entere mit Takler Ed den Großmast auf. Mit dem Takelmesser im Seitenköcher huscht er die Want wie ein Freibeuter empor. Ich ziehe bedächtig Webleine um Webleine nach. Im Krähennest, genauer im Großbrammars, zeigt er mir die Instandhaltung des Takel-

Im Wamt: Auf einen Großmast zu entern ist immer ein Erlebnis, besonders, wenn es sich um einen so berühmten »Indiaman« handelt. Blick über das Spill zur Großbrammars hinauf und...

werks – ein ewiges »Quacksalbern«. So heißt die Pflege des Guts mit einer Mischung aus Talgfett, Leinöl und Teer. Jetzt erkenne ich auch, daß Ed nicht nur ein Messer im Halfter führt. Ich deute auf seinen Gürtel.

»Bin vier Jahre auf großer Fahrt gewesen«, sagt Ed, »und als Sailor hast du stets einen Dolch, Marlspieker und Fitte am Mann.«

Der Blick von hier oben ist grandios, aber nichts für Schwindelanfällige. Unter den Rahen laufen Fußpferde. Eine Konzession an die Sicherheit. Auf der BATAVIA I gab es solche Steigbügel noch nicht. Erst 1640 schlug man die ersten Pferde an die Unterrahen. Kaum vorstellbar, wie die Matrosen es fertiggebracht hatten, das Tuch zu bergen. Unter uns quacksalbert eine Takelmannschaft die Großwanten an Steuerbord. Sie hängen wie Fliegen im schwarzen Netz, während ihr Teereimer lustig zwischen ihnen wippt.

270

Wieder an Deck sehe ich aus wie Ed und dufte wie er: schwarze Hände, verfleckte Jacke und Hose, umgeben von einem strengen Teergeruch. Gerade zünftig, um den Niedergang in den Bauch der BATAVIA hinabzusteigen. Im Batteriedeck schauen die Geschützrohre drohend gegen die Bordwand. Die Stückpforten sind zwar aufgeklappt, aber wie im Hafen oder auf Fahrt üblich, liegen die Rohre im 20-Grad-Winkel in den blutroten Lafetten. Der rote Anstrich hat seinen Sinn. Auf Batteriedecks ging es bei Schlachten hoch her. Da floß Blut und was nicht rot angestrichen war, wurde rot.

Das Geschützdeck war auch der Arbeitsplatz des Schiffsarztes. Der verstand sich am besten aufs Amputieren, Gliedmaßen abbinden und Wunden ausbrennen. Viel mehr gaben seine Ausbildung beim Bader und ein Kurs in Heilkunde, alles in allem zwei Jahre, auch nicht her. Ein Medicus mußte von Zeit zu Zeit auch einem Delinquenten wieder auf die Beine helfen. Die Strafen auf den Ostindienfahrern waren brutal. Es gab einen Strafmaßkatalog, der reichte vom unachtsamem

… auf die aufgeklappten Stückpfortendeckel der Backbordseite.

Wasserfässer im Zwischendeck (Kuhbrücke). Dort kann man sich nur gebückt bewegen – wie im Kriechkeller.

Trinkwasserverschütten über Diebstahl zur Schlägerei oder Befehls-verweigerung. »Harmlos« war das Krummschließen unter Deck. Auspeitschen, kielholen, »die Rechte an den Großmast nageln« wa-ren in der Regel Fälle für den Schiffsarzt, falls der Bestrafte am Leben blieb.

An jedem ersten Samstag des Monats werden die Kanonen ausge-rannt. Dann krachen einige Schüsse Salut über das Markermeer, den Bürgern Lelystads mittlerweile ein vertrauter Kanonendonner.

Einen Stock tiefer, im Zwischendeck, kann ich mich nur gebückt bewegen. Die sogenannte »Kuhbrücke« ist 1,20 Meter hoch und der Aufenthaltsraum der Seesoldaten gewesen. Unvorstellbar, wie die armen Kerle dort im Dunkeln hausen mußten. Zum Exerzieren durf-ten sie während der langen Reise gerade mal eine Stunde täglich an Deck frische Luft schnappen.

»Im Bauch der BATAVIA war frische Luft nur etwas für Privile-gierte: für den Kommandeur, für Kaufleute, Offiziere und wohlhabende Passagiere. Den Rest der 341 Menschen an Bord umgab ein bestialischer Gestank«, sagt Jan und malt das Bordleben aus. »Frische Luft macht krank«, hieß es, und man ließ die Luken dicht. Schweiß, Kot und Gestank von Erbrochenem hing wie eine Pestglocke über den Schiffen. Paradox aber war: Die meisten Seeleute konnten nicht schwimmen und waren obendrein wasserscheu.

»Die Niederländer hatten um 1700 die reinlichsten Matrosen, denn sie wurden zweimal im Leben gewaschen. Einmal bei der Geburt und einmal vor der Beerdigung«, meint Jan.

Und die Enge! Sich richtig auszustrecken war nicht möglich. In feuchten, spakigen Klamotten lagen die Seeleute wie Ölsardinen. Das Umdrehen klappte nur auf Kommando. Meist hatte man die Schweißfüße eines Mitschläfers im Gesicht. Auch die Verpflegung ließ zu wünschen übrig. Die Männer vor dem Mast hockten sich in einer freien Minute zu sechst vor einen Holztrog und löffelten Pökelfleisch und Grütze. Aus dem Schiffszwieback schauten die Maden, und das faulige Trinkwasser hatte die Konsistenz von Sirup, war nur nicht so süß. Wer es trank, zog es vorsichtig durch die Zähne, um Getier zu filtern. Zum Ende der Passage klappte das nicht mehr bei jedem Salzbuckel, weil Skorbut seine Zähne ausfallen ließ.

Ich komme an der Kombüse vorbei: nicht mehr als eine gemauerte Herdstelle, groß wie eine Speisekammer. Wie der Smutje dort 300 Essen herauszauberte, ist ein Rätsel. Schließlich speiste die Herrschaft in der großen Kajüte an einer gedeckten Tafel mehrere Gänge.

Am urigsten war der Unterschied zwischen den Gesellschaftsklassen bei der Notdurftverrichtung. Da gab es doch tatsächlich im Achterkastell backbords und steuerbords je ein komfortables Plumpsklo mit Meerblick, während das Schiffsvolk am Bugspriet fast freischwebend das Geschäft erledigte. Den Hintern wischte sich die Mannschaft mit ein und demselben faserigen Tampen.

Erst Mitte des 17. Jahrhunderts baute man den Segelschiffen Steuerräder ein. Die BATAVIA wurde mit Segeln manövriert und mit einem schmalen Ruder, das sich jeweils nur um 15 Grad bewegen ließ. Der Rudergast beschränkte sich aufs Beisteuern durch Zuruf, sehen konnte er ohnehin kaum etwas. Er stand auf dem Hauptdeck und schaute durch das Steuerhäuschen auf das Kampanjedeck. Sein Gesichtsfeld waren etwas Back und etwas Großmast. Ich nehme den

Platz des Rudergängers ein, umfasse den wuchtigen, über zwei Meter langen Kolderstock, mit dem über Werbelgurt und Ruderpinne das Ruder betätigt wird. Ein umständlicheres Steuern kann man sich kaum vorstellen.

Richtig im Bauch der BATAVIA bin ich im Laderaum. Hier hinunter reichen der Groß- und der Besanmast, deren Mastfüße am Gegenkiel (Kielschwein) verkeilt wurden. Hier hinab reichen auch die Lenzpumpen, die das ständig eindringende Wasser entfernen. Man kommt sich im Dunkel zwischen Ziegelsteinlagen als Ballast und allerlei Fässern wie in einem Burgverlies vor. Ein unheimlicher Ort, der auf See in hoher Dünung ein Alptraum gewesen sein muß. Hier unten konzentrierten sich die übelsten Gerüche, weil genante oder nicht schwindelfreie Matrosen ihre Notdurft kurzerhand dem Bilgenwasser übereigneten.

Auf allen Decks wird weiter eifrig gehobelt, gebohrt und gehämmert. Es geht um das Ausarbeiten von Details, um das An- und Einpassen von Schränken, Kisten, Tischen, Gestühl und Bänken. Willem Vos hat recht: Auf einem großen Retourschiff haben die Zimmermänner ewig zu tun.

Noch leuchten die Arbeitsstätten elektrische Lampen aus, das war vor 360 Jahren anders. Kerzen oder Öllampen spendeten Licht. Wer damit der Pulverkammer zu nahe kam, flog in die Luft, wie es dem Retourschiff NEU HOORN widerfuhr.

Wieder am Oberdeck sagt Ed: »Die BATAVIA ist kein Museumsschiff, sie soll auch unter Segel gehen. Doch bis dahin gibt es noch viel zu lernen. Noch weiß niemand, wie ein solches Schiff bedient wird. Vielleicht wird Kapitän Gillem Content einmal der erste Kommandant der BATAVIA II. Er ist unser Berater und könnte eine Crew zusammenstellen. Wahrscheinlich wird sie sich aus eigenen Leuten rekrutieren und mit Sicherheit weniger als 200 Mann haben. Soviel Schiffsvolk brauchte die BATAVIA I als Stammbesatzung.«

Und wie stellt sich das Management die ersten Segeltörns vor? Konkrete Pläne gibt es noch nicht. Beabsichtigt sind Testfahrten ohne Passagiere auf der Nordsee. Man wird Erfahrungen sammeln und an Sicherheit gewinnen und eines Tages vielleicht, als Krönung, den großen, den historischen Törn machen. Von Texel hinab ans Kap

Zur Zeit der Batavia I *waren Steuerräder auf Segelschiffen unbe-*
kannt. Der Rudergänger »hantierte« mit einem Kolderstock. Über Wer-
belgurt und Ruderpinne wurde das Ruder betätigt.

der guten Hoffnung, über den Indischen Ozean bis zu den Abrolhos
vor Australien und nach Norden gen Java bis Jakarta…

Doch bis dahin gibt es noch viele Hindernisse aus dem Weg zu
räumen. Wollte die Batavia kleine Schläge mit Passagieren auf der
Nordsee unternehmen, müßte sie ständig von Begleitschiffen eskortiert werden, allein schon aus hygienischen Gründen. Für große
Fahrt wären die fehlenden Einrichtungen für Körperpflege jedoch
nicht das einzige Problem. Die internationalen Sicherheitsstan-
dards schreiben für Schiffe dieser Größe elektrische Positionslam-
pen, einen Hilfsmotor, beleuchtete Gänge, Sprinkleranlage, moder-
nes Navigationsgerät vor. Auf großer Fahrt mit Passagieren müßte
auch der Kolderstock einem Steuerrad mit Ruderanlage weichen.
Kein schöner Gedanke für Willem Vos. Doch der hat schon andere
Hindernisse umschifft und absurdere Träume in Realität verwandelt.

276

Wir verlassen die Planken der BATAVIA. Es wird noch einige Zeit vergehen, bis es »Leinen los« für die Jungfernfahrt heißt. Ich gehe an der Helling der ZEVEN PROVINCIËN vorbei. Auf der Werft ist es ruhig geworden. Die Bautrupps haben Feierabend gemacht.

Gedankenverloren betrete ich die Taverne im Zollhaus. Ich bestelle Sate, das ist Reis mit Fleischspießen und Erdnußsauce, ein indonesisches Gericht. Indonesien! Australien! Die Weiten des Ozeans! Fernweh beschleicht mich. Die BATAVIA II auf historischem Törn – was für eine Vorstellung. Ich hoffe, es ist auch Willem Vos Traum. Er könnte ihn wahrmachen. Die BATAVIA auf Goodwill-Tour – ich bin überzeugt, sie würde die Herzen der Javaner erobern, Vorurteile abbauen und endlich, drei Jahrhunderte nach ihrem Start, ihr Ziel erreichen – diesmal in bester Absicht, in Freundschaft.

Ein letzter Blick auf die BATAVIA II. *Ob sie jemals auf historischem Törn – Amsterdam Kapstadt Abrolhos-Archipel und weiter bis Java – segeln wird?*

Literaturverzeichnis

Batavia-werf, Drukkerij Belser Lelystad: »Batavia Gids«, Stichting Nederland bouwt VOC-Retourschip, 1995

Bontekoe van Hoorn, Willem: »Die gefahrvolle Reise des Kapitän Bontekoe«, M.R.C. Fuhrmann-Plemp van Duiveland (Herausgeber), Horst Erdmann Verlag, Tübingen 1972

Cropp, Wolf-Ulrich: »Gletscher und Glut – Auf Cooks Spuren durch den Pazifik«, Delius Klasing Verlag, Bielefeld 1995
»Mit der Bounty durch die Südsee – Eine Seereise auf den Spuren Käpt'n Blighs«, Pietsch Verlag, Stuttgart 1993

Drake-Brockman, Henrietta: »Voyage to Disaster«, Angus & Robertson, Sydney 1963
»The Reports of Francisco Pelsaert«, Western Australian Historical Society, Perth 1956

Eckardt, Emanuel: »BATAVIA – Das Traumschiff aus dem Goldenen Jahrhundert«, GEO Juli 1994, Gruner + Jahr AG, Hamburg 1994

Edwards, Hugh: »Islands of Angry Ghosts«, Hodder & Stoughton Ltd., London 1966

Evers, Marco: »Unter der Knute der Meesters«, GEO Indonesien, Gruner + Jahr AG, Hamburg 1995

Forrest, John: »Report on a Visit to the Abrolhos Islands«, Western Australian State Archives, 1879

Fülles, Mechthild und Walter, Dieter: »Australiens unbekannter Westen«, Renate Schenk Verlag, Berlin 1991

Fuhrmann – Plemp van Duiveland, M.R.C. (Herausgeber): »Der Untergang der BATAVIA«, Horst Erdmann Verlag, Tübingen 1976

Godard, Philippe: »The first and the last Voyage of the Batavia«, Abrolhos Publishing Pty. Ltd., Western Australia, Perth 1993

Hartgers, Joost (Herausgeber): »Ongeluckige Voyagie van't Schip Batavia«, t'Amsterdam 1648

Heeres, J.E.: »The Part Borne by the Dutch in the Discovery of Australia 1606–1765«, Leiden and London 1899

Höfer, Hans: »Java«, APA Guides, Reise- und Verkehrsverlag, Berlin 1994

Lisson, Deborah: »'The Devil's own«, Walter McVitty Books, Glebe (Australien) 1990

Menzel, H.: »Die Rekonstruktion der Batavia«, Das Logbuch, Hamburg 1994

Molewijk, G.C. und Pelsaert, François: »Pelsaerts journaal van de ongelukkige reis van het schip Batavia«, Uitgeverij Heureka, Weesp, Amsterdam 1989

Narciß, Georg Adolf (Herausgeber): »Von Hinterindien bis Surabaja – Forscher & Abenteurer in Südost-Asien«, Horst Erdmann Verlag, Tübingen 1977

Parthesius, Robert und Vos, Willem: »Batavia cahier, Herbouw van een Oostindiëvaader«, Stichting Nederland bouwt VOC-Retourschip, Lelystad 1994

Pelsaert, Francisco: »Jahangir's India«, Übersetzung von W.H. Moreland, Cambridge 1925

Roeper, Vibeke; Parthesius, Robert und Wagenaar, Lodewijk: »De Batavia te water«, De Bataafsche Leeuw, Amsterdam 1996

Rob, Gerda: »Indonesien«, Ullstein Verlag, Frankfurt, Berlin 1991

Schulte, Michael: »Bambus Coca-Cola Bambus – Von einer Reise nach Celebes«, Meyster Verlag, München 1982

Schutz-Tesmar, Johannes: »Australien«, DuMont Buchverlag, Köln 1983

Smith, Holly: »Indonesien«, Sun Tree Publishing, London 1994, und GeoCenter, München

Stein, Conrad: »Australien«, Conrad Stein Verlag, Kiel 1987

Zinke, Jochen: »Der kahle Koloß von Lelystad«, in: Yacht, Februar 1995, Delius Klasing Verlag, Bielefeld 1995

Illustrationsnachweis

Schutzumschlag:

Titelseite aus 3 Fotos von Wolf-Ulrich Cropp. Das Hauptmotiv ist ein Gemälde von Ailsa Small, Westaustralien: »Die gestrandete BATAVIA vor dem Morning Riff, Traitor's Island.« Das Original befindet sich: Courtesy of Geraldton Art Gallery, Westaustralien. Die kleine Tuschezeichnung, um 1625 entstanden, zeigt den Oberkaufmann, Flotten-Präsidenten und Kommandeur der BATAVIA Francisco Pelsaert. Das Original der Zeichnung befindet sich im Besitz von Erben der Schriftstellerin Henrietta Drake-Brockman, Westaustralien.

Rückseite: Der BATAVIA-Nachbau an der Landungsbrücke vor der BATAVIA-Werft in Lelystad, Niederlande. Foto: W.-U. Cropp.

Abbildungen: W.-U. Cropp, Hamburg (wenn nicht anders vermerkt).

Farbfotos: Nr. 1, 2, 12: Die Originale befinden sich im Rijksmuseum – Stichting, Amsterdam, Niederlande, und wurden, mit freundlicher Genehmigung, von W.-U. Cropp fotografiert; Fotos Nr. 3, 7, 11: Die Originale befinden sich im Maritime Museum, Fremantle, Westaustralien. Sie wurden mit freundlicher Genehmigung von W.-U. Cropp fotografiert; Fotos Nr. 9, 13: Maritime Museum, Fremantle, Westaustralien; Fotos von Patrick Backer; Foto Nr. 10: Geraldton Museum, Geraldton, Westaustralien. Das Original wurde mit freundlicher Genehmigung von W.-U. Cropp fotografiert; Fotos Nr. 16 und 17: Werner Kern, München; Foto Nr. 36: Modellzeichnung BATAVIA von Bob Brobbel, Hilversum 1995, Niederlande; Foto: W.-U. Cropp; Foto Nr. 39: BATAVIA-Werft, Lelystad, Niederlande; Foto Nr. 43 und 44: BATAVIA II, Paul Roelofsen, Niederlande.

Schwarz-Weiß-Abbildungen: S. 16, 42: Die Originale befinden sich im Maritime Museum, Fremantle, Westaustralien, und wurden, mit freundlicher Genehmigung, von W.-U. Cropp fotografiert; S. 24: Amsterdams Historisch Museum, Amsterdam, Niederlande. Das Original wurde, mit freundlicher Genehmigung, von W.-U. Cropp fotografiert; S. 26: Agence Roger-Viollet, Paris, Frankreich; S. 27, 39, 49, 56, 60, 65, 70, 90: Die Originale befinden sich im Nederlands Scheepvaartmuseum, Amsterdam, Niederlande, und wurden, mit freundlicher Genehmigung, von W.-U. Cropp fotografiert; S. 96: Das Original befindet sich im Rijksmuseum-Stichting, Amsterdam, Niederlande, und wurde, mit freundlicher Genehmigung, von W.-U. Cropp fotografiert; S. 117: Zeichnung von François-Gilles Bachelier, Noumea, New Caledonia, nach Dokumenten des 17. Jahrhunderts: Foto: W.-U. Cropp; S. 159, 162, 163: Invernizzi Tettoni, Luca; S. 194: Werner Kern, München; S. 251: Zeichnung: Bob Brobbel, Hilversum, Niederlande; Foto: W.-U. Cropp; S. 258, 260, 263, 266: BATAVIA-Werft, Lelystad, Niederlande.

Zeichnungen: Wolf-Ulrich Cropp, teils nach Vorlagen: S. 41: Tekening Armand Haye, Amsterdam, Niederlande; S. 79: Skizze: Henrietta Drake-Brockman, Australien; S. 115: Lieutenant H. Donohue, Royal Australian Navy, Australien; S. 141 und 143: François-Gilles Bachelier, Noumea, New Caledonia.

280